Brive-La-Gaillarde
Grotte de Lascaux
Souillac
Rocamadour
LOT
PARC NATUREL RÉGIONAL
Grotte de Quercy
Quercy
Cabrerets
DES CAUSSES DU QUERCY
St. Flour
Le Puy-en-Velay
Aurillac
Monts d'Aubrac
Figeac
Decazeville
le Lot
AVEYRON
Villefranche-de-Rouergue
l'Aveyron
Rodez
Rouergue
Ségalas
Gorges du Tarn
PARC NATIONAL DES CÉVENNES
Florac
Cévennes
Causses
Millau
Viaduc de Millau
le Tarn
Carmaux
Montauban
TARN
Gaillac
Albi
le Tarn
Albigeois
PARC NATUREL RÉGIONAL DES GRANDS CAUSSES
l'Hérault
Lautrec
Henri de Toulouse-Lautrec
Toulouse
Castres
PARC NATUREL RÉGIONAL DU HAUT-LANGUEDOC
Bédarieux
LANGUEDOC ROUSSILLON
Montpellier
Mazamet
Pézenas
Montagne Noire
Béziers
Sète
Bassin de Thau
l'Ariège
Castelnaudary
Minervois
Carcassonne
Le Canal du Midi
Narbonne
Pamiers
Etang de Bages de Sigean
Corbières
Foix
Etang de Leucate ou de Salses
Grotte de Niaux
la Mer Méditerranée
Ax-les-Thermes
Perpignan
la Têt
ANDORRE
Font-Romeu
Vernet-les-Bains
Amélie-les-Bains
le Tech
Tunnel de Puymorens
Figueras

Découvertes
Band 2

von
Gérard Alamargot, Reutlingen; Birgit Bruckmayer, München; Isabelle Darras, Paris; Léo Koesten, Versailles; Dieter Kunert, Toulouse; Inge Mühlmann, Recklinghausen; Andreas Nieweler, Detmold; Sabine Prudent, Berlin

Weitere Mitarbeit
Gerd Bär, Ohlsbach; Ute Bobach, Barleben; Detlev Brenneisen, Norderstedt; Regine Eiser-Müller, Limburg; Dr. Angelika Greß, Wittenberg; Vera Hux, Stans (CH); Hanns-Christoph Lenz, Leipzig; Lydia Lenz, München; Françoise Malz, Braunschweig; Jeanne Nissen, Rostock; Wolfgang Spengler, Solingen

Zusatzmaterialien für Schüler und Schülerinnen zu diesem Band
Cahier d'activités, *Klett-Nr. 523823*
Grammatisches Beiheft, *Klett-Nr. 523822*
Lernsoftware, CD-ROM, *Klett-Nr. 523712*
Vokabellernheft, *Klett-Nr. 523312*
1 CD für Schüler und Lehrer mit Lektionstexten, Ausspracheübungen, Gedichten, Liedern, *Klett-Nr. 523826*
Zusatzmaterial im Internet: www.klett.de

Bildquellen
Agence ANA, Paris: 16.2; Alamany: 92.1; Archivo Iconografico: 84.2; ART on FILE: 11.2, 16.3; Aslan: 85.6; Aufbau-Verlag, Berlin: 61.2B; Austrian Archives: 84.1; Aventure Parc, Aramits: 104.4; Benaroch: 85.4; Chloro'Fil, Argelès-Gazost: 97.1–3; Cinetext, Frankfurt: 44.3, 57.1–2, 118.1; Corbis, Düsseldorf: 10.1, 29.2, 119.4A; DTV, München (akg): 61.1B; Fougère: 85.8; Franken: 10.2, 16.4, 93.2; Bianchetti: 16.1; Bordas: 29.8; De Waele: 84.3, 119.5; Editions Nathan, Paris: 120.2; Gallimard: 61.3A, 61.4A, 61.5A; Getty Images, München: 87.1; Ginies: 20.2; Hachette: 61.2A; Halary: 21.1, 3; Harholdt: 91.5; Heaton: 16.5; Houser: 119.6; Humbert: 98.2; Indiana Ventures, Morzine: 104.1; Interfoto, München: 63.1; Jules: 24.5; Kaehler: 119.2; Karl Rauch Verlag: 61.5B; Keller: 100.2; Kipa/Minet: 85.3, 85.7; Klett-Archiv, Stuttgart (Floret, Gilles): 84.8, 109.1, 111.4, 115.1; (Friederike Maria Keck): 19.1; (A. Löcherbach): 84.6; (Sven Thamphald): 77.4, 84.9, 109.3, 120.5, ; (Christa Weck): 117.1; (Stefan Zörlein): 84.5; Mairie de Toulouse: 21.2, 63.2–3; Marco Polo, Paris (B. Naudin/F. Bouillot): 11.1, 12.1, 20.3, 20.4, 22.1, 23.1–5, 24.1–4, 26.1–8, 29.1, 3, 4, 6, 7, 34.1, 35.1, 36.1–3, 37.1–4, 40.1–2, 42.5, 43.1–2, 44.1–2, 46.1–2, 52.1–5, 53.1–2, 54.1–4, 55.1–4, 60.4, 66.1, 67.1, 68.2, 69.2, 77.1, 77.3, 78.1–2, 92.2, 98.3, 106.1, 107.1–2, 109.2; Montoz'Arbres (N. Hautemanière) 104.3; Morris: 85.2; Muntada: 98.1; Musée d'art et d'histoire, Genève: 119.4B; Nahassia: 20.1A; Niemzig: 93.2; Omnibus/C. Bertelsmann Jugendbuch Verlag, München, ein Unternehmen der Verlagsgruppe RandomHouse GmbH: 61.3B; Paucellier/Photo & Co.: 91.2; Picture-Alliance, Frankfurt (dpa): 27.1; Poblete: 119.3; Pyrénées-photos.com (J.N.Herranz): 91.3; Pyrénées-Hô (Chris Gasc): 104.5; Rue des Archives/TAL: 39.1; Sparks: 101.2; Semvat,Toulouse: 38.1; S.T.C. Ville de Toulouse: 63.2-3; Sipa Press, Paris (Hadj):13.1, 29.5; STUDIO X, Limours: 12.2; Suhrkamp Verlag, Frankfurt am Main: 61.4B; Sygma: 29.8-9, 58.2, 85.1, 85.5, 111.2; Vauthey: 119.7; Vertige de l'Adour: 104.2; Villard/Aslan/Nivière: 111.1; Visum, Hamburg: 74.1; Widmann, Peter, Tutzing: 122.1; Yspeert: 84.4; Zen Zila: 112.1

1. Auflage 1 10 9 8 7 6 | 14 13 12 11 10

Alle Drucke dieser Auflage können im Unterricht nebeneinander benutzt werden, sie sind untereinander unverändert. Die letzte Zahl bezeichnet das Jahr dieses Druckes.

Internetadresse: http://www.klett.de

Redaktion: Dr. Gilles Floret, Friederike Maria Keck, Stefan Zörlein

Gestaltung: Sven Thamphald
Layout: Christian Dekelver, Weinstadt
Umschlaggestaltung: Christian Dekelver, Weinstadt
Zeichnungen: François Davot, Troyes; Christian Dekelver, Weinstadt; Helga Merkle, Albershausen
Satz: Media Office GmbH Lihs & Hahn, Kornwestheim
Reproduktion: Meyle + Müller, Medienmanagement, Pforzheim
Druck: Firmengruppe APPL, aprinta druck, Wemding
ISBN 3-12-523821-8

Découvertes

für den schulischen
Französischunterricht

2

von
Gérard Alamargot
Birgit Bruckmayer
Isabelle Darras
Léo Koesten
Dieter Kunert
Inge Mühlmann
Andreas Nieweler
Sabine Prudent

Ernst Klett Verlag
Stuttgart Düsseldorf Leipzig

INHALTSVERZEICHNIS

LEÇON 1

LEÇON 2

Themen	Kommunikation	Methodenkompetenz	Struktur	

LEÇON 6

LEÇON 7

Österreich / RP / Bayern

VORWORT

Chers élèves,

Bienvenus en deuxième année de français!
Ihr habt Angst, in den Sommerferien alles vergessen zu haben?
Keine Sorge, das ist ganz normal!
Amandine wird euch gleich zu Beginn mit ihrem Spiel in die französische Welt zurückholen.
Auch Emma, Malika, Victor, Thomas und Christian begleiten euch wieder im zweiten Buch.
Allerdings gibt es entscheidende Veränderungen im Leben der fünf Freunde.
Seht, hört und lest nun selbst ...

Viel Spaß dabei!

Euer Découvertes-Team,
Théo und Amandine

Wegweiser

 Hier findest du Lektionstexte sowie Hörverstehenstexte.

 Hier findest du spezielle Hörverstehensaufgaben zur Vertiefung.

 Diese Übungen solltest du zur Festigung der Grammatik oder des Wortschatzes in dein Heft schreiben.

 Hier arbeitest du in der Regel mit deinem Sitznachbarn zusammen.

 Bei diesen Aufgaben arbeitest du im Team mit drei bis maximal fünf Klassenkameraden zusammen.

 Dieses Symbol bedeutet, dass die betreffende Einheit oder Übung behandelt werden kann, aber nicht muss.

 Dieses Symbol steht vor einer Übung oder einer Lektion, die nur in bestimmten Bundesländern/ Ländern verlangt wird.

 Der Delfin weist auf einen speziellen Übungstyp hin, den du wiederfindest, wenn du dich auf die DELF-Prüfung vorbereitest.

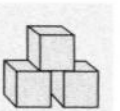 Hier ist eine kreative Projektarbeit gefragt.

 In Aufgaben mit diesem Symbol entstehen Produkte, die ihr in eurem Französisch-Dossier abheften könnt.

 Bei Übungen mit diesem Symbol ist ganz besonders dein „Forschergeist“ gefragt.

 Bei diesem Symbol handelt es sich um spielerische Übungen.

 Hier triffst du meistens auf Suchaufgaben im Internet.

 Diese Aufgaben sind zur Wiederholung von bereits gelerntem Stoff gedacht: eine gute Möglichkeit, deine Kenntnisse zu testen.

 Bei diesen Übungen kannst du nur für dich alleine deinen Kenntnisstand überprüfen.

 Dieses Zeichen weist Wörter aus, die im Pratique-Teil neu eingeführt werden und gelernt werden müssen.

 Verweis auf das entsprechende Grammatikkapitel im Grammatischen Beiheft.

Unter der Klett-Internet-Adresse www.klett.de unter „Schüler“ und dann „Französisch“ (www.klett.de) findest du Zusatzmaterialien wie z. B. eine Zusammenstellung aller Lernstrategien ab Band 1 sowie zusätzliche Übungen und Texte u. a.

Alle Kompetenzen (Leseverstehen, Hörverstehen, Sprechen, Schreiben, Interagieren) und alle Strategien in Découvertes 2 erfüllen die Anforderungen des **Referenzrahmens** Niveau A1–A2.

⟨PLATEAU RENTRÉE⟩ Le jeu d'Amandine

Départ

AMANDINE

1
Begrüße deinen rechten Nachbarn. Sage, wie du heißt und wo du wohnst. Frage, wie es ihm geht.
4 points

2
Quel âge est-ce que tu as? Thomas a quel âge? L'anniversaire d'Emma, c'est quand?
3 points

3
Où est-ce que tu vas quand tu veux acheter une gomme/un livre/une pellicule?
3 points

Amandine va chez Madame Salomon, mais elle n'est pas là. Tu passes un tour! ◆

11
Sage auf Französisch, dass du etwas toll, weniger gut, blöd findest, dass du einverstanden bist.
4/(7) points

12
Comment s'appellent les 7 jours de la semaine?

7/(8) points

13
Frage einen Mitspieler, ob er Lust hat, heute Abend ins Kino zu gehen und was er am Wochenende vor hat.
5 points

14
Où est-ce que les grands-parents de Victor habitent et pourquoi est-ce que les Bajot vont chez papi et mamie le 10 mai?
4/(5) points

15
Wie heißt die Hauptstadt Frankreichs? Nenne vier Gebäude und drei Verkehrsmittel in der Hauptstadt (Vergiss den Artikel nicht)!
4/(7) points

16
Qu'est-ce qu'il y a sur la table (4 choses)?

4 points

17
Sage, dass du etwas nicht verstehst, und bitte darum, dass die Aussage wiederholt wird!
4/(6) points

24
Sag die erste Strophe eines Gedichts oder eines Liedes auf.

10 points

25
Du möchtest eine Flasche Cola und Pommes (= 4,75 Euro) kaufen. Suche dir für den Dialog einen Mitspieler deiner Wahl!
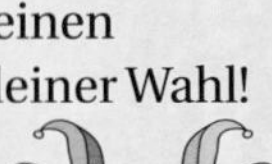
10 points

26 **1 sport/1 activité:** Qu'est-ce que tu aimes faire? Qu'est-ce que tu n'aimes pas faire?
1 chose: Qu'est-ce que tu aimes? Qu'est-ce que tu n'aimes pas?
8 points

27
Donne ton numéro de téléphone en français!
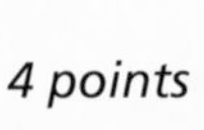

4 points

28
Dein Mitspieler spielt einen Erwachsenen. Frage ihn, wie du zum Bahnhof kommst und wo die (nächste) Metrostation ist!
4 points

29
Sage, dass folgende Gegenstände dir gehören:

5 points

30
Comment est-ce que tu commences et termines (du beendest) une lettre (2 expressions)?
3 points

31
Nenne vier Zimmer einer Wohnung (mit Artikel!).
4 points

Vous trouvez les règles du jeu (Spielregeln) et l'auto-évaluation pages 196–197.

4 Deine Mitspieler würfeln für dich insgesamt 4-mal! Bilde mit jeder gewürfelten Augenzahl (1 Auge = *je* usw.) die entsprechenden Verbformen von *prendre, boire, ouvrir* und *lire!*

8 points

5

Compte à rebours (rückwärts) de 20 à 0!

6 points

Amandine a faim. Elle rêve d'une montagne de croquettes. Retourne◆ à la case◆ «Départ»!

6

Quelles sont les couleurs de la voiture de M. Beckmann?

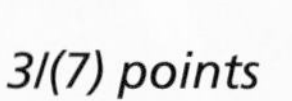

3/(7) points

10

Quel est le métier de Mme Sarré, d'Adrien Carbonne, de M. Beckmann et de François Davot?

4 points

9

Nenne drei Tipps, wie man sich leichter Vokabeln merken kann.

3 points

8

Lis les trois verbes et conjugue un verbe de ton choix (nach deiner Wahl) au présent!
[ɛtr] [fɛr] [avwar]

6 points

7

Fais deux phrases qui riment avec:
1. Mme Salomon fait une publicit**é** …
2. Victor chante une chans**on** …

10 points

Amandine va dans le square! Elle rencontre un autre chat! Avance◆ à la case 22!

18

En français: «Wer? Was? Wo? Wann? und Warum?» Pose 5 questions correctes à tes camarades!

10 points

19

Donne les infinitifs de «können, wollen, wissen» en français. Conjugue un de ces trois verbes au présent!

6 points

20

Décris le chemin!

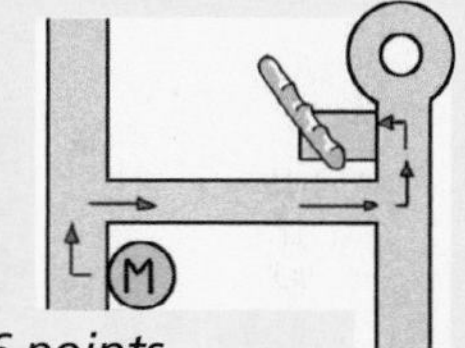

6 points

23

Quelle heure est-il?

4 points

22

Décris ta famille. (personnes/âge/animaux?)

10 points

21

Konjugiere je ein regelmäßiges Verb deiner Wahl auf *-er, -dre,* und *-ir* im Präsens.

9 points

Amandine et son copain voient◆ une souris◆ sur une poubelle!

Avance à la case 28!

32 Lis les mots et épelle un mot de ton choix (deiner Wahl)!
– la télévision
– j'achète
– le français
– vous invitez

7 points

33

En français: 50-60-70-80-90-100! Comment est-ce qu'on dit 70 et 90 en Belgique?

4 points

Amandine monte dans la poubelle, mais la souris n'est plus là! Elle ne peut plus sortir …

Retourne à la case 27!

LEÇON 1

J'aime Paris.

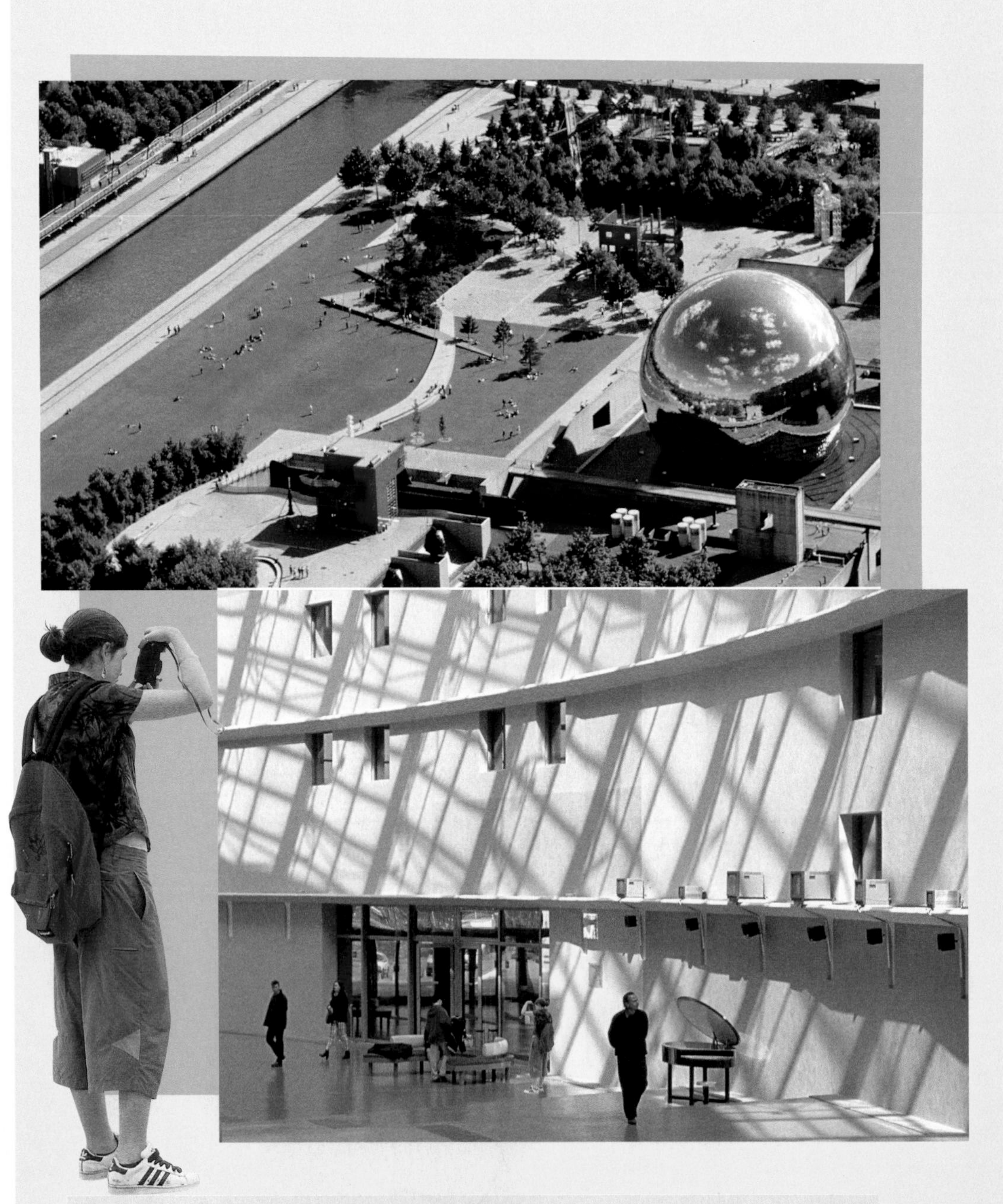

Regardez les photos du Parc de la Villette.
A votre avis (eurer Meinung nach), qu'est-ce qu'on peut faire à la Villette?
Regardez le plan du métro à la fin du livre.
Expliquez le trajet (den Weg) entre la Bastille et la Villette.

01

Une découverte

Hier, Mme Messadi **a accompagné** Malika, Emma et la petite Manon au Parc de la Villette. Le matin, elles **ont regardé** les étoiles au planétarium. Manon **a** beaucoup **aimé** les poissons à l'aquarium. Maintenant, elles veulent regarder le film «Atlantis» à la Géode:

Malika: Tu **as** déjà **acheté** les billets, maman?
Mme Messadi: Oui, ma chérie. Les filles, vous **avez posé** vos sacs à dos au vestiaire?
Manon: Non, Madame. Pas moi, je **n'ai pas posé** mon sac au vestiaire.
Mme Messadi: Bon, viens, on y va!
Malika: Qu'est-ce que tu as, Emma? Tu es bizarre. Ça ne va pas?
Emma: Ah, je ne sais pas. Hier, mes parents **ont** beaucoup **discuté** dans la cuisine. Ils **ont** même **crié**. Mais je ne sais pas pourquoi.
Malika: Chut, voilà ma mère et ta sœur …

a *Schaut euch die fettgedruckten Verben an. Sie stehen im* ***Passé composé****.*
Was drückt diese Zeitform aus?

b *Wie bildet man das Passé composé?*

c *Übertragt die Tabelle in euer Heft und ergänzt die Passé composé-Formen von „accompagner".*

J' … Malika à la Villette.	Nous … Malika à la Villette.
Tu **as** … Malika à la Villette.	Vous … Malika à la Villette.
Elle **a accompagné** Malika à la Villette.	Elles … Malika à la Villette.

A vous. *Lisez la lettre. Utilisez le passé composé:*

Cher Adrien,

Paris, le 1er septembre 2005

Bonjour de Paris. Aujourd'hui, nous (visiter) la Villette avec Malika, sa mère et Manon. La Villette, c'est génial! D'abord, nous (regarder) les étoiles au planétarium. Après, on (acheter) des billets pour le film «Atlantis» à la Géode. Puis, Manon (grimper) avec nous dans le grand sous-marin «l'Argonaute». Elle (jouer) avec les appareils: Malika et sa mère (rigoler), mais moi, je (ne pas trouver) ça drôle! Mais Manon, elle est comme ça. Et toi, comment est-ce que tu vas?
A bientôt! Je t'embrasse.

Ta cousine Emma

02 Quitter Paris?

1. Le soir, Valentin, Emma et Manon mettent la table. Les filles racontent leur journée …

Manon: On a passé une journée super à la Villette. On a eu beaucoup de chance avec le temps: On a visité l'aquarium et le planétarium. Mais j'ai oublié mon sac à dos au vestiaire de la Géode. Zut! Et vous, papa, maman, qu'est-ce que vous avez fait aujourd'hui?
M. Carbonne: J'ai travaillé et ta mère aussi.
Emma: Papa, maman, vous êtes bizarres, je trouve.
M. Carbonne: C'est vrai. Nous ne dormons plus depuis une semaine. Voilà … J'ai trouvé un très bon travail comme mécanicien chez Airbus.
Valentin: Super, papa! Tu vas faire des avions! C'est où, Airbus? En banlieue?
M. Carbonne: Non … Hum … C'est à … Toulouse.

2. *Emma:* Quoi? Déménager à Toulouse? Et toi, maman, tu ne dis rien?
Mme Carbonne: Ecoute, pour moi, ce n'est pas facile non plus. Nous avons beaucoup discuté. On trouve que Toulouse, c'est une chance pour votre père. D'abord, papa va partir pour travailler et chercher une maison, peut-être même avec un jardin.
Emma: Comment? Vous n'avez pas trouvé d'appartement?
Mme Carbonne: Pas encore. A Toulouse, c'est un problème. Nous avons mis une annonce. D'abord, ton père va peut-être habiter dans un camping-car. Après, je vais chercher un travail là-bas.

3. *Emma:* Quelle horreur! Papa va avoir froid. Moi, je ne veux pas déménager. Paris, c'est super, c'est la capitale, il y a tout: des musées, des cinémas et on peut sortir quand on veut!
Manon: Et il y a aussi la Villette à Paris!
Mme Carbonne: Mais à Toulouse, on peut aussi aller au cinéma! En plus, il fait chaud et beau. Il fait trente degrés en été et il y a du soleil même en hiver! A Paris, il pleut souvent!
M. Carbonne: Tu sais, Emma, quand mes parents ont quitté l'Italie, je n'ai pas du tout compris. Après, j'ai été content en France. Tu vois, changer de ville, c'est bien aussi.
Emma: Ce n'est pas du tout la même chose!

4. *Valentin:* Tu as vu, papa, j'ai trouvé des photos de Toulouse et de la région sur Internet.
Mme Carbonne: Regarde, Emma, la montagne n'est pas loin. On peut faire du ski ou de l'escalade! Tu adores ça, non?
Manon: Tu as entendu, Emma? On peut faire du ski!
Emma: Mais vous ne comprenez rien! Et Malika?
Manon: Malika va venir à Toulouse pendant les vacances. On va visiter la ville.
M. Carbonne: Ecoutez, je n'ai pas encore signé. Je pars d'abord à Toulouse et je reviens à Paris à Noël. Au printemps, vous venez à Toulouse pour passer les vacances d'avril dans notre maison ou bien dans mon camping-car. D'accord?
Emma: Valentin, je peux voir les photos …

1 A propos du texte

a *Mettez les phrases du résumé* dans l'ordre.*

1. **Manon raconte sa journée à la Villette.**
2. Emma veut voir les photos de Toulouse.
3. Il va travailler chez Airbus.
4. Emma a un problème: ses parents sont bizarres.
5. Mais Emma est en colère: elle ne veut pas déménager.
6. Ensemble, elles vont visiter Toulouse.
7. Monsieur Carbonne a trouvé un travail à Toulouse.
8. Madame Carbonne va aussi chercher un travail à Toulouse.
9. Mais M. Carbonne n'a pas encore trouvé de maison.
10. Valentin est content parce qu'il aime les avions.
11. Malika peut venir à Toulouse pendant les vacances.

b *A votre avis:*

1. Pourquoi est-ce qu'Emma ne veut pas quitter Paris?
2. Pourquoi est-ce qu'Emma veut voir les photos de Toulouse?
3. Imaginez* que vos parents veulent déménager. Vous êtes d'accord? Trouvez des arguments* pour ou contre.

2 Faire du vélo* à Paris? Roberto* Carbonne raconte … (§§ 1, 2)

a *Mettez les verbes entre parenthèses au passé composé.*

A Paris en vélo

Dimanche, je (passer) une journée en vélo dans les rues de la capitale. Pendant la semaine, je prends toujours le métro. Alors, je (chercher) mon plan et mon vélo et voilà comment tout (commencer)! Je (quitter) ma rue et je (tourner) tout de suite sur les grands boulevards* …

Devant le jardin du Luxembourg*, je (regarder) les arbres, les enfants … Je (avoir) envie d'entrer mais des enfants (expliquer): «Monsieur, on ne fait pas de vélo dans un jardin!» Boulevard Saint-Michel*, je (avoir) peur car un monsieur dans une Porsche* rouge (crier): «Attention! Les rues, ce n'est pas pour les vélos!» Alors, mon vélo et moi, nous (chercher) une station de métro pour vite rentrer* à la maison: «Monsieur, s'il vous plaît, vous ne savez pas lire: pas de vélo dans le métro!» Enfin, je (rencontrer) un copain. «Viens, on prend un café*!»

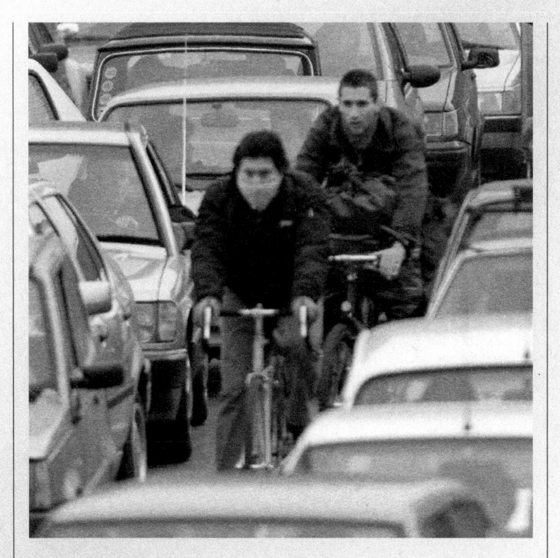

Je (attacher) mon vélo devant le café. Avec mon copain, nous (discuter). Mais quand nous (quitter) le café, on (ne plus trouver) mon vélo. «Ah, ça alors! Ils (voler) mon vélo!» Alors, vous avez encore envie de faire du vélo à Paris?

b **A vous.** *Décrivez en allemand dans un e-mail à votre copain/copine comment on fait du vélo à Paris.*

3 La semaine des copains à Paris (§§ 1, 2)

Emma a fait un film sur ses copains. Qu'est-ce qu'ils ont fait pendant la semaine?

Mettez les verbes au passé composé. Utilisez les indications de temps (Zeitangaben).

Lundi
- être au studio/près de ...
- téléphoner à Mme Salomon

Mardi
- attendre sa fille devant qc/à ...
- prendre le bus

Mercredi
- jouer de qc/avec qn
- manger dans un restaurant/près de ...

Jeudi
- signer des BD
- rencontrer qn
- prendre qc

Vendredi
- acheter qc
- jouer à qc/avec qn

Le week-end
- avoir rendez-vous avec qn/dans ...
- faire du roller devant ...

4 Jeu de sons

Faites des phrases au passé composé avec les mots du tableau. Utilisez le maximum de sons [u] *ou* [y] *(so viele ... wie möglich).*

1. Un **jou**r, Fil**ou** a tr**ou**vé ...
2. ...

ou [u]	**u** [y]
douze – bouchon – Filou – bousculer – bouteille – fou – jour – nouveau – ouvrir – touriste – tout de suite – tout à coup – trouver – toujours – rouge	bousculer – Bruno – vu – Bruxelles – débuter – mur – flûte – lu – numéro – pub – musique – rue – salut – studio – super – vu

5 Un e-mail d'Emma (§§ 3–6)

La tante d'Emma a des problèmes d'ordinateur. Complétez l'e-mail d'Emma à sa tante Sylvie avec les verbes ***«dormir, partir, sortir, venir, voir, mettre»*** *au présent.*

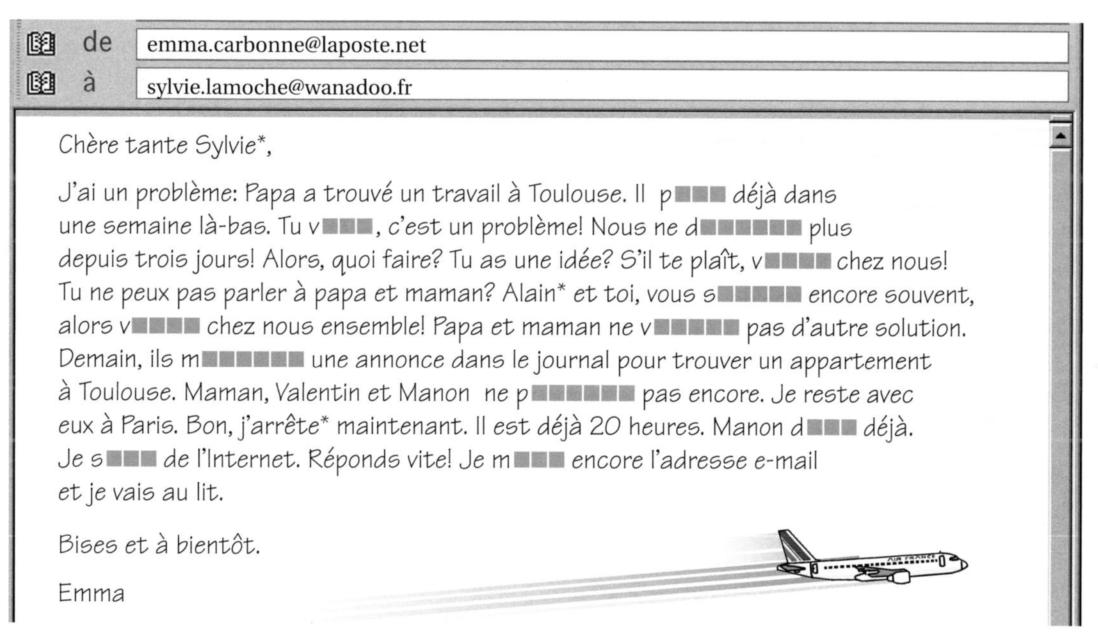
de emma.carbonne@laposte.net
à sylvie.lamoche@wanadoo.fr

Chère tante Sylvie*,

J'ai un problème: Papa a trouvé un travail à Toulouse. Il p■■■ déjà dans une semaine là-bas. Tu v■■■, c'est un problème! Nous ne d■■■■■■ plus depuis trois jours! Alors, quoi faire? Tu as une idée? S'il te plaît, v■■■■ chez nous! Tu ne peux pas parler à papa et maman? Alain* et toi, vous s■■■■■ encore souvent, alors v■■■■ chez nous ensemble! Papa et maman ne v■■■■■ pas d'autre solution. Demain, ils m■■■■■■■ une annonce dans le journal pour trouver un appartement à Toulouse. Maman, Valentin et Manon ne p■■■■■■ pas encore. Je reste avec eux à Paris. Bon, j'arrête* maintenant. Il est déjà 20 heures. Manon d■■■ déjà. Je s■■■ de l'Internet. Réponds vite! Je m■■■ encore l'adresse e-mail et je vais au lit.

Bises et à bientôt.

Emma

6 Bravo!

on dit ...

Neigungen:
- J'aime ça!
- J'adore ça!
- Super!
- Génial!
- Bravo!

Ärger:
- Ah, non!
- Zut!
- Quoi?
- Tu ne comprends rien!/ Vous ne comprenez rien!
- Je suis en colère!
- Quelle histoire!

Zweifel:
- Tu es bizarre, je trouve.
- Tu ne dis rien?
- Ce n'est pas facile!
- C'est un problème!
- Peut-être ...
- Ah, bon?

Abneigungen:
- Quelle horreur!
- Je n'aime pas ...!
- Je ne veux pas ...!

Ängste:
- On va avoir froid!
- J'ai peur!/J'ai peur de ...
- Fais/Faites attention!
- Au secours!
- Mon Dieu!

Hoffnungen:
- Super, tu vas faire ...
- C'est une chance!
- Je rêve de ...

A vous.

06

a *Faites un tableau avec les six catégories dans votre cahier. Ecoutez les scènes. Classez (ordnet) les scènes dans les six catégories.*

b *Discutez en classe: «Habiter en ville ou à la campagne?» et utilisez les expressions (Ausdrücke) du tableau.*

7 On visite Paris? (§§ 2–6)

a *Regardez les images et complétez les dialogues. Utilisez* ***«dormir, sortir, partir, venir, mettre, voir, faire, entendre, comprendre, prendre»****. Si nécessaire (wenn nötig), utilisez le passé composé. Ecrivez les verbes corrects dans votre cahier.*

1

Victor: Bonjour, Thomas. Tu ~ chez ton père, hier?
Thomas: Salut, Victor. Oui, j'ai aussi un lit chez papa. Tu ~ «Magritte» au Musée d'Orsay*?
Victor: Non, pas encore.
Thomas: Dimanche, je vais au musée avec mon père. Tu ~ avec nous?

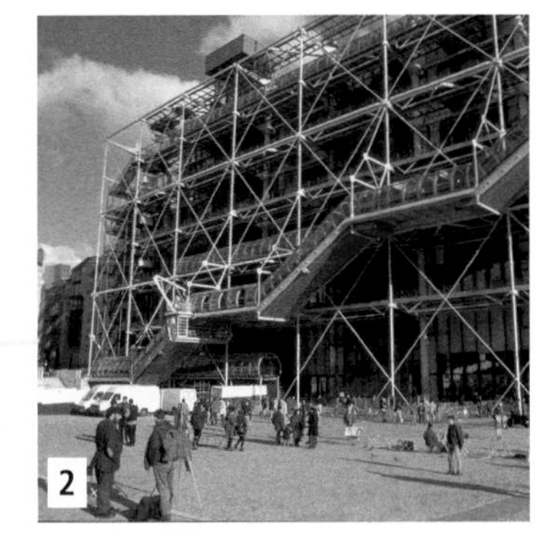
2

Adrien: Il est génial, le Centre Pompidou. On ~ beaucoup de monde à l'entrée.
Emma: Ah oui, les touristes ~ de loin pour visiter le Centre Pompidou. On entre?
Adrien: Non, Emma, je ~ dans une heure à Genève.

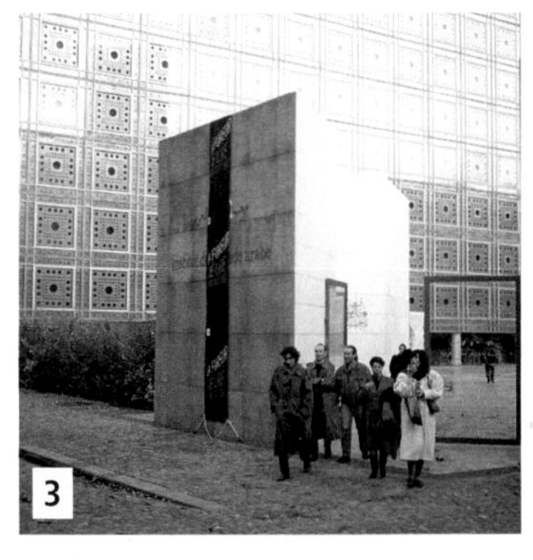
3

M. Messadi et sa fille ~ de l'Institut du Monde Arabe*.
Malika: Papa, tu ~ une photo?
M. Messadi: Oui, mais où est-ce que tu ~ l'appareil photo?
Malika: Oh, zut, maman ~ l'appareil dans mon sac à dos.
M. Messadi: Alors nous ne ~ pas de photos!

4

M. Beckmann: Elle est grande, la place devant l'Arche de la Défense.
Mme Beckmann: Brrr! Il ~ froid. On ~ ? Regarde, les gens* ~ aussi!
M. Beckmann: Déjà? Allez, ~ ! On va boire un café!

5

Christian: C'est super, Montmartre*. Vous ~ , Madame Salomon, le dessinateur a parlé espagnol.
Mme Salomon: Ah bon? Je ne ~ pas l'espagnol mais ça ne ~ rien.

b *Cherchez sur le plan de Toulouse à la fin* du livre les mots français pour* ***«Bahnhof, Platz, Museum, Garten, Brücke, Markthalle, Post, Kanal, Sporthalle, Friedhof».***

8 Valentin n'est pas du tout comme Emma!

Valentin est très différent de sa sœur.

1. Valentin aime bien faire des jeux vidéo.
2. Il a toujours adoré les avions.
3. Il aime beaucoup les frites.
4. Valentin sait tout sur les voitures.
5. Dans trois ans, Valentin va encore être au collège.
6. Valentin parle un peu italien*.
7. Souvent, Valentin n'aime pas rigoler avec sa petite sœur.
8. Valentin veut déjà déménager à Toulouse.

Faites des phrases dans votre cahier avec la bonne négation (Verneinung) pour décrire aussi Emma.

ne … pas du tout — ne … pas — ne … jamais — ne … rien — ne … pas non plus — ne … plus — ne … pas encore

9 Jeu de mots: Le temps à la météo*

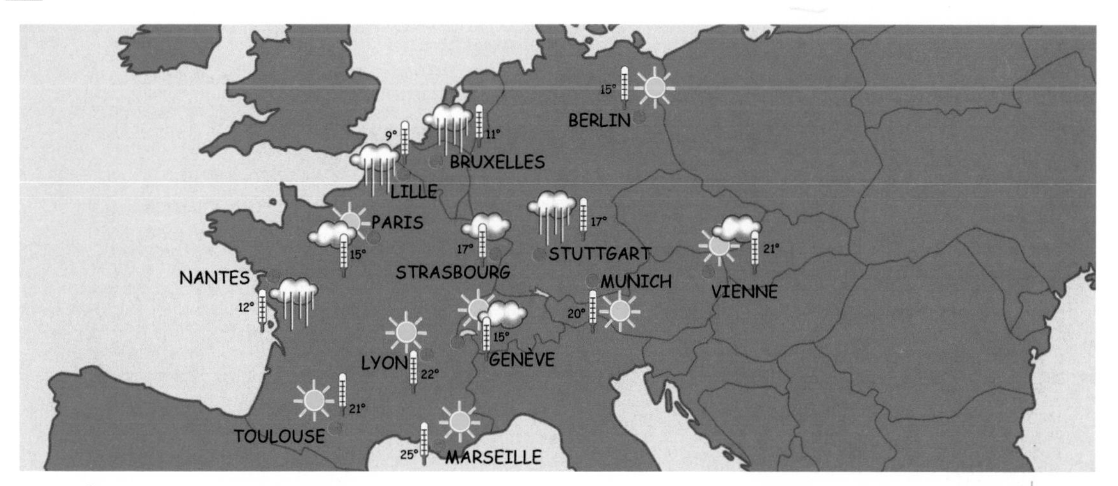

Il fait	Il y a	Il fait	Il fait	C'est
beau	? des nuages*	chaud	30 °C = ? 15 °C = ?	l'été ? l'automne
?	**Il ? ./Il va pleuvoir.**	?	2 °C = ?	?

A vous.

a *Copiez et complétez le tableau de la météo dans votre cahier.*

b *Regardez la carte. Choisissez une ville et dites:*

– le temps, la température* et la saison (Jahreszeit). Utilisez le tableau de la météo.
– les activités que vous faites quand il pleut, quand il fait mauvais ou quand il fait beau.

Exemple: Aujourd'hui, à Berlin, il fait beau, il y a du soleil. Il fait 15 degrés. Je vais faire du roller avec mes copains et mes copines.

10 Ecouter: On prend un parapluie* ou pas?

01 **a** *Répondez après la première écoute (Hören):*

Pourquoi est-ce qu'Emma et Manon écoutent la météo?

b *Lisez les phrases suivantes. Puis, écoutez une deuxième fois. Dites si elles sont correctes. Corrigez.*

1. A Paris, il va faire 22 °C et il va pleuvoir.
2. Emma veut écouter la météo.
3. Emma chante et Manon regarde un film.
4. Emma veut prendre un parapluie.
5. Manon veut mettre le parapluie dans son sac à dos.
6. Emma a peur: Manon va peut-être oublier le parapluie dans la voiture de Mme Messadi.

11 Je ne joue plus! (§§ 1–2, 4–5)

a *Cherchez la réponse correcte pour chaque (jede) question.*

b *Mettez les questions et les réponses correctes au passé composé.*

ne … pas encore
ne … pas du tout
ne … pas non plus
ne … pas
ne … plus
ne … jamais

1. Valentin et Manon, vous mettez la table?
2. Thomas, tu prends ton sac à dos?
3. Victor, tu trouves les photos sur Internet?
4. Adrien, tu apprends aussi l'espagnol?
5. Katja ne fait pas la bise à Victor!
6. Tu es d'accord avec tes parents, Emma?
7. Malika, tu comprends ma colère?
8. Papa a envie de rester à Paris ou non?
9. Manon, tu apprends déjà ta leçon?
10. Je ne joue pas au foot. Il fait trop chaud!

a) Non, je ne vois pas encore les photos.
b) Quoi? Je n'apprends pas du tout l'espagnol!
c) Non, il n'a plus envie de travailler ici.
d) Mais Julia ne fait pas la bise non plus.
e) Non, je ne suis pas du tout d'accord.
f) Je ne joue pas non plus!
g) Non, je ne prends jamais de sac à dos.
h) Non, je ne comprends jamais ta colère.
i) Non, on ne met pas la table. On n'a pas le temps.
j) Non, j'apprends pas encore ma leçon.

12 Leseverstehen

Stratégie

Einen Text könnt ihr mit zwei verschiedenen Lesetechniken lesen.
Um sich schnell einen Überblick zu verschaffen, ist es sinnvoll, das **überfliegende Lesen** anzuwenden. Möchtet ihr das Textverständnis vertiefen, ist es hilfreich, einen Text mit Hilfe des **strukturierenden Lesens** zu gliedern.

1. Überfliegendes Lesen am Beispiel des Lektionstextes:

- Nehmt euch nur 3 Minuten Zeit, um den Text zu überfliegen.
- Achtet dabei auf Schlüsselwörter. Das sind Wörter, die das Thema eines Abschnitts angeben; z. B. *visiter la Villette/un bon travail à Toulouse/déménager/etc.*
- Häufig findet man inhaltlich wichtige Aussagen im ersten Satz eines jeden Abschnitts und im letzten Abschnitt eines Textes, in dem meistens ein Résumé steht.
- Sucht Sinneinheiten im Text:

1. On a passé une journée super à la Villette ... → **Visiter la Villette**	2. Voilà ... J'ai trouvé un très bon travail ... → **Un bon travail à Toulouse**	3. Quoi? Déménager à Toulouse? ... → **Déménager à Toulouse: le pour et le contre**

2. Strukturierendes Lesen:

Das könnt ihr am Beispiel des Textes **„Paris, la capitale“** (im Internet) so machen:
- Findet **den** Hauptgedanken dieses Textes heraus.
- Markiert mit einem Textmarker die Schlüsselwörter des Textes.
  Aber Vorsicht: Wer zu viel markiert, verliert leicht die Übersicht!
- Unterstreicht sogenannte „Strukturwörter" wie z. B. *souvent, quand, à Paris, parce que.* Sie verweisen auf Informationen zu Zeit, Ort und Handlung.
- Überlegt euch zu jedem Abschnitt einen Titel.
- Achtet auf die Gestaltung des Textes.

A vous.

*Druckt den Text **„Paris, la capitale“** aus. Lest ihn noch einmal ganz genau durch und strukturiert ihn. Ihr findet den Text im Internet unter **http://www.klett.de***

Planète Paris

«Paris, ce n'est pas une ville, c'est un monde dans une ville.»

Regardez le plan du métro de Paris à la fin du livre et cherchez les stations suivantes: Barbès-Rochechouart, Place d'Italie, Place de Clichy.

«Le 18e arrondissement, c'est pour moi ‹l'Afrique de mes parents›. A Barbès-Rochechouart, il y a beaucoup de gens de couleurs: dans la rue, dans le métro et dans les magasins. Vous me voyez sur la photo? Je suis à droite. On voit mon dos.»

Fatimatou Atangana, 13 ans

«Vous connaissez les quartiers chinois de Paris? C'est la Place d'Italie dans le 13e et Belleville dans le 20e. Mon père a un restaurant vietnamien. Je l'aide souvent.»

Lee Nguyen, 13 ans

«Mes endroits préférés sont la Place de Clichy où j'ai commencé à chanter, Barbès où j'aime rencontrer mes amis et la gare Saint-Lazare où je suis arrivé en France.»

Cheb Mami, Algérien, chanteur de raï

«Moi, je peux vous dire qu'à Paris, on peut aussi se sentir seul. Il y a des gens qui vivent dans la rue et ils ne peuvent pas profiter des plaisirs de notre capitale. Je suis triste quand je vois ça!»

Magalie Dufour, 14 ans

■ **Savoir faire**

→ Stratégie, page 19.

a *Lisez encore une fois le texte de la leçon page 12. Puis, lisez les quatre textes et notez les avantages (Vorteile) de Paris.*

b *Décrivez les avantages de Paris à un(e) ami(e) qui ne parle pas le français.*

c *Présentez votre ville et dites les avantages et les désavantages (Nachteile).*

LEÇON 2

2 Paris-Toulouse

1. Cherchez Toulouse sur une carte de France.
2. Imaginez: Comme Emma, vous quittez une ville pour vivre (leben) dans une autre ville. Qu'est-ce que vous ressentez? (Was empfindet ihr dabei?) Pourquoi?
3. Ecoutez le dialogue. Qu'est-ce que vous entendez? Répondez en allemand.

13 Au revoir, Emma!

Les copains ont organisé une fête pour Emma chez Malika parce qu'Emma va quitter Paris. Ils ont voulu dire au revoir à leur copine.
Victor **est arrivé** le premier avec sa guitare. Quand il a sonné, Malika est allée ouvrir la porte. Ils sont allés dans la cuisine pour faire des crêpes. Puis, les autres sont arrivés. D'abord, ils ont encore parlé du départ d'Emma, mais après, ils ont rigolé et dansé. Quand les copains sont partis, Emma et Malika sont descendues dans la cuisine et elles sont encore restées pendant une heure pour discuter et raconter des souvenirs de classe ...

*Dans le texte, la forme marquée, c'est **le passé composé du verbe «arriver» avec «être».** Cherchez d'autres exemples. Ecrivez les phrases dans votre cahier et soulignez les terminaisons (unterstreicht die Endungen). Copiez et complétez les phrases.*

1. Victor est ~ .
2. Malika est ~ .
3. Ils/Les autres/Les copains sont ~ .
4. Emma et Malika sont ~ ./Elles sont ~ .

-é	-ée	-és	-és	-ées
-i	-ie	-is	-is	-ies
-u	-ue	-us	-us	-ues

venir, aller, arriver und *entrer,*
monter, rester, tomber und *descendre,*
partir, sortir und dann auch *rentrer*:
So bewegt ihr euch mit *Passé Composé*!

être
il est arrivé
il est resté
il est monté
il est descendu
il est parti
il est sorti
il est entré
il est tombé
il est allé
il est venu
il est rentré

A vous.

Formez quatre phrases correctes et écrivez-les dans votre cahier:

Après la fête, ...

1. Malika	– est revenu pour chercher sa guitare.
2. Les garçons	– ne sont pas tout de suite allées au lit.
3. Emma et Malika	– est montée dans sa chambre.
4. Victor	– sont partis ensemble.

Ce n'est qu'un au revoir!

1. En octobre, M. Carbonne a enfin trouvé une maison dans la banlieue de Toulouse. Il a organisé le déménagement. Aujourd'hui, le reste de la famille prend le train pour Toulouse: 730 kilomètres en 5 heures!

Paris, Gare Montparnasse …

Thomas: Allez, cours, Victor! Le train doit partir dans deux minutes! Et tu es en retard comme toujours!
Emma: Vous ne devez pas m'oublier, hein?
Malika: Mais, non. Qu'est-ce que tu racontes? On t'aime. On reste amis pour toujours!
Emma: Je vais vous écrire et vous envoyer des photos de Toulouse.
Copains: Ce n'est qu'un au revoir, Emma!

2. Une semaine après, à Toulouse …

Emma: La maison est peut-être grande, mais on est perdu, ici!
Mme Carbonne: Tu nous énerves avec tes idées noires! Tu ne reçois pas de nouvelles de tes copains! C'est ça, non? Tu es triste? Pourquoi est-ce que tu n'écris pas, toi?

3. *Manon:* Ecoute, Emma, depuis le déménagement, tu es restée dans ta chambre.
Emma: Toulouse ne m'intéresse pas! Je suis désolée! C'est nul, ici!
Valentin: Toi, tu es nulle! Tu n'es pas drôle! Tu fais toujours la tête.

4. Dans la cour du collège Guillaumet …

5. *Emma:* C'est vrai? J'ai reçu quelque chose de Paris?
M. Carbonne: Oui, il y a un paquet pour toi. Mais, ne courez pas comme ça dans l'escalier, les filles!

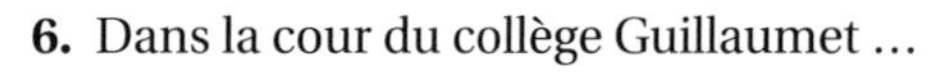

6. Dans la cour du collège Guillaumet …

Cécile: Bonjour, je m'appelle Cécile. Qu'est-ce que tu écoutes?
Emma: Moi, c'est Emma. J'écoute le CD d'un copain de Paris. Il a écrit une chanson pour moi!

7. *Emma:* Pourquoi est-ce qu'on appelle Toulouse la «Ville rose»?
Cécile: Regarde la couleur des maisons. Tiens, là, c'est le Capitole avec l'hôtel de ville et le théâtre!

8. Deux semaines après …

Valentin: Tu es prête? Maman et Manon sont déjà revenues de la piscine.
Emma: Avant, je dois aller à la poste. Où est papa?
Valentin: Il est descendu à la cave pour préparer les vélos.

9

Toulouse, le 1er novembre

Salut les amis,

J'ai été super contente de recevoir votre paquet. Merci à la maman de Malika pour les gâteaux. Merci à Victor pour le rap. Le CD est génial. Ça va marcher! Maintenant, j'ai retrouvé le moral. En plus, au collège, j'ai rencontré une fille sympa. Elle s'appelle Cécile. Hier, nous sommes allées ensemble en vélo au bord de la Garonne. J'ai même pris des photos. Je suis tombée de vélo, mais, ce n'est pas grave! Demain, nous recevons la visite de nos voisins.

Mille bises.

Emma

PS: Cécile est la voisine du chanteur du groupe Zebda! C'est fou, non?

10 Voici deux photos:

Sur le canal du Midi, on est même monté sur un bateau.

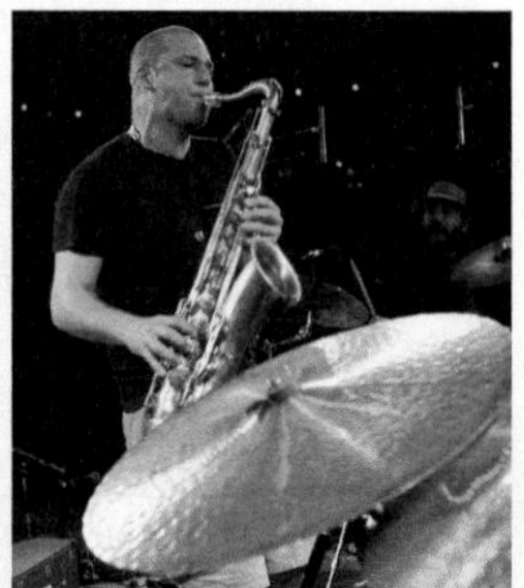

Là, je suis allée à un concert de jazz à la salle Nougaro avec Cécile et sa famille.

1 A propos du texte

Résumez le texte au présent avec ces mots-clés.
*Utilisez **«d'abord, puis, un jour, ...»**.*

1. quitter Paris – train – gare – dire au revoir
2. Toulouse – idées noires – pas de nouvelles
3. pas d'amis – l'accent
4. paquet – courir
5. collège – trouver – amie
6. visiter – Toulouse – Capitole – théâtre
7. écrire – lettre – piscine – cave
8. vélo – Garonne – photos – tomber
9. canal du Midi – bateau – concert

2 Malika est à Toulouse. (§§ 7, 8)

Emma a visité Toulouse avec Malika. Elle a pris des notes* pour son journal.

a *Ecrivez le journal d'Emma pour hier et demain. Utilisez les temps que vous connaissez.*

samedi, 30 novembre

15 h 00: Malika/arriver/gare de Toulouse/Elle/venir/avec moi/ à la maison
16 h 00: nous/partir ensemble en ville/avec Valentin et Cécile
16 h 30: Malika, Valentin et moi/monter au 6e étage des Nouvelles Galeries*/entrer dans le restaurant du magasin/Cécile/rester en bas/devant les étagères de livres
16 h 45: moi/descendre très vite/parce que/mon porte-monnaie/ tomber au premier étage
17 h 00: les autres/descendre un peu après
17 h 30: nous/aller/dans un joli petit café
18 h 30: Cécile/rentrer à la maison/Malika, Valentin et moi/ rester encore une heure en ville*

Toulouse, le 1er décembre: Hier, samedi, Malika est arrivée ...

lundi, 2 décembre

- Malika/rentrer/à Paris/Elle/partir/avec le TGV de 15 h 00
- Malika/arriver/à Paris à 20 h 30
- Ses parents/venir la chercher à la gare

Demain, lundi, Malika va ...

b A vous.

Vous avez passé une journée avec votre famille et un(e) ami(e) dans une ville que vous aimez. Racontez.

3 Beurk*, ce n'est pas bon! (§§ 1, 2, 7, 8, 12)

 Dimanche dernier*, M. Carbonne et ses enfants ont dû manger au restaurant. *Racontez pourquoi.*

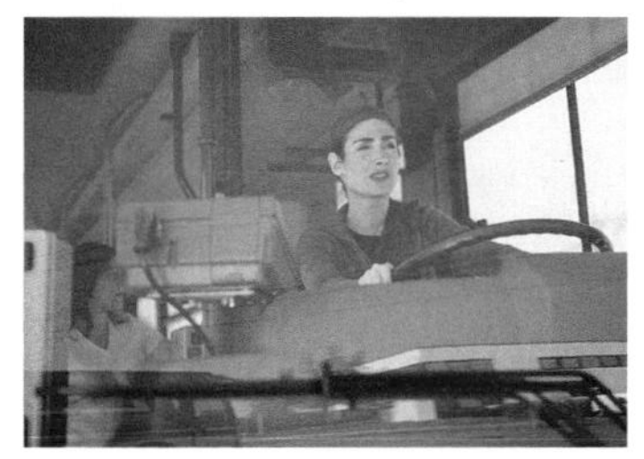

1 Dimanche dernier, Mme Carbonne (devoir) travailler.

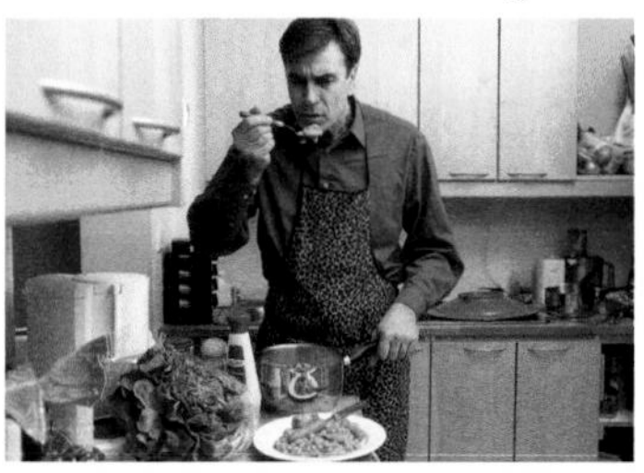

2 M. Carbonne (préparer) le repas. Il (faire) un cassoulet*.

3 Emma et Manon (arriver). Elles (sonner). Valentin (ouvrir) la porte.

4 Ils (commencer) à* manger. Valentin (dire): «Beurk!» M. Carbonne (répondre): «Mange!»

5 Mais M. Carbonne (ne pas aimer) non plus le repas.

6 Quand les enfants (ne pas regarder), il (donner) son cassoulet à Amandine.

7 Mais Amandine (ne rien manger) et elle (sortir) de la cuisine.

8 Alors, M. Carbonne et les enfants (aller) au restaurant.

Cassoulet ist ein in Toulouse sehr beliebter Eintopf mit weißen Bohnen, Würstchen, Gänse- und Lammfleisch.

 4 Ecrire: Un poème* (§ 7)

 **a** *Choisissez un des verbes: **«rester, monter»** ou **«venir»**. Ecrivez un poème d'après le modèle (nach dem Muster). La dernière ligne* doit être une surprise (Überraschung).*

b *Mettez votre poème au passé composé.*

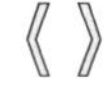 **c** *Ecrivez un troisième poème au passé composé avec différents verbes qui riment*. Choisissez des participes (Partizipien) en **«-é, -i, -u»**.*

sonner
je sonne
tu sonnes
il sonne
nous sonnons
vous êtes sourds?*
ils ne sont pas là.

5 Ecouter: Repas de quartier

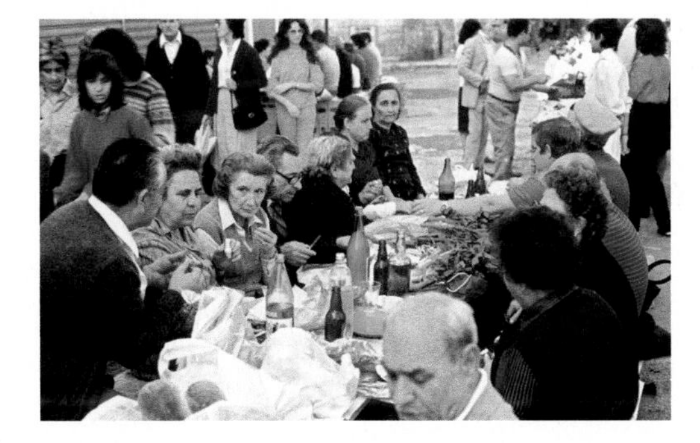

a *Ecoutez deux fois le reportage* à la radio.*

b *Ecrivez trois mots prononcés différemment (anders ausgesprochen) à Paris et à Toulouse.*

c *Qu'est-ce qu'un repas de quartier? Répondez en allemand.*

6 Les petites choses de la vie (§§ 12–14)

Trouvez les phrases qui vont ensemble et les formes correctes des verbes.

devoir recevoir courir

1. Christian mange beaucoup de crêpes.
2. Thomas n'a pas pris de photos à la fête.
3. Tu es contente, Malika, non?
4. Les Carbonne ont préparé un bon repas.
5. Vous avez des problèmes avec Internet?
6. Il est tard*, les enfants.
7. Va au magasin. J'ai oublié le coca.
8. Les enfants, l'école commence dans 3 min.!

- Oui, nous ne *(recevoir)* plus d'e-mails.
- *(courir)*, ou vous allez être en retard!
- Il *(devoir)* avoir faim!
- Oui, maman, je *(courir)* à Casino*.
- Ils *(recevoir)* des amis ce soir.
- Il *(devoir, p.c.)* oublier son appareil.
- Oui, je *(recevoir p.c.)* une lettre d'Emma!
- Vous *(devoir)* aller au lit.

7 Chez les Carbonne (§ 9)

*Complétez avec **«me, te, nous, vous».***

– Tu ~ expliques le devoir d'allemand?
– Oui, et toi, tu ~ expliques le devoir de français.

– Vous avez faim, les filles? Je ~ fais des sandwichs*, d'accord?
– Oh, oui. Tu ~ appelles quand c'est prêt?

– Valentin, tu peux ~ aider un peu dans la cuisine? Valentin! Tu ~ entends?

– Oui papa, je ~ entends. Mais je ne peux pas ~ aider. Je regarde le foot à la télé.

8 Dialogues à la gare (§§ 9, 10)

a *Mettez les mots dans le bon ordre et écrivez les dialogues dans votre cahier.*

A	depuis	Nous	cherchons	te	une heure	, mon petit.
	Maintenant	nous	ne	quittes	tu	plus!
B	vas	tu	Papa,	téléphoner	nous	, hein?
	Oui,	vous	je	demain.	vais	appeler
C	bousculez	me	Ne	pas	comme ça,	monsieur!
	demande	Oh,	vous	pardon,	je	monsieur!
D	me	veux pas	dire	Tu	ne	au revoir?
	je	écrire	Si, mamie,	t'	vais	bientôt.

b *Quelle phrase va avec quel dessin? (Welcher Satz passt zu welcher Zeichnung?)*

9 Ce n'est pas grave.

on dit ...

Freude	Erregung	Ablehnung	Bedauern	Trost
C'est bien. C'est génial! C'est super! Je suis content(e).	Tu n'es pas drôle! Tu m'énerves! Tu fais toujours la tête!	Quelle horreur! C'est nul! Beurk! Ah, non! Pas ça!	Pardon, madame/ mademoiselle/ monsieur! Je suis désolé(e).	Ce n'est pas grave. Ça ne fait rien. Ce n'est rien. Ça va aller.

Imaginez un dialogue pour chaque image. Utilisez les mots ci-dessus.*

10 Jeu de mots: En ville

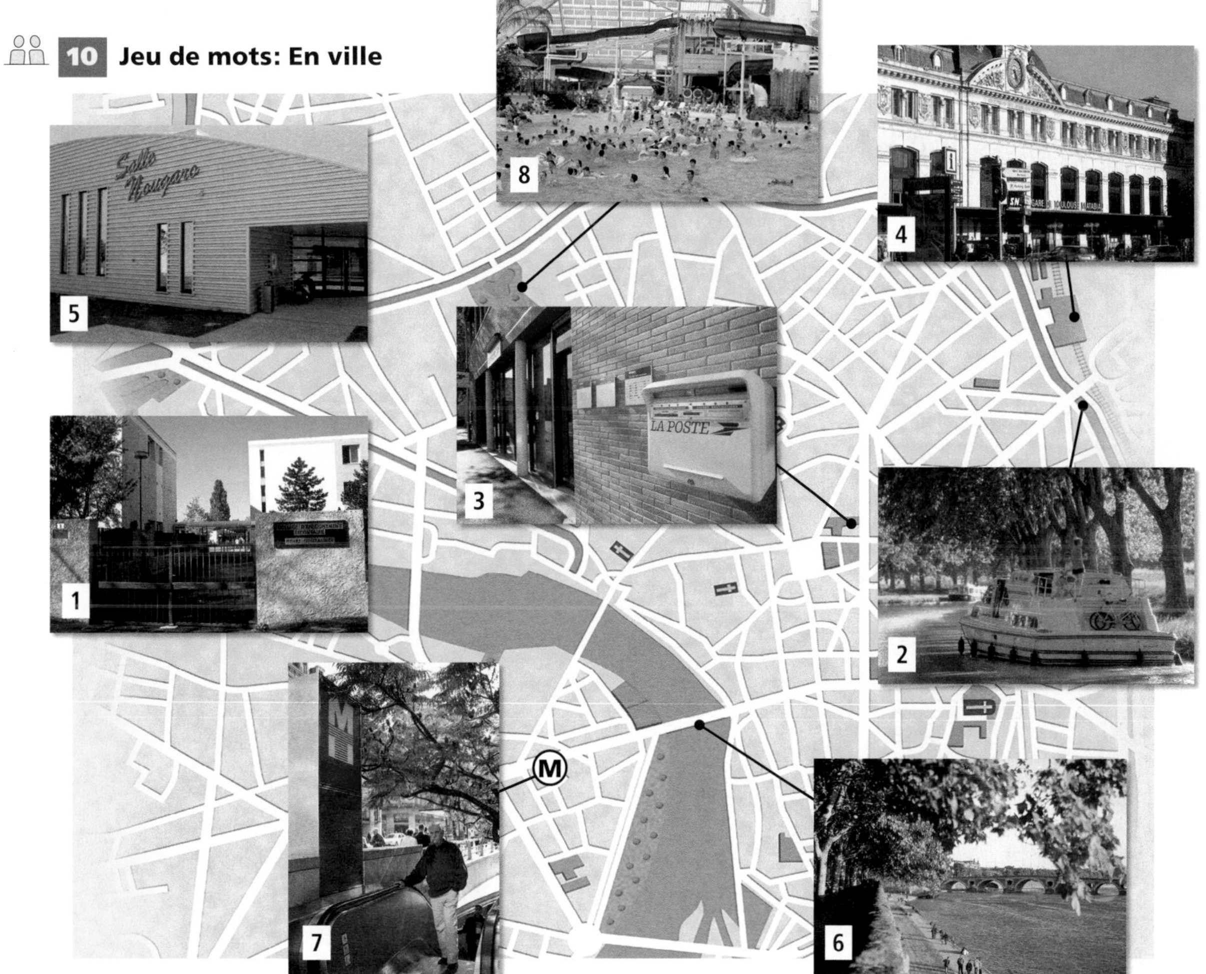

a *Ecrivez dans votre cahier un nom et une expression* pour chaque image.*

Exemple: la gare → aller à la gare, prendre le train, …

b *Décrivez une ville que vous aimez à votre correspondant(e)* français(e).*

11 Des jeux avec des nombres* (§ 11)

a *Lisez les nombres* et ajoutez le dernier.*

1. 735 – 700 – 665 – ?
2. 444 – 488 – 532 – ?
3. 84 – 40 – 102 – 58 – ?

b *Ecrivez les nombres.*
(avec «s» ou sans «s»?)

180 – 400 – 222 – 857 – 94 – 1000

c *M. Cartier a 56 ans. Sa femme a 52 ans, leur fille Nathalie a 32 ans. A quel âge est-ce que les parents ont eu Nathalie?*

d *Eine Schülerin / ein Schüler zeichnet einen Kreidestrich an die Tafel. Die anderen raten, wie viele Zentimeter er lang ist. Die Zahlen werden an die Tafel geschrieben. Dann wird der Strich nachgemessen. Wer hat gewonnen?*

12 Lire: Arthur déménage.

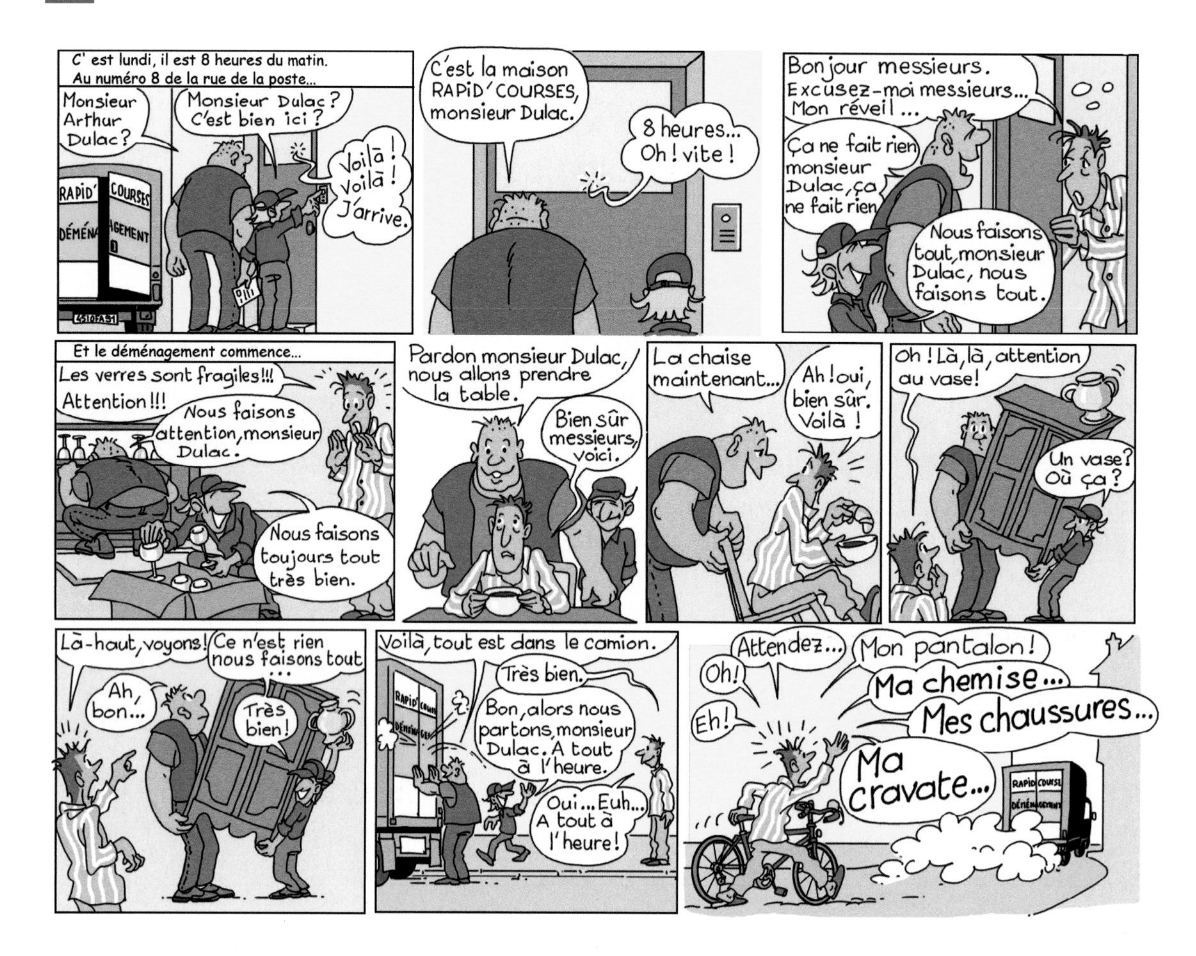

un réveil [ɛ̃ʀewɛj] ein Wecker – **fragile** [fʀaʒil] zerbrechlich – **une chaise** [ynʃɛz] ein Stuhl – **un vase** [ɛ̃waz] eine Vase – **là-haut** [lao] da oben – **un camion** [ɛ̃kamjõ] ein LKW – **à tout à l'heure** [atutalœʀ] bis dann – **les chaussures** *(f)* [leʃosyʀ] die Schuhe

a *Répondez aux questions:*

1. A quelle heure est-ce que les déménageurs* arrivent?
2. Pourquoi est-ce que M. Dulac n'est pas encore prêt?
3. M. Dulac a peur. Pourquoi?
4. Montrez que les déménageurs travaillent très vite.
5. Pourquoi est-ce que M. Dulac court après le camion*?

b *Vous êtes M. Dulac. Racontez l'histoire de son déménagement.*

Ah, zut! Les déménageurs arrivent! Je n'ai pas entendu mon réveil. ...

《 》 **c** *Imaginez le portrait de M. Dulac (son âge, son métier, sa famille etc., pourquoi est-ce qu'il déménage?).*

13 Trois phrases pour faire un texte (§§ 8–10, 12–14)

a *Faites des phrases.*

1. Malika, tu ~ ~ ?
2. Je ~ une photo.
3. Je ~ ~ .
4. Vous ~ ~ ?
5. Tu ~ ~ quitter.
6. Le week-end, je ~ ~ .
7. Christian et Thomas ~ .
8. Vous ~ visiter Toulouse!
9. Nous ~ pour ne pas être en retard.
10. Maman ~ en ville.
11. Les filles ~ des cadeaux.

1. téléphoner (futur composé) + me
2. donner (présent) + te
3. écrire (présent) + vous
4. ne pas répondre (présent) + me
5. devoir (présent) + nous
6. ne pas pouvoir recevoir (présent) + te
7. partir (passé composé)
8. devoir (présent)
9. courir (passé composé)
10. aller (passé composé)
11. recevoir (présent)

b *Choisissez trois phrases de la partie **a** et écrivez une petite histoire au passé. (Wählt 3 Sätze aus dem **a**-Teil aus und schreibt eine kleine Geschichte in der Vergangenheit). Donnez un titre à votre histoire.*

14 Gelernte Gesetzmäßigkeiten anwenden

Stratégie

Auch im Französischen gibt es keine Regel ohne Ausnahme, aber meistens lassen sich bestimmte Gesetzmäßigkeiten feststellen, die euch das Lernen und Behalten erleichtern.

1. Das Genus der Nomen

Wie ihr wisst, gibt es im Französischen nur maskuline und feminine Nomen, bei denen das Geschlecht aber nicht immer mit dem des deutschen Wortes übereinstimmt: (*la table → der Tisch).*
Hier gibt es aber einige Regeln, die ihr euch merken solltet.

a) Maskulinum sind meistens folgende Wörter:
- die auf **-age** (*un âge, un village)* enden. (Ausnahmen: *une image, une page, …)*
- die auf **Konsonant** enden *(un bloc, un lit).*
- die auf **-ment** enden *(un appartement).*
- Alle **Flugzeuge** und **Schiffe** sind im Französischen Maskulinum *(le Concorde, le Titanic).*

b) Femininum sind meistens folgende Wörter:
- die auf **-ie, -ité, -elle, -ette, -ille, -ise, -ure, -ude** enden *(une vie, une famille, une bise, …).*
- die auf **-tion** *(une question, une station)* enden.
- Alle **Automarken** sind im Französischen Femininum *(la Renault).*

Stratégie

2. Schreibweisen von [g], [ʒ], [s] **und** [k]

- [g] schreibt man im Französischen „g“ vor a, o, u oder Konsonant *(garçon, grand, gomme)* und „gu“ vor i, e und y *(guitare).*
- [ʒ] schreibt man „g” vor i, e und y *(voyage, génial, gymnase)* und „ge” vor a, o und u *(nous mangeons),* „j” vor allen Vokalen *(jeu, jardin).*
- [s] schreibt man „c“ vor i, e und y *(voici, c'est, cycliste)* und „ç“ vor a, o und u *(ça, garçon; reçu).*
- [k] schreibt man „c“ vor a, o und u *(cahier, collège, cuisine).*

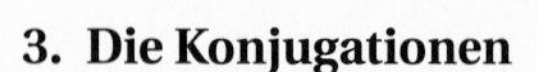

3. Die Konjugationen

Ihr kennt schon die regelmäßigen Konjugationen auf *-er,* auf *-dre,* auf *-ir* und einige unregelmäßige Verben.

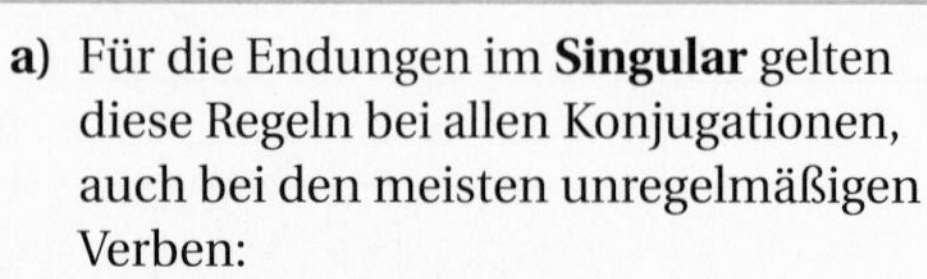

a) Für die Endungen im **Singular** gelten diese Regeln bei allen Konjugationen, auch bei den meisten unregelmäßigen Verben: 1. *P. Sg.:* **-e**, **-s** *oder* **-x** 2. *P. Sg.: fast immer* **-s**, *auch* **-x** 3. *P. Sg.:* **-e**, **-t** *oder* **-d**	**b)** Die Endungen für den **Plural** lauten in der Regel bei allen Konjugationen, auch bei den meisten unregelmäßigen Verben: 1. *P. Pl.:* **-ons** *außer: être* 2. *P. Pl.:* **-ez** *außer:* **„EDF“** *(être, dire, faire)* 3. *P. Pl.:* **-ent** *außer: être, avoir, faire, aller*

A vous.

Schaut euch das Wörterverzeichnis in eurem Buch an:

a *Findet mindestens drei Wörter, die im Deutschen ein anderes Genus haben als im Französischen.*

b *Sucht drei französische Wörter, die maskulin sind und auf* **-e** *enden.*

c *Schreibt die 1. und 2. P. Sg. von* ***regarder, entendre, partir*** *in euer Heft und unterstreicht die Endungen. Wie sind aber die Endungen der 1. und 2. P. Sg. von* ***vouloir*** *und* ***pouvoir****?*

d *Schreibt die 3. P. Pl. von* ***donner, répondre, dormir*** *in euer Heft. Welche ist aber die Endung der 3. P. Pl. von* ***faire****? Nennt drei weitere Verben mit dieser Endung.*

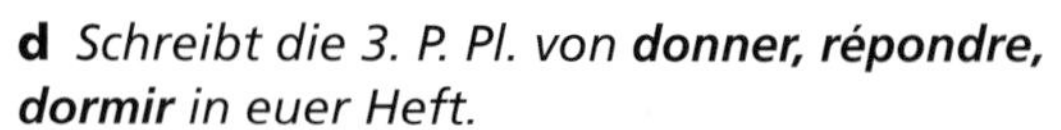

e *Für die 2. P. Pl. gibt es drei häufig vorkommende Verben, die auf* **-tes** *enden. Welche sind es?*

f *Schreibt folgende französische Wörter in euer Heft:*
[ʒue], [ɑʒ], [arʒɑ̃], [kado], [ʃɑ̃s], [buskyle]

Toulouse, capitale des avions

A Toulouse, presque 10 000 personnes travaillent pour Airbus.
En 1999, l'Europe a eu l'idée d'un très grand avion, un Airbus A-380 avec 550 ou 650 places.
Trois ans après, on a fait les différentes parties de l'avion dans quatre endroits différents. Les différentes parties ont traversé l'Europe en bateau. Elles ont fait le voyage sur la mer.
A Bordeaux, elles sont parties sur la Garonne. Ensuite, on a même dû faire des routes spéciales jusqu'à Toulouse: capitale des avions en Europe.

a *Regardez sur une carte de l'Europe la route de l'A-380. Racontez.*

b *Expliquez le titre.*

■ **Savoir faire**

→ Stratégie, page 31.

a *Trouvez le genre (Genus) des mots.*

personne partie	route bateau	direction Peugeot	Boeing 747 capitale	garage engagement

b *Trouvez les formes correctes:*

A	B	C	D
Elles sont parties	Ils sont parties	Elles son parti	Elles sont partis
Ils ont du faire …	Ils on dû faire …	Ils ont dû faire …	Ils sont dû faire …
nous déménagons vous fairez	nous deménageons vous faitez	nous déménageons vous faites	nous déménageont vous faîtes

LEÇON 3

Vivre à Toulouse

1. Regardez la photo et décrivez la scène.
2. Choisissez une personne et faites son portrait (son nom, son âge, ses activités).

25 ## Après le match (I)

Dimanche après-midi, Cécile regarde un match de rugby au stade de Blagnac. Emma l'accompagne. Aujourd'hui, le B.S.C.R. joue contre l'équipe du collège Mermoz de Toulouse. Fabien, le frère de Cécile, et son ami Nicolas sont les stars de la journée. Après le match, des fans les attendent devant les vestiaires avec une affiche du club. Fabien et Nicolas la signent. Puis, ils sortent du stade avec leurs camarades. Devant le stade, Cécile cherche son frère mais elle ne le voit pas tout de suite parce qu'il y a beaucoup de monde.

Traduisez d'abord les trois phrases et répondez aux questions en allemand.

Cécile regarde **le match**, Emma **le** regarde aussi.

Les garçons sortent mais Cécile ne **les** voit pas.

Les fans ont **une affiche** et les garçons **la** signent.

1. *Pourquoi est-ce qu'on utilise ici les mots «le, la, les»?*
2. *Expliquez leur position (Stellung).*
3. *Où est la négation «ne ... pas»?*

Info F

Le rugby est un sport très populaire en France, surtout dans le sud-ouest de la France. Le sport est d'origine anglaise. Il y a 2 équipes de 13 ou 15 joueurs. Le ballon de rugby est ovale. Vous trouvez d'autres informations sur Internet: http://www.klett.de

Après le match (II)

Emma: Tu vois Fabien et Nicolas?
Cécile: Non, je ne peux pas les voir. Il y a trop de fans!
Emma: Ah, regarde! Fabien est là-bas!
Cécile: Ah, oui. Reste ici. Je vais le chercher.

Deux minutes après ...

Cécile: Fabien, voilà ma copine Emma. Elle vient de Paris. Tu peux la saluer, tu sais, elle est sympa. Tu peux aussi l'inviter au cinéma. Fabien, fais la bise à Emma.

a *Quelle est maintenant la position de «le, la, les» dans les phrases? Pourquoi? Expliquez en allemand.*

b A vous.
Répondez aux questions en français et utilisez des pronoms.

Exemple: Emma accompagne **Cécile**? → **Oui**, Emma **l'**accompagne.
Emma accompagne **Nicolas**? → **Non**, Emma ne **l'**accompagne pas mais ...

1. Cécile regarde **le match**? → **Oui**, elle ...
2. Elle invite **Emma** à un match de foot? → **Non**, ...
3. Elles attendent **les garçons** devant le stade? → **Oui**, ...
4. Cécile voit tout de suite **son frère**? → **Non**, ...
5. Fabien veut embrasser **Emma**? → **Oui**, ...

27 Bienvenue à Blagnac!

1. Les Carbonne habitent maintenant 10 rue des Pyrénées à Blagnac. Leur maison a trois chambres pour les enfants, un petit jardin et un garage. Les Carbonne ont eu le coup de foudre pour la maison et ils l'ont tout de suite achetée. Mais il y a beaucoup de réparations à faire. En plus, leurs voisins, les Gentilli, sont très sympas. Ils sont Italiens et vivent en France depuis trente ans déjà, mais ils parlent encore italien à la maison. Les deux familles adorent faire la cuisine ensemble.

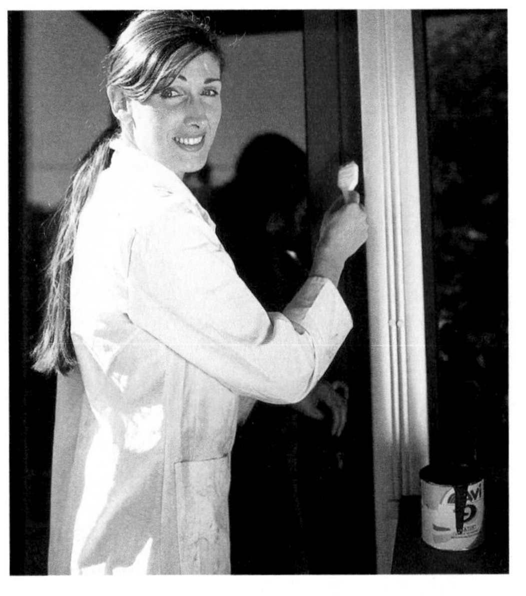

2. Aujourd'hui, Mme Carbonne qui n'a pas encore trouvé de travail, a refait la peinture de la porte d'entrée. A 17h, M. Carbonne rentre de son travail chez Airbus. Il est allé chercher Manon à la sortie de l'école.

Mme Carbonne: Attention à la peinture!
Manon: Oh, maman, c'est cool, la couleur!
M. Carbonne: On ne reconnaît plus la maison!
Mme Carbonne: Alors, ça te plaît?
M. Carbonne: Euh … oui, mais une porte bleue avec des murs jaunes, dans la ville rose …
Manon: Arrête, papa. Tu ne connais rien à la mode!
Mme Carbonne: Et maintenant, écoutez la surprise. Vous connaissez les bus de la SEMVAT?
M. Carbonne: Tu veux dire les bus rouges et blancs qu' on voit partout à Toulouse?
Mme Carbonne: C'est ça. Et bien, la SEMVAT cherche un conducteur ou une conductrice pour la ligne 66 qui passe devant le collège Guillaumet. J'ai rendez-vous demain.
M. Carbonne: Alors, après, on fait un tour en bus avec toi! D'accord?
Manon: Dis, maman, le bus, ça va être gratuit pour nous maintenant?

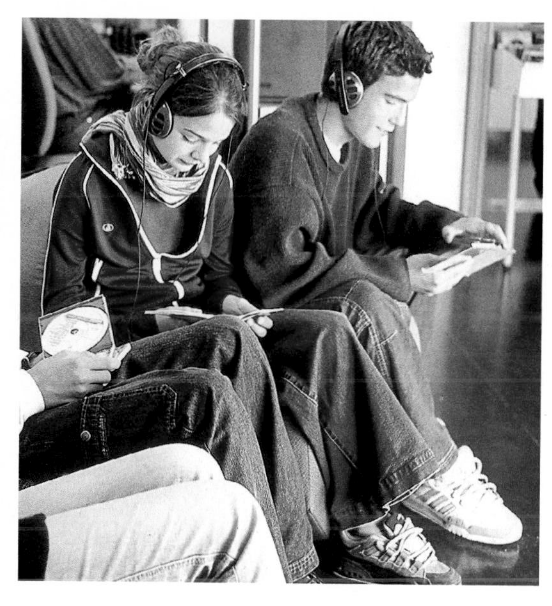

3. Peu après, Valentin arrive de l'école. Comme Emma, il va au collège Henri Guillaumet où il est en classe de 6e F. Il est en colère et monte tout de suite dans sa chambre.

M. Carbonne: Ben alors, Valentin, tu ne dis plus bonjour? Tu fais la tête?
Valentin: Non, et puis, l'école, moi, j'arrête. Toulouse, c'est nul! Je n'ai pas d'amis ici.
Mme Carbonne: C'est normal, Valentin. Nous vivons à Blagnac depuis un mois, c'est tout. Attends un peu. Tu vas trouver des copains.
Valentin: Des copains comme ça, non merci! Vous ne les avez pas entendus.
Mme Carbonne: Pourquoi? Qu'est-ce qu'ils t'ont dit?
Valentin: Ils imitent mon accent de Paris et en classe aujourd'hui, ils n'ont pas voulu m'aider.
Manon: Ils sont bêtes. Mais tu vas bientôt trouver un copain dans ta classe. Je suis sûre! Regarde, moi, j'ai une copine maintenant. Elle s'appelle Samira et elle m'a invitée chez elle.
M. Carbonne: Eh bien, tu vois, Valentin, Emma a aussi trouvé des copains et des copines ici.
Mme Carbonne: Tiens, à propos, où est Emma?
Valentin: Je l'ai vue tout à l'heure devant le collège avec une fille et deux garçons.
Manon: Est-ce que je peux aller chez Samira maintenant?
Mme Carbonne: Et tes devoirs, tu les fais quand?

4. Une heure plus tard …

M. Carbonne: Ah, la voilà enfin!
Emma: Salut maman, salut papa! Salut, petit frère!
M. Carbonne: On peut savoir pourquoi tu arrives maintenant?
Emma: Euh … j'ai discuté avec Cécile, son frère Fabien et un autre copain; puis, nous avons écouté des CD à Odyssud.
Mme Carbonne: Odyssud? C'est un magasin?
Emma: Quoi, vous ne connaissez pas Odyssud, la médiathèque qui est à côté du collège? C'est super! Ensuite, Fabien et Cécile m'ont accompagnée à l'arrêt de bus.
Valentin: Il est sympa, Fabien? Tu vas le revoir?
Emma: Tu es bête, Valentin!
Valentin: Emma est amoureuse!

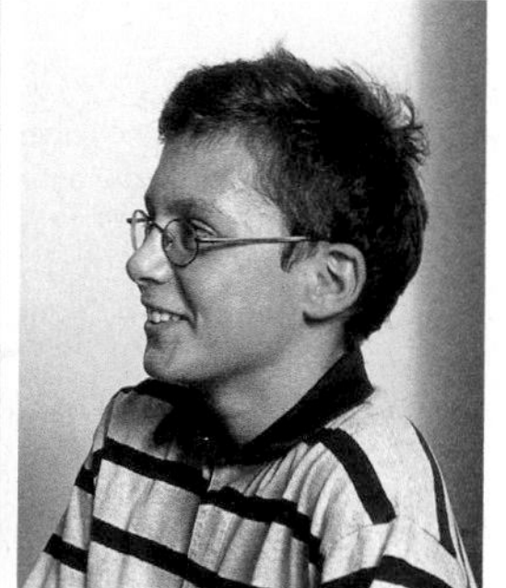

1 A propos du texte

a *Vrai ou faux? Expliquez pourquoi et notez les réponses dans vos cahiers.*

Exemple: Les Carbonne habitent dans la banlieue de Toulouse.
C'est vrai parce qu'ils habitent à Blagnac.

1. Les voisins des Carbonne ne vivent plus en Italie depuis dix ans.
2. Manon aime beaucoup la couleur de la porte.
3. La SEMVAT a trop de conducteurs et de conductrices.
4. Emma et Valentin rentrent du collège ensemble.
5. Manon veut faire ses devoirs tout de suite.
6. La médiathèque est à côté de la maison des Carbonne.
7. Fabien et Cécile disent au revoir à Emma devant Odyssud.

b *Qu'est-ce que tu fais quand tu rentres de l'école?*

2 Ecouter: Sur la ligne 66

03 **a** *Regardez le plan et cherchez le collège Guillaumet.*

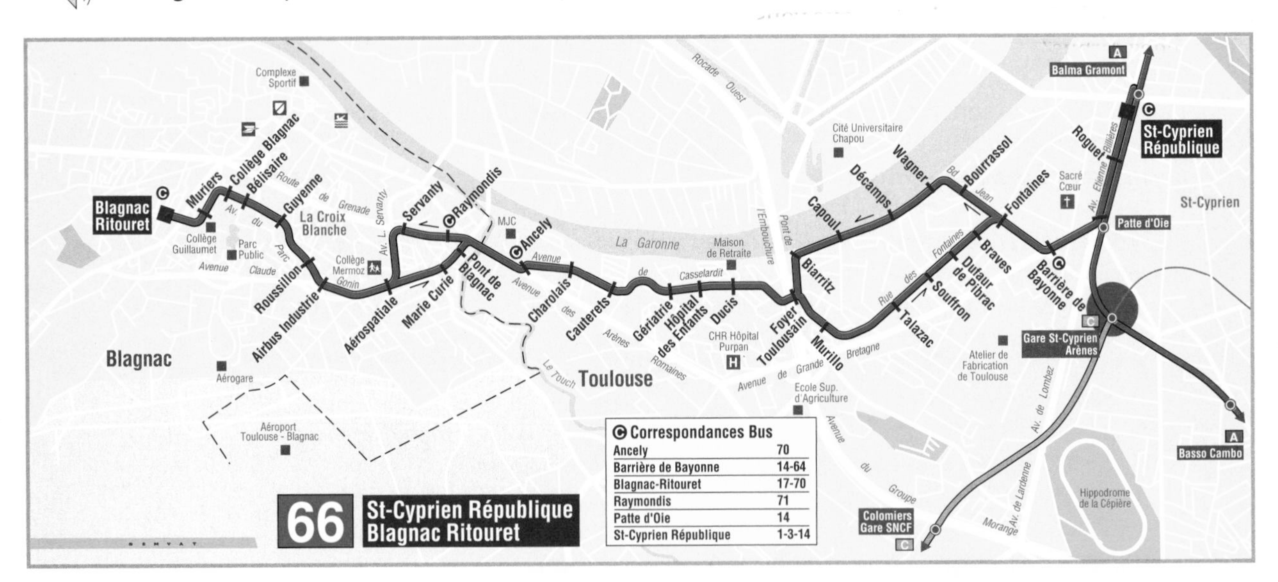

b *Ecoutez maintenant la scène 1, puis répondez aux questions suivantes:*

1. Où sont Cécile et Emma quand la scène commence?
2. Il est quelle heure?
3. Est-ce que Cécile va prendre le bus à «Guyenne»* ou à «Aérospatiale»*?
4. Où est-ce que les deux filles regardent les magasins?

c *Ecoutez la scène 2 et expliquez.*

1. Où est-ce que le vieux monsieur veut aller?
2. Le vieux monsieur a deux problèmes. Lesquels (welche)?
3. Est-ce que le monsieur achète un billet au conducteur?

3 Une interview avec le directeur* d'Airbus (§§ 17–19)

Un groupe d'élèves a fait une interview pour le journal du collège Henri Guillaumet.

*Complétez avec les verbes «**plaire, connaître, vivre**». Faites attention aux temps.*

Le journal: Depuis quand est-ce que vous ~ dans notre ville?
Le directeur: Je ~ ici depuis dix ans déjà, mais la famille de ma femme ~ à Blagnac depuis toujours. Avant, nous ~ à Paris et à Hambourg*. L'Allemagne nous ~ beaucoup. Mais la vie dans une petite ville comme Blagnac nous ~ aussi.
Le journal: Vous ~ Henri Guillaumet?
Le directeur: Mais oui, je ~ bien l'histoire du grand pilote* français. Il ~ à Toulouse où il a travaillé pour une grande ligne française. Il ~ d'autres pilotes comme Mermoz ou Saint-Exupéry*. Guillaumet a fait son premier vol* à l'âge de 14 ans! Cela ~ (ne pas) au propriétaire de l'avion! Guillaumet a traversé 45 fois l'Atlantique*!
Le journal: Et pourquoi est-ce que vous travaillez chez Airbus?
Le directeur: J'ai toujours aimé les avions et les Airbus me ~ beaucoup.

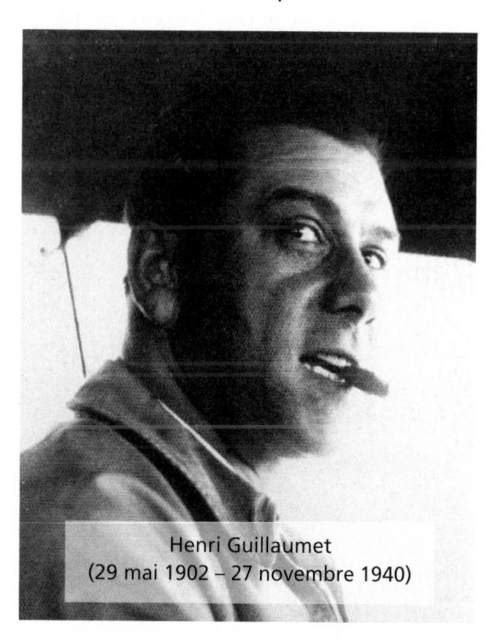

Henri Guillaumet
(29 mai 1902 – 27 novembre 1940)

4 Après le déménagement (§ 15)

a *Après le déménagement, il y a encore beaucoup de choses à faire.*
*Inventez des dialogues. Utilisez les pronoms objets «**le, la, les**».*

Exemple:
- Il y a des cartons vides! Je **les** mets où? Dans la cave?
- Oui, tu **les** mets dans la cave!
- Non, tu ne **les** mets pas dans la cave! Tu peux **les** mettre …

une grande assiette bleue		dans la cave
les verres de grand-mère		dans le garage
l'appareil photo	poser	dans la chambre de …
l'affiche de rugby	mettre	dans ta chambre
l'ordinateur d'Emma	porter 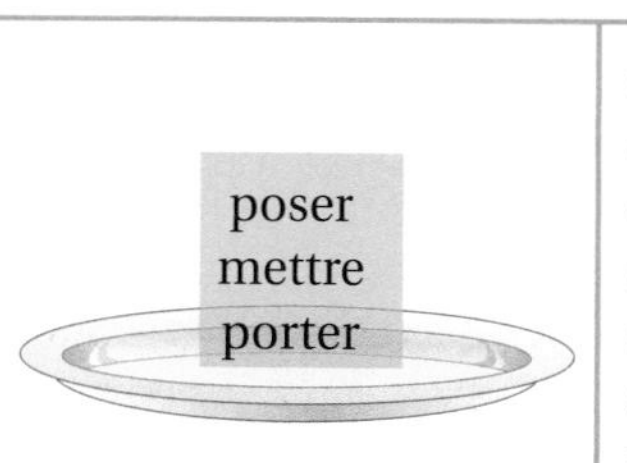	dans la cuisine
les rollers de Valentin		dans la salle à manger
des livres de cuisine		sur les étagères

b *Ecrivez les dialogues.*

c *Jouez les scènes.*

5 Petites devinettes* (§ 16)

a Faites des devinettes avec ***«qui», «que»*** *et* ***«où».***

Exemples:

- garçon/jouer/rugby → C'est un garçon **qui** joue au rugby.
  → C'est Fabien.
- médiathèque/on/écouter/CD → C'est une médiathèque **où** on écoute des CD.
  → C'est Odyssud.
- couleur/Mme Carbonne/aimer → C'est une couleur **que** Mme Carbonne aime.
  → C'est le bleu.

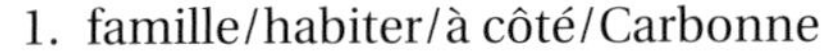

1. famille/habiter/à côté/Carbonne
2. stade/on/regarder/matchs de rugby
3. sport/Fabien/aimer
4. petite ville/être/en/banlieue de Toulouse
5. langue/les Gentilli/parler encore
6. société/Mme Carbonne/avoir trouvé/ un travail
7. couleurs/les bus de Toulouse/porter
8. fille/avoir invité/Manon
9. accent/les copains de Valentin/imiter
10. trois élèves/être/les copains d'Emma à Toulouse

b A vous.
Inventez deux autres devinettes avec ***«qui», «que»*** *et* ***«où».*** *Ecrivez-les sur une feuille (ein Blatt) et derrière la feuille les solutions. Montrez-les à votre classe.*

6 Valentin à Toulouse (§ 16)

Reliez (Verbindet) les phrases avec ***«qui que, qu', où».***

Exemple:
Valentin habite dans une **maison**. **Dans la maison,** il y a beaucoup de réparations à faire.
→ Valentin habite dans une maison **où** il y a beaucoup de réparations à faire.

1. Valentin dort dans une grande **chambre**. Il **l'**aime bien.
2. Le week-end, il aime jouer au foot dans **le stade**. **Il** est près du collège.
3. Il va **au collège** Henri Guillaumet. **Au collège**, il n'a pas encore trouvé d'amis.
4. Il joue au foot avec **des camarades***. Il ne **les** comprend pas toujours.
5. Il porte **un pantalon de sport**. Mme Carbonne ne **l'**aime pas beaucoup.

7 10 rue des Pyrénées (§ 15)

Complétez les dialogues avec des pronoms objets.

1
- Est-ce que tu as lu ma BD, Valentin?
- Non, je ne ~ ai pas lue.

2
- Où est-ce que tu as mis le téléphone, chéri?
- Je ~ ai mis dans la cuisine.

3
- Les enfants, vous avez fait vos devoirs?
- Oui, nous ~ avons faits.

4
- Maman, quand est-ce que nous avons invité les Gentilli?
- Nous ~ avons invités dimanche.

5
- Manon, tu as mangé mes frites?
- Non, je ne ~ ai pas mangées, c'est le chat!

6
- Où est-ce que tu as rencontré Fabien?
- Je ~ ai rencontré à un match de rugby.

7
- On ouvre les bouteilles de champagne?
- Oui, chérie, je vais ~ ouvrir.

8
- Tu veux manger mon amie?
- Non, je ne veux pas ~ manger. Elle est trop petite!

9
- Comment tu trouves mon idée de déménager?
- Je ~ trouve très bonne. Ce n'est pas génial ici!

8 Les sentiments*

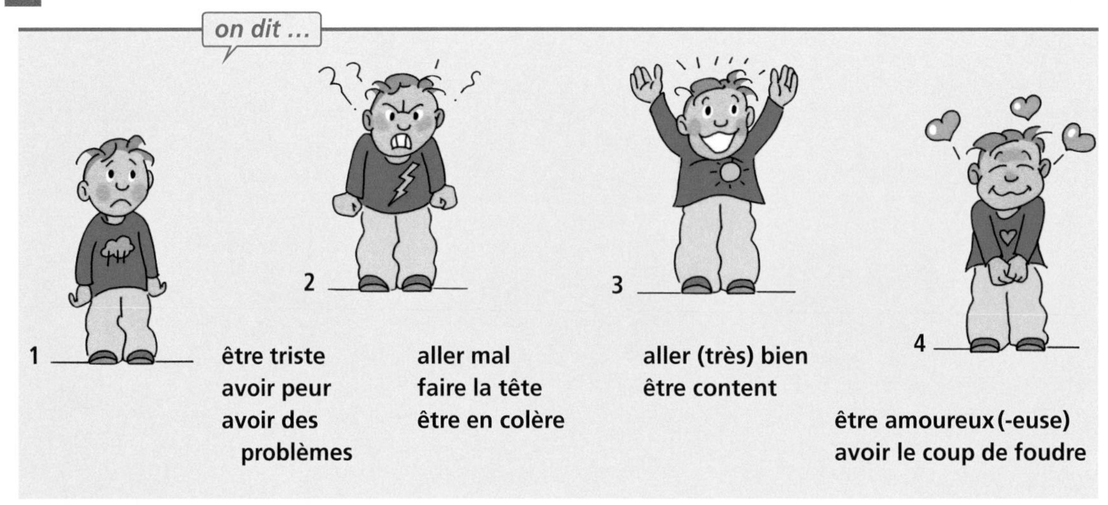

a *Décrivez les sentiments des quatre enfants.*

b *Imaginez pourquoi ils ont ces (diese) sentiments. Ecrivez des petits textes.*

9 Lire: A la découverte du canal du Midi

Emma et ses copains veulent faire du vélo ensemble pour visiter la région de Toulouse.
Un jour, elle lit une annonce dans le journal du collège Guillaumet …

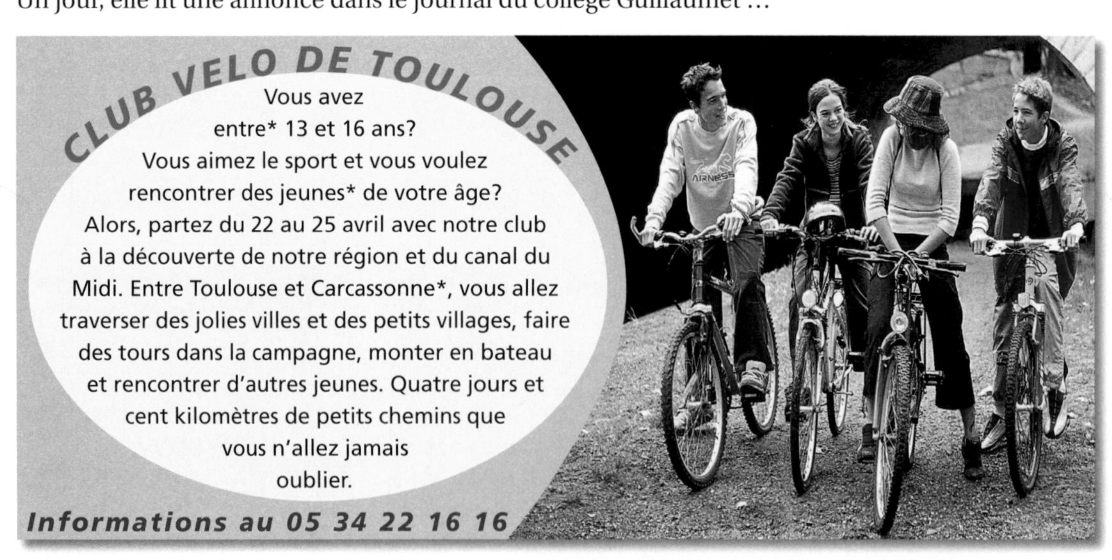

a *Cherchez le canal du Midi sur la carte au début du livre et répondez aux questions.*

1. Combien de kilomètres est-ce qu'il y a entre Toulouse et Carcassonne?
2. Quelles activités est-ce que le club propose (schlägt … vor) aux jeunes pendant quatre jours?

b *Emma téléphone à Fabien pour expliquer son projet. Ecrivez le dialogue.*

31 S

Le premier rendez-vous

1. Depuis leur rencontre au stade, Fabien pense beaucoup à Emma. Il la trouve très mignonne et très sympa. C'est quelqu'un sur qui on peut compter. Il la voit souvent avec d'autres filles dans la cour du collège. Mais de quoi est-ce qu'elles parlent?

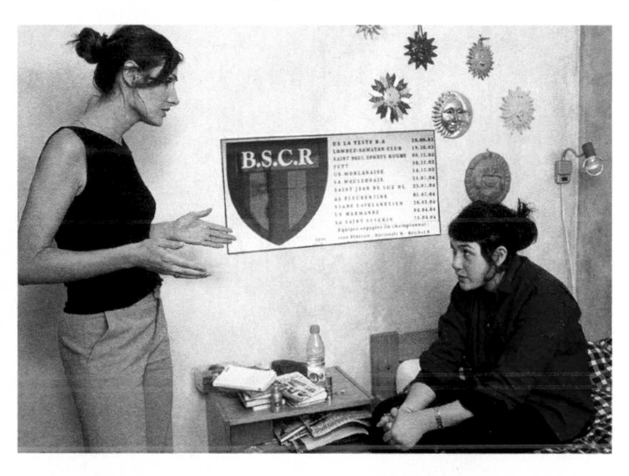

2. Vendredi matin, au CDI. Fabien regarde
5 les programmes de cinéma sur Internet.

Emma: Salut, Fabien. Alors, Cécile n'est pas là?
Fabien: Non, ça ne va pas très bien. Elle a mal à la tête.
Emma: Oh, la pauvre! Je vais l'appeler cet
10 après-midi ... euh ... et toi, qu'est-ce que tu as?
Fabien: Moi? J'ai reçu le ballon de rugby sur la tête! Mais ce n'est pas grave. Demain, mes copains vont jouer sans moi.
15 *Emma:* Ah! Tant mieux! Et ... qu'est-ce que tu vas faire ce week-end?
Fabien: Je vais peut-être aller à Odyssud pour écouter le nouvel album de Zebda, faire les magasins de la rue Saint-Rome ou aller au
20 cinéma, je ne sais pas encore. A propos, tu connais le nouveau film avec Audrey Tautou? Je la trouve géniale. C'est une fille avec qui on a envie de passer une heure ou deux.
Emma: Oui, je l'ai vue dans «Amélie», sur DVD.
25 Je la trouve belle.
Fabien: C'est vrai. On peut aller au cinéma ensemble. Ça te dit? Demain après-midi, par exemple?
Emma: Euh ... Je ne sais pas ... peut-être ...
30 *Fabien:* Alors, rendez-vous demain à 15 heures devant le Rex, d'accord?

3. Samedi, dans la chambre d'Emma ...

Mme Carbonne: Ton père et moi, nous trouvons que tu sors un peu trop le week-
35 end. C'est d'abord le rugby avec Cécile, puis Odyssud avec les copains et maintenant le cinéma avec Fabien. Tu n'as que 13 ans, Emma, et tu ne travailles pas assez bien à l'école.
40 *Emma:* Le travail, toujours le travail! Vous êtes trop vieux pour me comprendre!
Mme Carbonne: Et quelles notes est-ce que tu as ce trimestre, ma chérie?
Emma: Oui, je sais, elles ne sont pas très
45 bonnes. Mais avec le déménagement, sans mes amis, dans une nouvelle école, ce n'est pas facile! Tu sais, j'ai rencontré Cécile, Fabien et Nicolas. Ces nouveaux amis sont très importants pour moi, tu comprends?
50 *Mme Carbonne:* Bien sûr, ma chérie, mais l'école, c'est aussi important pour ton avenir.
Emma: Même Valentin a des problèmes!
Mme Carbonne: Oui, je sais ... Et quel film est-ce que vous voulez voir?
55 *Emma:* Oh, maman, tu es un amour!

1 A propos du texte

a *Qui dit quoi? Trouvez les phrases et les mots qui vont ensemble (die zusammenpassen).*

Exemple: Fabien/1/D

	1 **«Je la trouve géniale, cette fille.»**	A. Cécile
	2 «Elles ne sont pas très bonnes ce trimestre!»	B. Emma
Fabien		C. M. et Mme Carbonne
Mme Cabonne	3 «Ils sont très importants pour moi.»	**D. Audrey Tautou**
Emma	4 «Elle a mal à la tête.»	E. Fabien, Cécile et Nicolas
	5 «Elle est mignonne et sympa.»	F. Les notes d'Emma
	6 «Ils sont trop vieux pour me comprendre.»	

b *Regardez les images et racontez le week-end d'Emma.*

1
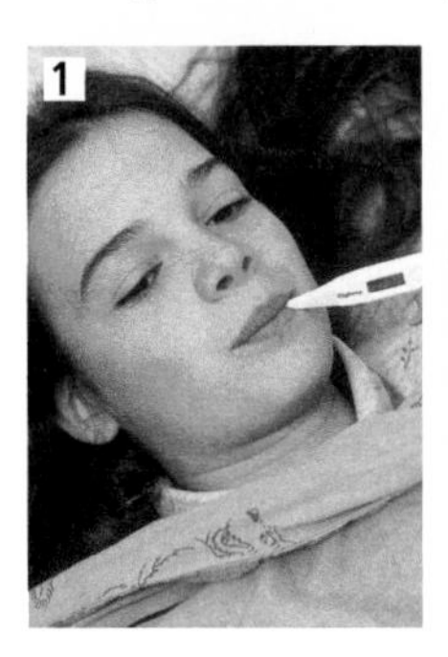

2

3

4

COLLEGE HENRI GUILLAUMET 2 avenue du Parc 31700 BLAGNAC			
Nombre d'élèves 30	Note	Année scolaire 2005–2006 **1er trimestre** Appréciation des professeurs	Classe 4e B
Mathématiques	9,5	Le déménagement a laissé des traces!	
Technologie	10,5	élève sérieuse mais absente!	
SVT	11	élève déconcentrée	
Français	10	trimestre moyen!	
Histoire	8	Emma peut mieux faire!!!	
Géographie	10	des résultats sont moyens!	
Langue I (allemand)	9	Passable!	
Langue II (anglais)	10	moyen!	

2 Deux voisines des Carbonne (§ 22)

Sonia* Lenoir, 25 ans, rencontre son amie Christelle* qu'elle n'a pas vue depuis deux ans.

a *Complétez le texte avec **«nouveau N, beau B et vieux V»**.*

Sonia Lenoir: Christelle, ma chérie, voilà ma ***N*** voiture, une ***B*** voiture italienne, et là, derrière la maison, il y a mon ***N*** avion. Il est très pratique*, tu sais, parce que je vais souvent à Paris pour acheter mes ***N*** robes. Mais entrons maintenant dans ma ***B*** maison. Ici, la ***N*** salle à manger avec une ***V*** table française. Sur les étagères, tu vois des …

b *Regardez le dessin. Que montre encore Sonia Lenoir à Christelle? Utilisez **«nouveau, beau et vieux»**.*

Exemple: Tu vois / Voilà mes belles assiettes, …

c *Complétez la dernière phrase de Christelle.*

Sonia: Tiens, j'entends une voiture.
Christelle: Ton ~ mari, je pense!

3 Quel magasin! (§§ 20, 21)

Emma et Cécile sont dans un grand magasin de Toulouse.

Faites des dialogues.

Exemple:
Emma: Tiens, regarde ce/cet/cette/ces ~ !
Cécile: Quel/quelle/quels/quelles ~ ?
Emma: Là-bas/à droite/à gauche/avec la couleur ~ !
Comment est-ce que tu le/la/les trouves?
Cécile: …

trouver joli	Bof	ne pas être joli
aimer beaucoup	Euh	ne pas aimer trop
plaire beaucoup	être pas mal	être trop petit
être super, chic, génial	aller	être trop grand
être cool	ne pas savoir	être bizarre
		Quelle horreur!
		ne pas pouvoir voir cette couleur

4 Scènes de la vie (§ 23)

a *Faites des dialogues. Utilisez un verbe pour chaque (jede) dessin.*

Exemple:

– De quoi est-ce que les élèves rêvent?
– Ils rêvent des vacances.

jouer à qc	parler de qc	rêver de qc
penser à qc	discuter de qc	dormir avec qn/qc

1. rêver

2. parler

3. jouer

4. penser

5. discuter

6. dormir

b A vous.
Posez d'autres questions avec «quoi» à vos camarades.
Utilisez les mêmes verbes. Faites des petits dialogues.

[ ] **5 Avoir un bon copain** (§ 23)

*Complétez les phrases par **«à qui, avec qui, chez qui, sur qui»**.*

Exemple:

Un bon copain,
c'est quelqu'un …
à qui je parle quand …
avec qui je …

Continuez.

parler à qn
discuter avec qn
rigoler avec qn
aller chez qn
téléphoner à qn
compter sur qn

6 L'appareil photo de Fabien (§§ 17–19, 21, 22)

*Complétez le texte par **«ce, beau, vieux, nouveau, connaître, vivre, plaire»**.*
Attention aux temps.

Fabien visite les **v~** quartiers de Toulouse. Dans la rue Saint-Rome, il veut faire une photo d'une **b~** maison. Mais son **n~** appareil photo n'est plus là! Est-ce qu'il l'a oublié au vestiaire de **c~ v~** café à côté de la **n~** médiathèque de Toulouse? Ou alors, est-ce que son **b~** appareil **(plaire)** à **c~ v~** monsieur bizarre qui l'a bousculé sur la **b~** place du Capitole? Fabien est en colère. Il va à la police …

– Vous êtes sûr que **c~** homme a volé votre appareil photo?
– Je ne sais pas. Je l'ai peut-être oublié dans un café ou un magasin de la rue Saint-Rome.
– Alors, allez dans **c~ b~** magasins et demandez s'ils ont vu votre appareil photo!

Fabien va dans le **b~** magasin de sport où il est entré le matin. Rien.
Mais une **v~** personne demande:

– Est-ce que vous **(connaître)** le bureau des objets trouvés*?

Non, Fabien ne **(connaître)** pas **c~** bureau comme beaucoup d'autres personnes qui **(vivre)** depuis toujours à Toulouse et qui ne le **(connaître)** pas.

– Vous attendez deux ou trois jours et puis, vous allez voir.

C ~ idée **(plaire)** à Fabien. Deux jours plus tard, il va au bureau des objets trouvés:

– Voilà votre appareil, Monsieur. Une **v~** dame l'a trouvé dans le bus 66.
Elle **(vivre)** à Saint Cyprien*.

Quelle **b~** surprise pour Fabien!

7 Kreatives Schreiben: Das Ende einer Geschichte schreiben

Stratégie

Du kannst jetzt schon viele Gedanken auf Französisch ausdrücken. In einigen Übungen wirst du mehr und mehr aufgefordert, deiner Fantasie freien Lauf zu lassen.
Hier findest du einige Tipps, wie man „kreativ" schreiben kann, wenn es z. B. heißt: *Racontez la fin de l'histoire.*

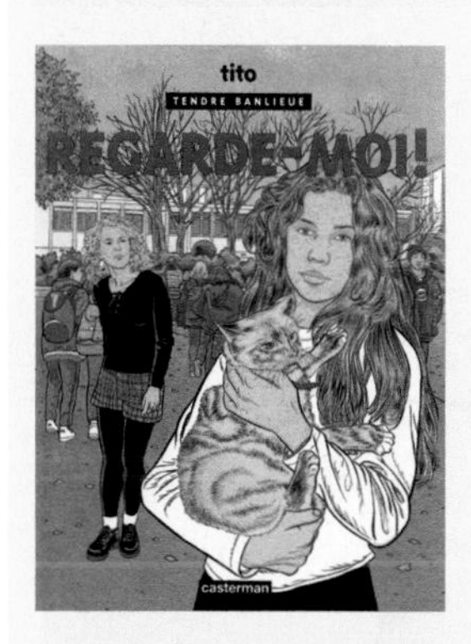

Marie est triste parce qu'elle pense que son amie Chloé ne l'aime plus. Elle essaie de parler avec elle. Mais Chloé n'a pas le temps parce qu'elle doit préparer ses devoirs. En plus, Chloé est amoureuse de Franck, l'ami de Marie. D'abord, Marie est en colère contre Chloé. Mais pour Chloé, tout va mal aussi maintenant. Elle est triste. Marie veut parler à son amie. Maintenant, elle est devant la maison de Chloé …

1. Schau dir den Ausgangstext und die Bilder noch einmal genau an. Lege in deinem Heft eine Tabelle an und schreibe deine Antworten zu folgenden Fragen in die Tabelle:
   • Was ist das Thema der Geschichte? • Wo und wann ereignet sich die Geschichte?
   • Wer sind die Hauptpersonen? • Wie sehen sie aus? • Welche Gefühle haben sie?
   • In welcher Situation befinden sie sich? • Was passiert zwischen dem vierten und fünften Bild? • Wie werden sich die Personen verhalten und warum?
2. Mache dir für das Ende der Geschichte zwei Cluster zu den Gefühlen von Chloé und Marie mit den wichtigsten Stichwörtern. (Hilfen: z. B. S. 42, ex. 8).
3. Schreibe deinen Text nun direkt auf Französisch; möglichst in kurzen Sätzen. Versuche anschließend, deine Sätze durch „Bindewörter" wie *d'abord, puis, après, et, mais* … zu verbinden. Überprüfe, ob dein Text logisch aufgebaut ist.
4. Überprüfe deinen Text sorgfältig nach Fehlern. Wahrscheinlich kannst du einige selbst korrigieren. Wie du das machst, erfährst du auf den Seiten 31–32, ex. 14.

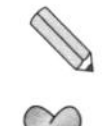

A vous. *Ecrivez la fin de l'histoire «Regarde-moi».*

à suivre ...

■ **Savoir faire**

→ Stratégie, page 47.

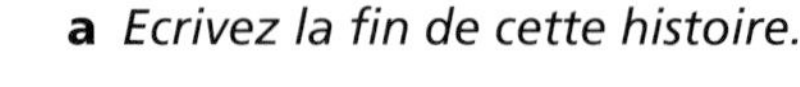

a *Ecrivez la fin de cette histoire.*

b *Ecrivez un poème pour votre ami(e).*

---

les pouètes (Kindersprache für poètes) Dichter – **Ça les rend folles!** Das törnt sie an! – **tu devrais (devoir)** du solltest – **pour me faire coller par le concierge** damit mir der Hausmeister ein Nachsitzen aufbrummt – **nettoyer** säubern – **T'es pô bien!** (Kindersprache) Du hastse wohl nich' alle! – **Ce qui les excite** Was sie verrückt macht – **T'as qu'à le faire sur une feuille.** Du brauchst es nur auf ein Blatt Papier zu schreiben. – **que tu écrives** (Subjonctif von écrire) *hier:* dass du schreibst – **un pétunia** eine Petunie (Zierpflanze) – **des bouts de bois** Holzstücke

1 Valentin a des problèmes. (§§ 9, 15)

Mme Carbonne veut mettre la table.

a *Complétez le dialogue avec un pronom objet.*

b *Ajoutez une explication (eine Erklärung) à la réponse de Valentin.*

1. – Valentin, tu ~ écoutes?
   – Oui, maman, ~ . + …
2. – Manon et moi, nous préparons le repas. Tu peux ~ aider, s'il te plaît?
   – Non, je ne peux pas ~ aider. + …
3. – Tu n'as pas encore fait tes devoirs?
   – Non, je ne ~ ai pas encore faits. + …
4. – Tu n'as pas compris la question que le prof a posée? Non, je ne ~ ai pas comprise. + …
5. – Tu n'as peut-être pas bien écouté ton prof?
   – Si, je ~ ai bien écouté; + …

+ Mais il parle trop vite.

+ Il ne l'a pas bien expliquée.

+ Je ne sais pas les faire.

+ Qu'est-ce qu'il y a?

+ J'ai des devoirs à faire.

2 Le rendez-vous (§§ 1, 2, 7, 8, 12)

Samedi après-midi, à 4 heures, Fabien a rendez-vous avec Emma sur la place du Capitole. Elle doit apporter des CD. Mais Emma arrive à 4 heures et demie!

Fabien: Emma, il est 4 heures et demie. Pourquoi est-ce que tu arrives si tard?
Emma: Je suis désolée, mais … 1. après le repas, Valentin et moi, **nous avons dû** aider maman dans la cuisine. 2. Puis, …

a *Continuez l'explication (die Erklärung) d'Emma.*

1. Après le repas, Emma et Valentin doivent aider Mme Carbonne dans la cuisine.
2. Puis, elle fait ses devoirs.
3. A 3 heures et demie, Valentin et Emma quittent la maison.
4. Valentin va au cinéma avec un copain et Emma prend le bus.
5. Le bus arrive, les touristes montent.
6. Emma ne retrouve pas son porte-monnaie.
7. Elle doit rentrer à la maison pour chercher son porte-monnaie.
8. Puis, elle attend un autre bus pendant dix minutes!
9. Quand elle sort du bus, un garçon bouscule son sac[1] et les CD tombent de son sac.
10. Elle ramasse les CD, mais elle perd encore 10 minutes.

b *Imaginez la réaction de Fabien.*

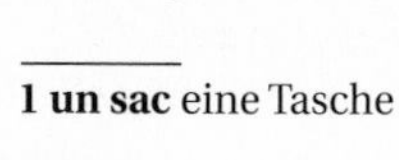

1 un sac eine Tasche

3 Un e-mail d'Emma (§§ 3–6, 13, 14, 17–19)

a *Lisez l'e-mail d'Emma à Malika.*

Emma Carbonne
Malika Messadi
A Toulouse

Chère Malika,

Cette nuit, j'ai dormi (1) chez ma copine Cécile. J'ai vu (2) toute sa famille. Ses parents et surtout sa grand-mère sont très sympas. Hier soir, Cécile et moi, on a mis (3) des robes de sa grand-mère pour rigoler. Ensuite, Cécile et moi, nous sommes sorties (4) en ville. Sa grand-mère est venue (5) avec nous. Elle est drôle. Elle m'a bien plu (6) avec ses robes des années soixante. Elle a vécu (7) pendant des années à Paris où elle a connu (8) des stars du cinéma. Elle a même reçu (9) chez elle Judith Salomon!
Nous sommes parties (10) de la maison à 20 heures et nous n'avons pas vu (11) le temps passer. A minuit, nous avons couru (12) pour prendre le dernier bus. Quelle histoire!

Amicalement
Emma

b *Ecrivez les verbes numérotés (nummeriert) à l'infinitif dans votre cahier, puis à la forme demandée du présent: a = je b = tu c = il/elle/on d = nous e = vous f = ils/elles.*
1a = **dormir, je dors**, 2d = ?, 3f = ?, 4c = ?, 5e = ?, 6d = ?, 7b = ?, 8f = ?, 9d = ?, 10a = ?, 11c = ?, 12b = ?

c *Les groupes A et B choisissent 6 verbes du texte chacun (jeweils). Puis, chaque (jede) groupe écrit un e-mail de 60 mots et raconte les activités d'hier. Après, A corrige les verbes de B et B les verbes de A.*

4 Dans la cave (§§ 21, 22)

Complétez le dialogue entre Valentin et son père avec ***«ce/cet/cette/ces»*** *et la forme correcte de* ***«beau/nouveau/vieux»***.

1. *Valentin:* Regarde ~ b~ robe de maman. Je vais la mettre dans sa chambre.
2. *M. Carbonne:* D'accord. Mais ~ v~ chemises et ~ v~ pantalons, quelle horreur! Ils ne sont pas b~! Je ne veux plus les mettre.
3. *Valentin:* Mais si, papa, j'aime bien ~ v~ pantalon. Je le trouve b~! Je vais mettre ~ pantalon pour aller à l'école.
4. *M. Carbonne:* Regarde! Tu as vu ~ v~ parapluie? Je vais le mettre à la poubelle. Maman a acheté un n~ parapluie.
5. *Valentin:* Oh! Regarde ~ album avec ~ b~ photos de mamie. On va les coller dans un n~ album.
6. *M. Carbonne:* Tiens? Pourquoi est-ce que ~ appareil photo est à la cave? C'est mon n~ appareil! Je l'ai acheté ~ hiver!
7. *Valentin:* Tu sais, ~ appareil photo, il n'est pas très n~. Il est déjà assez v~!
8. *M. Carbonne:* Tu sais, Valentin, avec un v~ appareil, on peut faire aussi des très b~ photos!

Une nouvelle élève dans la classe

Les histoires d'amour n'intéressent pas Pablo. La seule[1] chose qui l'intéresse sont les extraterrestres[2]. Il lit tous[3] les livres sur les extraterrestres et il les dessine. Les autres élèves rigolent mais ça lui est égal[4]. Il sait qu'un jour, ils vont venir chez lui. Il les attend …

Mila

Quand le directeur est entré dans la classe cet après-midi, une fille est restée derrière lui. Quand je l'ai vue, ça a été comme un coup de foudre. Le directeur a dit: «Je vous présente[5] Mila. Elle …» Puis, il a vu ma tête: «Du calme[6], Pablo. C'est une fille, pas une extraterrestre!» Tout le monde a rigolé. Mais pas Mila qui nous a regardés calmement[7]. Quand ses yeux[8] verts sont tombés sur moi, je suis devenu[9] rouge comme une tomate. Le directeur a expliqué: «Elle vient d'arriver dans le village. Soyez[10] sympas avec elle.» Puis, il a continué: «Elle habite la maison des *Marais*[11].» Les autres élèves ont eu un peu peur. *Les Marais* sont au nord du village. Les enfants n'entrent jamais dans *Les Marais* et les grandes personnes non plus. Ils sont hantés[12]. Il y a eu un meurtre[13] il y a deux cents ans, dans la seule maison dans le *Marais*, là où habite Mila maintenant. On ne l'a pas dit à ses parents?

Silence

Mila est une très bonne élève. Elle a toujours fini[14] ses exercices avant nous. Elle travaille en silence. Quand elle a fini, elle regarde le ciel[15]. Parfois[16], elle répond au professeur, mais elle ne parle pas beaucoup. Elle doit être timide[17], comme moi. Alors, je n'ose[18] pas faire le premier pas, mais je crois qu'elle m'aime aussi un peu parce qu'elle me sourit[19] parfois. Les autres la trouvent bizarre. Quand ils la rencontrent, ils crient: « Sorcière[20]!» Elle ne semble[21] rien entendre. Mais moi, je suis en colère et je crie: «Arrêtez, idiots![22]» Ils rient et ils chantent: «Pablo est amoureux de la sorcière!»

D'après Thierry Lenain/Marc Daniau,
La fille de nulle part, éd. Nathan, Paris 2001, p. 5–15

1. *Faites le portrait de Pablo et de Mila.*
   Pourquoi est-ce que la nouvelle élève intéresse Pablo?
2. *Pourquoi est-ce que les autres élèves l'appellent «la sorcière»?*
3. *Il y a des choses bizarres dans la vie de Mila. Imaginez-les.*
4. *Racontez la suite de l'histoire.*

1 seul(e) [soel] einzig – **2 un(e) extraterrestre** [ɛ̃nɛksrʀatɛʀɛstʀ(ə)/ynɛksrʀatɛʀɛstʀ(ə)] ein(e) Außerirdische(r) – **3 tous** [tu, tus] alle – **4 Ça lui est égal** [salɥiɛtegal] Es ist ihm egal – **5 présenter** [pʀezɑ̃te] vorstellen – **6 Du calme!** [dykalm] Ganz ruhig! – **7 calmement** [kalməmɑ̃] ruhig – **8 un œil (des yeux)** [ɛ̃nœj, desjø] ein Auge (Augen) – **9 devenir** [dəv(ə)niʀ] werden – **10 soyez** [swaje] Imperativ von être (2. Pers. Pl.) – **11 le marais** [ləmaʀɛ] das Moor – **12 ils sont hantés** [ilsɔ̃ɑ̃te] es spukt in ihnen – **13 un meurtre** [ɛ̃mœʀtʀ] ein Mord – **14 finir qc** [finiʀkɛlkəʃoz] etw. beenden – **15 le ciel** [ləsjɛl] der Himmel – **16 parfois** [paʀfwa] manchmal – **17 timide** [timid] schüchtern – **18 oser** [oze] wagen – **19 sourire** [suʀiʀ] lächeln – **20 une sorcière** [ynsɔʀsjɛʀ] eine Hexe – **21 sembler** [sɑ̃ble] scheinen – **22 un idiot** [ɛnidjo] ein Idiot

LEÇON 4

La classe fait du cinéma.

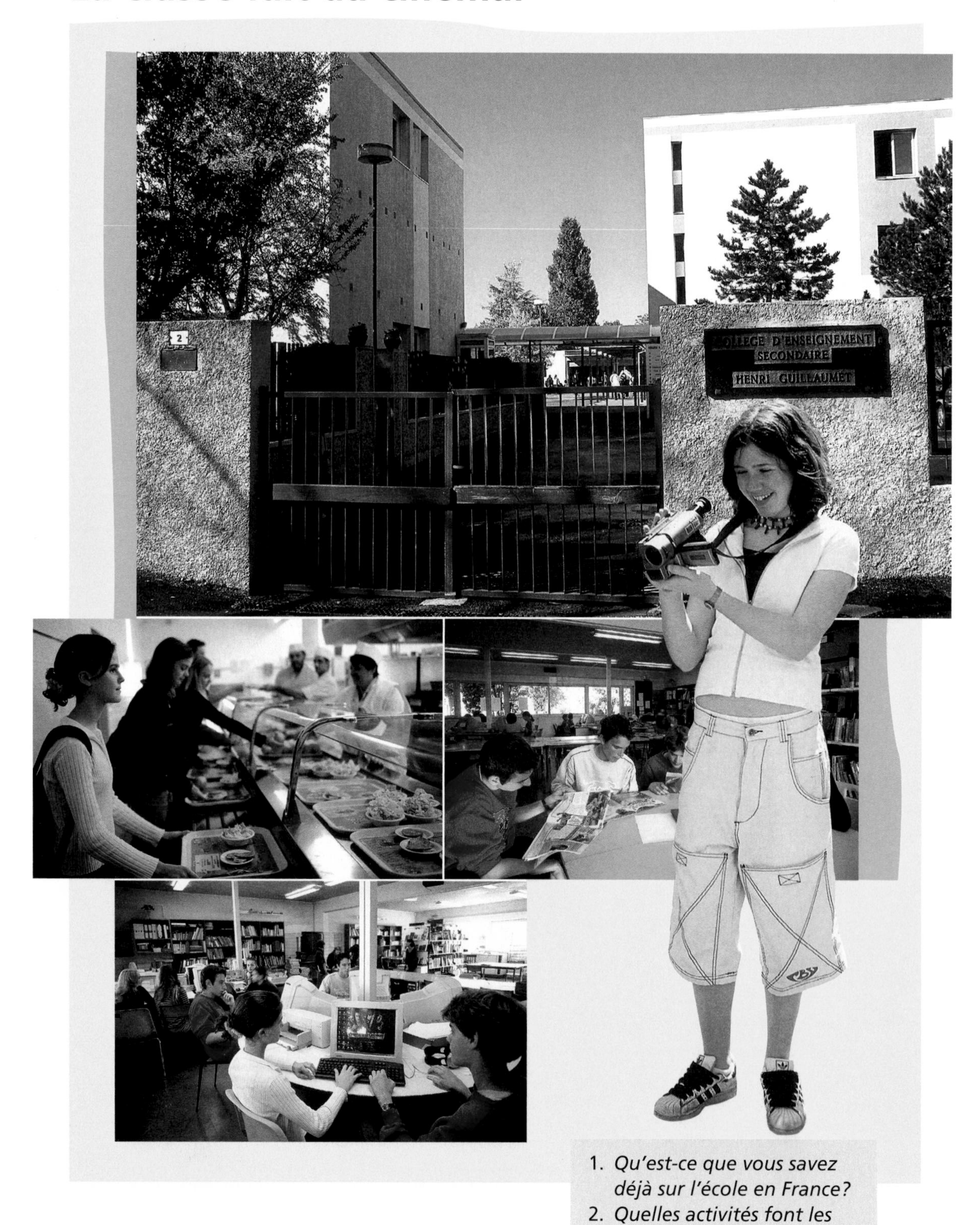

1. *Qu'est-ce que vous savez déjà sur l'école en France?*
2. *Quelles activités font les élèves au collège?*

35 S

Le projet de la 4e B

La 4e B du collège Henri Guillaumet prépare un projet de vidéo pour un collège de Dakar au Sénégal: «A la découverte d'un autre pays».

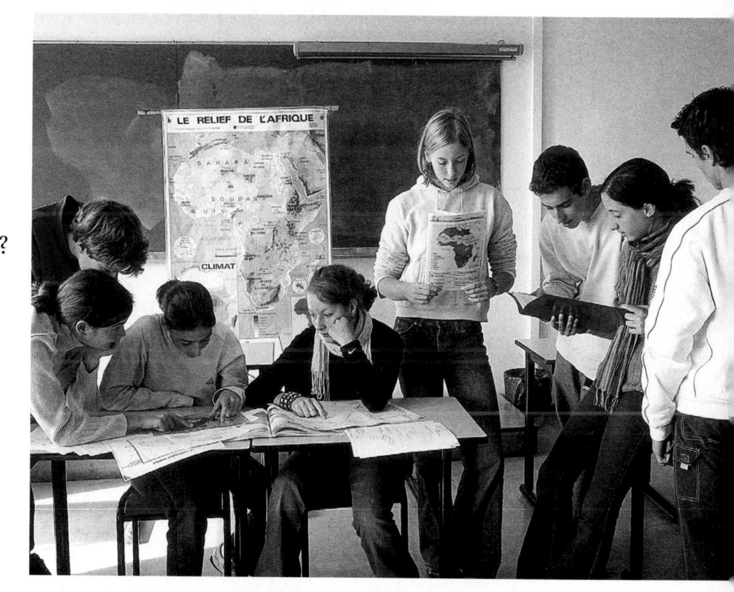

Grégory: Qu'est-ce qu'on montre aux élèves de Dakar?
5 *Emma:* Ben, on leur montre la vie au collège, non?
Cécile: Mais on doit aussi parler de Toulouse. On va demander à la prof.
Grégory: D'accord, je lui demande. Vous ne
10 voulez pas montrer aussi la journée d'un élève?
Emma: Si, bien sûr! On peut prendre Cécile comme exemple. Cécile Chapuis, superstar! Je la vois déjà! Mais est-ce que ça va plaire aux autres élèves de Dakar?
15 *Cécile:* Mais bien sûr! Je vais leur plaire!
Grégory: Ça fait trois vidéos alors. Et qui tourne la vidéo sur Cécile? Marco?
Cécile: Il n'est pas là, aujourd'hui. Il est malade. Je lui téléphone ce soir.
20 *Grégory:* Bon, allez, on tourne.

direktes Objekt	indirektes Objekt	direktes + indirektes Objekt
voir **qn** manger **qc**	plaire **à qn** téléphoner **à qn**	montrer **qc à qn** demander **qc à qn**

Ihr kennt bereits die direkten Objektpronomen *me, te, le/la, nous, vous, les* (S. 23/35) und die indirekten Objektpronomen *me, te, nous, vous* (S. 23).
In diesem Text tauchen zwei weitere indirekte Objektpronomen auf: *lui* und *leur*.

1. Welche Satzteile werden durch die Objektpronomen *lui* und *leur* im Text ersetzt?
2. Worin besteht der Unterschied bei der Wortstellung im Vergleich zum Deutschen?
3. Sucht drei weitere Verben mit *lui* und *leur* und ergänzt sie in der Tabelle (siehe S. 152).

A vous.
Trouvez les réponses de Cécile. Utilisez ***«lui»*** *ou* ***«leur»****.*

Grégory:
1. Est-ce que tu as parlé **à la prof**?
2. Est-ce que l'idée va plaire **aux autres profs**?
3. Est-ce que tu as téléphoné **à Marco**?
4. Est-ce que Marco a expliqué **à Emma** comment marche la nouvelle caméra?
5. Est-ce que tu as déjà écrit un e-mail **aux élèves de Dakar**?

36 Une journée de Cécile

1. Bonjour, je m'appelle Cécile Chapuis et j'ai 13 ans. J'habite rue des Corbières à Toulouse. Je suis une élève de la 4e B du collège Henri Guillaumet et je vais vous présenter une journée de ma vie. Derrière la caméra, il y a Emma et Marco.

2. Je vous présente toute ma famille: mes parents et mon frère, Fabien. Nous sommes en train de prendre le petit-déjeuner:

Fabien: Cécile, tu finis ton petit-déjeuner? Il est déjà 7 heures et quart! On doit partir, vite!
Cécile: Oui, j'arrive … Oh là là, la journée commence bien!

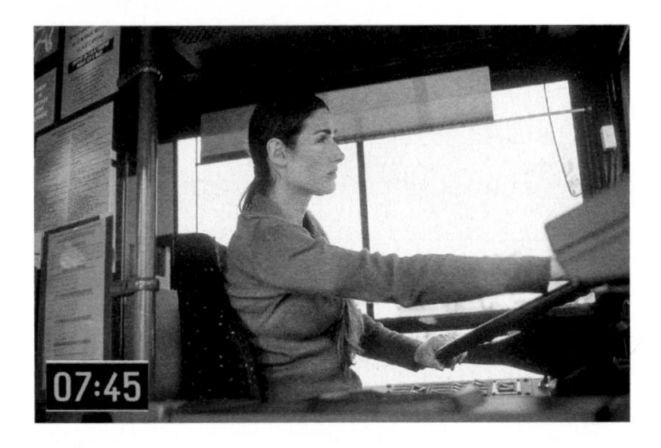

3. Zut, on vient de rater le bus de 7 heures et demie! Brrr, il fait froid à l'arrêt de bus! Enfin, voilà le 66 mais comme chaque jour, c'est l'horreur! Ouf, on a réussi à grimper dans le bus. Maintenant, on a chaud!

Mme Carbonne: Ça va, tout le monde?

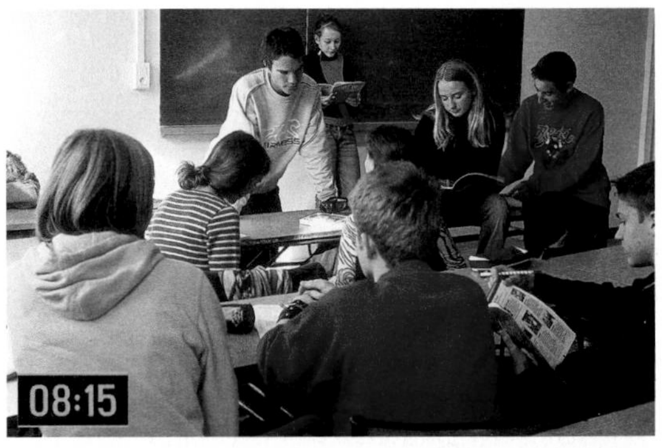

4. Zut! On a couru pour rien, la prof de maths est malade! On doit aller en salle de permanence. Pourquoi est-ce que tout le monde rit? Oh, regardez, le pion est en train de dormir! Il a dû lire Goethe toute la nuit. Il apprend l'allemand.

Marco: Tu sais, les pions ne dorment jamais, ils réfléchissent …

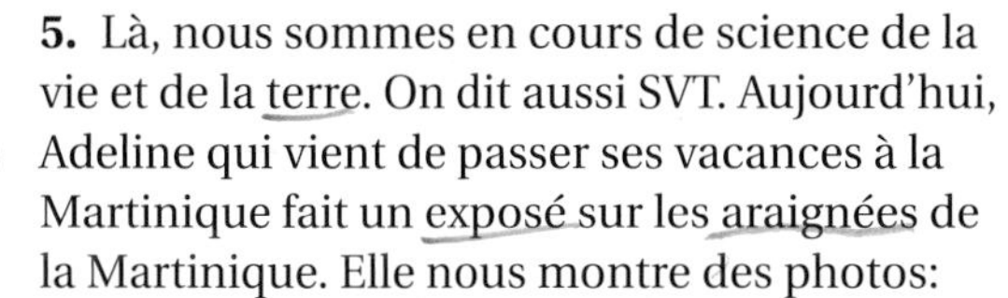

5. Là, nous sommes en cours de science de la vie et de la terre. On dit aussi SVT. Aujourd'hui, Adeline qui vient de passer ses vacances à la Martinique fait un exposé sur les araignées de la Martinique. Elle nous montre des photos:

Adeline: Toutes les araignées sont importantes dans la nature …
Jérémie: Madame! Et cette grosse araignée sur votre table, elle est dangereuse?
La prof: Ecoute, Jérémie, j'en ai marre de toutes tes bêtises!

6. Enfin, c'est l'heure de la cantine. Aujourd'hui, il y a un gratin de nouilles avec des choux de Bruxelles. Tout le monde déteste les choux de Bruxelles sauf Olivier qui est Belge!

Emma: Alors, Cécile, tu peux lui donner tes choux?
Olivier: Bonne idée! Et moi, je lui donne mon dessert!
Cécile: D'accord. Un chou à la crème contre vingt choux de Bruxelles!

7. *Marco:* Ouf, c'est la récré! On vient de sortir du cours de géo sur l'Afrique.
Cécile: Jérémie, qu'est-ce que tu fais après les cours?
Jérémie: Moi? Aujourd'hui, je vais acheter des souris …
Adeline: Beurk! J'ai horreur des souris!
Jérémie: Oui, on sait, toi, tu adores les araignées …

8. Après mon cours de piano, je continue à jouer chez moi pendant une petite heure.

Mme Chapuis: Cécile, finis d'abord tes devoirs et mets la table s'il te plaît!
Cécile: Je peux choisir? Je fais mes devoirs et Fabien met la table!
Mme Chapuis: Non, c'est ton tour aujourd'hui!
Cécile: Quelle vie de chien!

Toute la classe vient de regarder le film. Les profs rient et applaudissent.
Madame Martin, la prof de français, dit: «Je suis sûre que les élèves de Dakar vont rire aussi quand on va leur montrer le film, bravo à tous les trois!»

1 A propos du texte

a *Trouvez les phrases correctes.*

1. On tourne une vidéo sur une journée de … • Cécile. • Emma. • Adeline.	5. Au cours de SVT, Adeline fait un exposé sur … • les souris. • les chiens. • les araignées.
2. Les élèves qui tournent la vidéo sont … • Emma et Fabien. • Emma et Marco. • Emma et Olivier.	6. Au menu de la cantine, il y a … • un gratin de nouilles. • des choux de Kassel. • des croquettes.
3. Les enfants ont raté … • le métro. • le bus de 7 heures. • le bus de 7h30.	7. Après le collège, Jérémie va … • voir un copain. • jouer au foot. • acheter des souris.
4. La prof de maths est malade et les élèves doivent aller … • en salle de permanence. • dans la cour de récré. • à la maison.	8. Un pion, c'est … • un jeu. • une personne. • un animal.

b *Qu'est-ce que vous savez sur Olivier? Faites son portrait.*

2 Toute la journée au collège (§ 26)

*Complétez le texte avec **«chaque»** ou **«tout, toute, tous, toutes»**.*
N'écrivez que les expressions dans votre cahier.

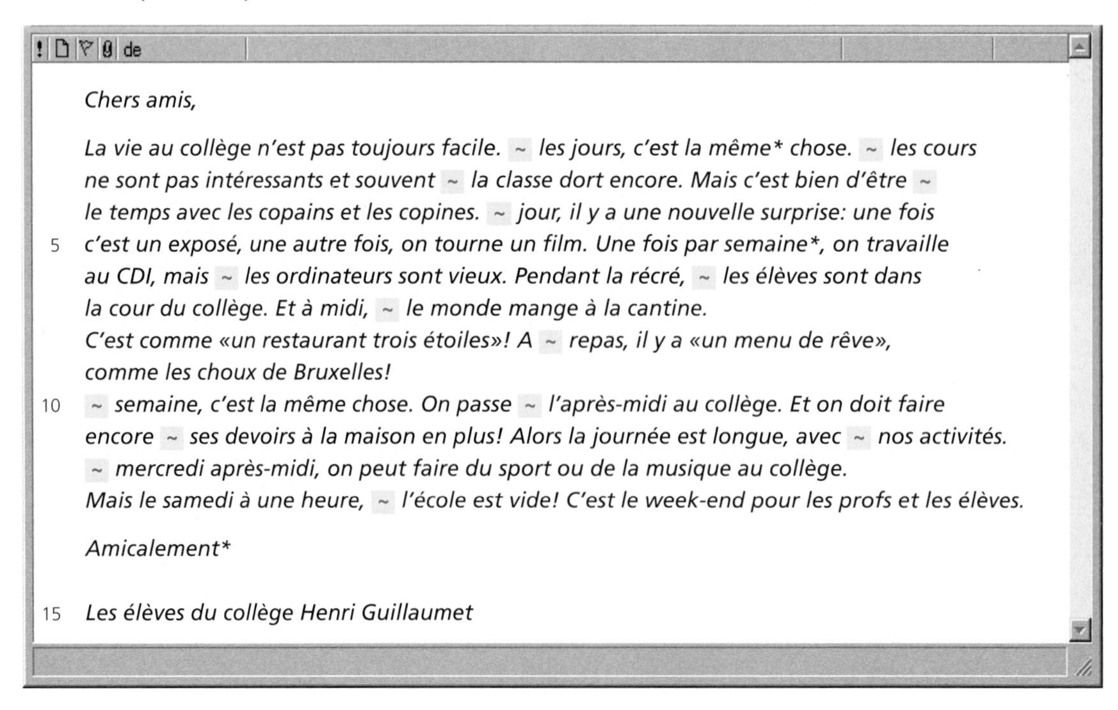

Chers amis,

La vie au collège n'est pas toujours facile. ~ les jours, c'est la même chose. ~ les cours ne sont pas intéressants et souvent ~ la classe dort encore. Mais c'est bien d'être ~ le temps avec les copains et les copines. ~ jour, il y a une nouvelle surprise: une fois*
5 c'est un exposé, une autre fois, on tourne un film. Une fois par semaine, on travaille au CDI, mais ~ les ordinateurs sont vieux. Pendant la récré, ~ les élèves sont dans la cour du collège. Et à midi, ~ le monde mange à la cantine.*
C'est comme «un restaurant trois étoiles»! A ~ repas, il y a «un menu de rêve», comme les choux de Bruxelles!
10 ~ semaine, c'est la même chose. On passe ~ l'après-midi au collège. Et on doit faire encore ~ ses devoirs à la maison en plus! Alors la journée est longue, avec ~ nos activités.
~ mercredi après-midi, on peut faire du sport ou de la musique au collège.
Mais le samedi à une heure, ~ l'école est vide! C'est le week-end pour les profs et les élèves.

*Amicalement**

15 Les élèves du collège Henri Guillaumet

3 Qui suis-je? (§§ 25, 27)

Au CDI du collège, les stars sont le commissaire Maigret* et Hercule Poirot* …

a *Conjuguez les verbes entre parenthèses et reliez les textes avec les photos.*

1

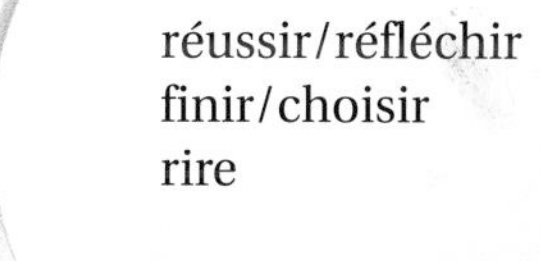

2

A
Je viens de Belgique. Je suis un peu gros mais très sympa. J'ai toujours (réussir) à trouver une solution aux problèmes. Je (finir) toutes mes histoires avec une surprise. J'(écrire) des histoires qui font (rire) aussi les parents et les enfants. Tout le monde (rire) de moi avec mon accent français. Je suis un personnage* d'Agatha Christie* (1891–1976). Elle m'a (choisir) parce que je suis une star.

Qui suis-je? 1 ou 2?

B
Je suis un commissaire français. Mon équipe et moi, nous (réfléchir) beaucoup et ensemble, nous (réussir) toujours à arrêter les voleurs. Est-ce que c'est vrai? Eh bien, (réfléchir), vous aussi! La police ne me (choisir) pas pour rien! Je suis un personnage de Georges Simenon* (1903–1989) et je suis une star.

Qui suis-je? 1 ou 2?

b *Ecrivez une petite histoire avec un commissaire et des voleurs.*
Utilisez aussi les verbes ***«finir, choisir, réfléchir, réussir, écrire, rire, sortir et partir».***
Qu'est-ce qu'ils font? Où est-ce qu'ils sont?

4 A propos vidéo (§§ 15, 24)

La vidéo sur la journée de Cécile est arrivée à Dakar. On attend la réponse …

a *Lisez le dialogue et dites quels pronoms objets manquent (fehlen) ici. Complétez le dialogue.*

Emma: Est-ce qu'on téléphone à nos amis du Sénégal pour ~ demander s'ils ont reçu notre vidéo?
Olivier: Non, on ne ~ téléphone pas, c'est trop cher, alors on ~ écrit un e-mail.
Cécile: Et leurs profs? On ~ écrit aussi un e-mail?
Olivier: A une prof comme madame Martin, je veux bien ~ écrire!
Emma: Il ou elle va peut-être nous demander si nous avons aussi des cours de géo. On va ~ parler de nos cours de SVT.
Cécile: Nous pouvons ~ raconter l'histoire de l'araignée.

b *Lisez le texte et remplacez les mots soulignés (unterstrichen) par des pronoms pour éviter des répétitions (… um Wiederholungen zu vermeiden).*

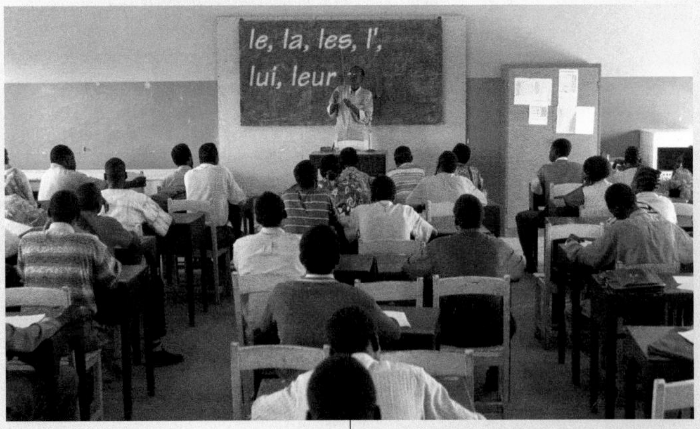

Une semaine après, les élèves de la 4e B sont contents. Les élèves de Dakar ont répondu <u>aux élèves de la 4ème B</u> par e-mail*.
Ils ont trouvé le film très intéressant. Ils ont regardé <u>ce film</u> ensemble et ils ont beaucoup rigolé.
Cécile surtout a plu <u>aux élèves de Dakar</u> et les élèves veulent inviter <u>Cécile</u> à Dakar.
Mais la «star de Dakar» ne sait pas encore <u>que les élèves de Dakar veulent inviter Cécile à Dakar</u> …
En plus, le prof du collège de Dakar et ses élèves veulent aussi préparer une surprise et donner <u>leur surprise</u> aux élèves de Toulouse.
A Dakar, on pense que les Français* vont rigoler quand ils vont entendre leur accent d'Afrique. Emma va comprendre ça. A Toulouse, on parle souvent <u>à Emma</u> de son accent de Paris! On entend bien son accent sur la vidéo!

5 Une journée de madame Chapuis (§§ 28, 29)

a *Décrivez une journée de Mme Chapuis. Choisissez une heure. Qu'est-ce qu'elle vient de faire? Qu'est-ce qu'elle est en train de faire? Qu'est-ce qu'elle va faire?*

Exemple: A 7 heures et demie, Mme Chapuis **vient de** passer la nuit dans son lit. Maintenant, elle **est en train de** sortir de son lit et, bientôt, elle **va** préparer le petit-déjeuner.

b *Indiquez* une heure à votre voisin(e) et posez trois questions:*

1. A … heures, qu'est-ce que tu **viens de** faire?
2. Qu'est-ce tu **es en train de** faire maintenant?
3. Qu'est-ce que tu **vas** faire bientôt?

6 Qui est-ce? (§ 29)

a *Complétez les phrases avec «de» ou «à» si nécessaire.*

1. C'est quelqu'un* qui ne veut pas ? trouver des papiers partout dans la nature. Elle aime bien ? lire. Sa famille continue ? habiter à Paris. Elle vient ? téléphoner à sa copine qui a déménagé.
2. Il a réussi ? trouver un nouveau travail. Il a envie ? faire encore autre chose* dans la vie. Il a trois enfants et il est un bon père de famille.
3. Elle a passé ses vacances à la Martinique. Elle sait ? faire des exposés. Dans un cours de SVT, elle a réussi ? expliquer la vie des araignées à la Martinique.
4. C'est quelqu'un qui est sportif et qui sait ? jouer au rugby. Il aime ? aller au cinéma. Souvent, il demande* à sa sœur de l'accompagner au match de rugby. Bientôt, il va ? demander à Emma aussi.
5. C'est une personne qui veut ? être une superstar un jour. Elle est déjà en train ? présenter sa vie devant la caméra. Elle vient ? rencontrer Emma au collège, dans la même classe.

b *Faites un portrait d'après le modèle de* **a**. *Après, votre voisin(e) doit deviner qui c'est.*

7 J'en ai marre!

on dit...

So könnt ihr ausdrücken, wenn ihr euch über etwas beklagen wollt:

C'est pas juste*! (mündlich) / Ce n'est pas juste! (schriftlich)
C'est pas vrai! (mündlich) / Ce n'est pas vrai! (schriftlich)
Je rêve!
C'est dur*!
C'est difficile. / Ça ne va pas être facile.
Quelle vie de chien!
J'en ai marre!
C'est trop!
Il y a trop de ...

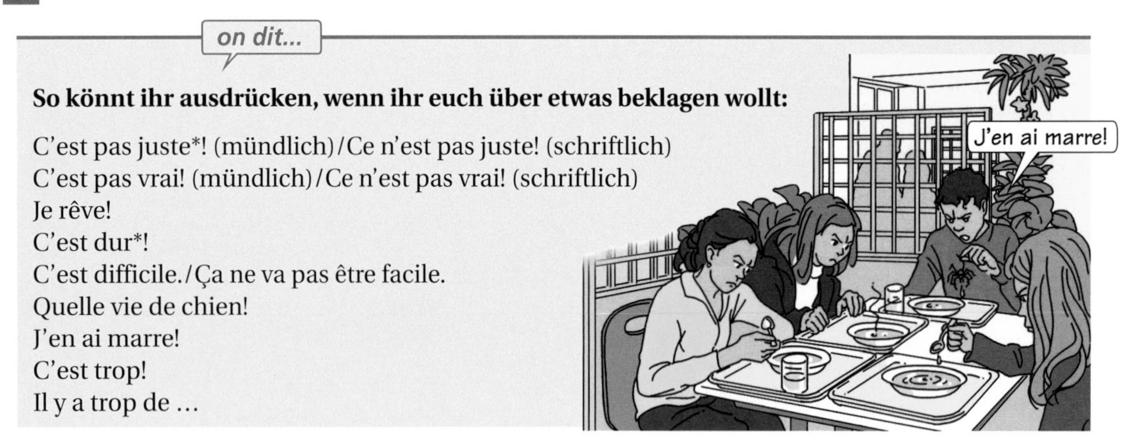

A vous. *Qu'est-ce que vous faites ou dites dans ces situations? Ecrivez des dialogues.*

1. Tu es à la cantine et il y a une araignée dans ton assiette.	2. Tu dois apprendre par cœur cent mots nouveaux en deux jours.	3. Aux W.-C. du collège, tu vois une grosse araignée sur le mur.
4. Dimanche après-midi, ta mère a fait un gâteau que tu n'aimes pas.	5. En sport, vous êtes devant le mur d'escalade. Mais tu n'aimes pas l'escalade.	6. Tu viens d'avoir des mauvaises notes en allemand et en maths.

8 Jeu de mots: Au collège

a *Copiez le filet à mots dans votre cahier et complétez-le avec tous les mots que vous connaissez.*

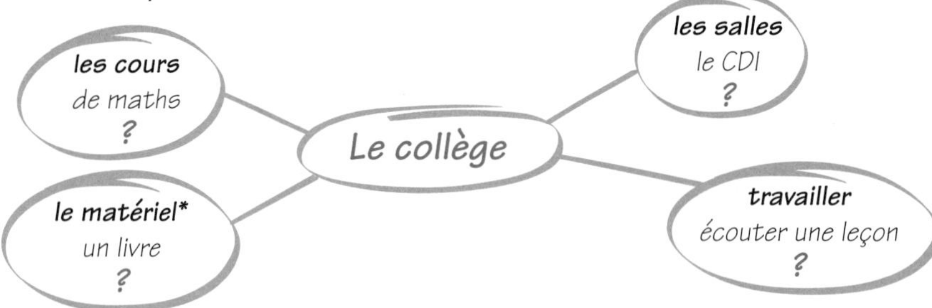

b *Imaginez pour un des personnages suivants* une journée au collège. Structurez (strukturiert) votre texte. Pensez aux expressions de temps et de lieu.*

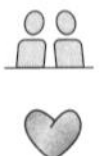

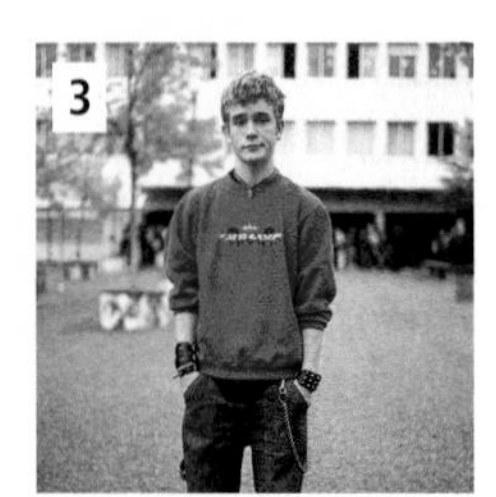

9 Jeu de sons: Des titres et des proverbes*

a *Lisez les titres à haute voix. Puis, écoutez le petit dialogue. Complétez le dialogue avec les titres qui manquent. Ecrivez ces titres dans votre cahier.*

Olivier, Anne et François sont dans la cour. Ils discutent.

Olivier: La prof nous a donné une liste de livres avec des titres intéressants*. J'ai envie de lire un de ces livres mais j'ai oublié le titre. Je sais que c'est quelque chose avec [t] ou [p] …

François: Alors c'est sûrement* «~»! Ou peut-être «~». Ou bien «~»?

Anne: Mais non, c'est quelque chose avec [-ã] ou [-õ]! Je ne sais pas, peut-être «~»?

Olivier: Mais pas du tout! Je sais maintenant, c'est «Zazie dans le métro!»

b *Ecoutez, puis, lisez les proverbes à haute voix. Cherchez les proverbes qui correspondent en allemand.*

1. Qui va à la chasse* perd sa place.

2. Ils sont comme chat et chien.

3. Quand le chat n'est pas là, les souris dansent.

04 **10**

Ecouter: Les petites chéries de Jérémie

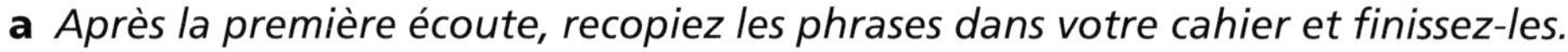

a *Après la première écoute, recopiez les phrases dans votre cahier et finissez-les.*

1. La 4e B est en cours de …
2. Jérémie sort … de son sac à dos.
3. Jérémie montre ses souris à …
4. Les souris plaisent à …

b *Après la deuxième écoute, répondez aux questions.*

1. Pourquoi est-ce que les élèves n'ont pas envie de travailler?
2. Pourquoi est-ce qu'Olivier crie?
3. Comment est-ce qu'Emma trouve les souris de Jérémie?
4. Est-ce que la prof a vu les souris pendant le cours de maths?
5. Est-ce que Jérémie a des problèmes avec la prof?

c *Comment est-ce que vous trouvez la réaction* de la prof? Expliquez pourquoi.*

11

Une lettre du Sénégal

Collège Léopold Sedar Senghor*
12, boulevard de la Libération*
Dakar-ville
Sénégal

Dakar-ville, le 15 janvier 2006

Objet*: Votre lettre/vos trois cassettes vidéo

Mesdames, Messieurs,*
Chers élèves,

Un grand merci pour les cassettes vidéo. Toute la classe connaît bien Cécile maintenant. Nous avons beaucoup ri quand on a vu la scène de l'araignée! Mais qu'est-ce que c'est, des choux de Bruxelles? La journée des élèves est très longue chez vous! Chez nous, c'est différent. Dans chaque classe, il y a deux groupes, un groupe qui va au collège le matin et l'autre groupe l'après-midi. Chez nous, il fait très chaud, toute l'année. Et chez vous? Est-ce qu'il fait froid toute l'année? Au collège, on parle le français mais à la maison, on parle le wolof* et chez vous?

Nous avons préparé un album de photos pour vous, avec des photos de tous les élèves de la classe et du Parc national* des oiseaux. Nous, on adore cet endroit*! Qu'est-ce qu'on peut encore visiter à Toulouse? Nous attendons vos réponses.

Salutations cordiales* aux professeurs et à toute la classe.

Awa, Sylvestre, Samba, Inys, Ousmane, Mamadou, Aminata, Mohammed, Christian, Gilian, Mariama, Placide, Aimée

a *Quelles sont les questions de la classe de Dakar? Faites une liste.*

b *Imaginez que vous êtes un(e) élève de la 4e B. Ecrivez une lettre-réponse à la classe de Dakar.*

c *Traduisez la lettre à votre prof de géo.*

12 Un article* de journal pour le collège (§§ 24–26, 28, 29)

Lisez le texte et remplacez:

~ par **tout / toute / tous / toutes / chaque**
+ par **être en train de / venir de (faire)**
* par **lui / leur**
# par **finir / réussir / applaudir** (Attention aux temps!)
• par **«à»**, **«de»** ou **Ø** (attention à l'article!)

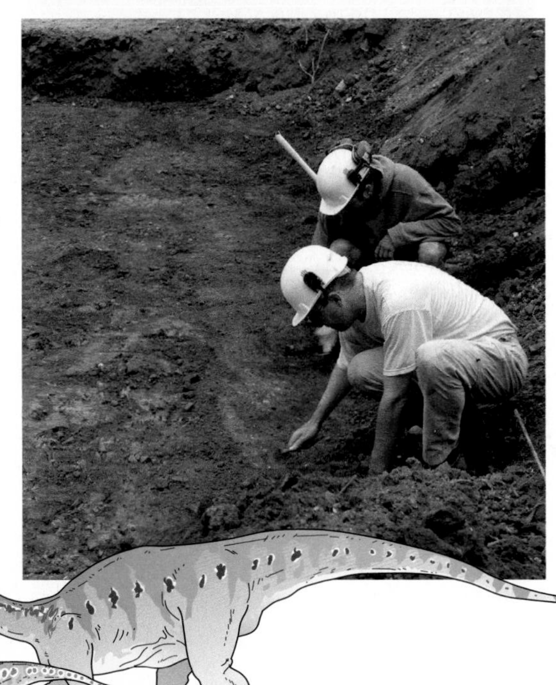

Depuis le mois de mars, on + faire la nouvelle ligne B du métro de Toulouse.
Lundi dernier, on a trouvé des os[1] d'animaux préhistoriques[2]. Les ouvriers[3] ont tout de suite téléphoné au directeur du Muséum d'histoire naturelle[4] de Toulouse. Ils * ont expliqué la situation et le directeur * a demandé de l'attendre là-bas. Puis, ils ont cherché ensemble ~ la journée et ils ont encore trouvé beaucoup d'os.

Mardi, à midi, le directeur du musée a donné une interview devant les élèves de notre collège. Le directeur * a expliqué: «Nous sommes très contents. Bravo! Nous # ~ les ouvriers qui ont trouvé les os. Depuis hier, nous + chercher, mais avec la découverte que nous + faire, nous pouvons • dire que nous avons eu beaucoup de chance. Mais c'est un travail difficile! Nous ne # toujours* pas • sortir ~ les os de la terre. Nous + porter au Muséum les os que nous avons déjà trouvés et nous voulons bientôt les montrer • public. Nous faisons ~ jour une nouvelle découverte. C'est bien pour Toulouse.»

Après, ~ le monde # et des élèves * ont dit: «Génial, monsieur, on adore* • aller au musée pour voir les os! Nous allons vous aider!» Le directeur * a répondu: «Merci, peut-être une autre fois. D'abord, nous voulons # notre travail.»

---

1 un os/des os [ɛ̃nos/dezo] ein Knochen/Knochen (Pl.) – **2 préhistorique** [preistɔrik] vorgeschichtlich – **3 un ouvrier** [ɛ̃nuvrije] ein Arbeiter – **4 le Muséum d'histoire naturelle** [ləmyzeɔmdistwarnatyrɛl] das Naturkundemuseum

13 Notizen zu einem Text machen und mündlich vortragen → S. 53–55

Stratégie

Du hast schon gelernt, wie man einen Lesetext erschließt und wie man ein Résumé schreibt. Nun geht es darum, wie du dich mithilfe von deinen Notizen auf einen möglichst frei gesprochenen Vortrag vor deiner Klasse vorbereiten kannst.

A Notizen zu einem Text machen

Lege dir zunächst eine Tabelle an und trage die wichtigsten Informationen in Stichworten und in einer sinnvollen Reihenfolge, am besten im Präsens, dort ein.

Textsorte	un roman*, un poème, une chanson, **une scène**, **un dialogue**, un article, une interview, …
Thema	la journée d'un élève
Ort	un collège à Toulouse
Zeit	en 2006
Personen	les élèves de la classe 4e B
Gliederung	sept parties

Les mots-clés sont:

partie 1 (Entrée)	**partie 2** (Leçon; §§ 1–2)	**partie 3** (Leçon; § 3)	**partie 4** (Leçon; §§ 4–5)	**partie** …
Le projet avec un collège au Sénégal: …	*Vidéo «La journée d'un élève»: …*	*Le chemin au collège: …*	*Les cours: …*	…

B Den Text mündlich vortragen

1. Schreibe zunächst den Titel (und eventuell den Untertitel) des Textes an die Tafel oder auf eine Folie.
2. Schreibe die für deine Mitschüler unbekannten Wörter auf eine Folie und erkläre sie kurz.
3. In deiner Einleitung kannst du dann deinen Zuhörern einen Überblick geben, worum es in deinem Text geht (siehe Punkt A).
4. Gib mithilfe deiner Stichworte den Inhalt sinngemäß wieder:
   - Sprich mit lauter Stimme.
   - Lies deine Notizen nicht einfach ab, sondern gib zusätzliche Erläuterungen.
   - Benutze einfache Sätze.
   - Suche den Blickkontakt mit den Zuhörern.

A vous. *Présentez un des textes que vous trouvez sous **http://www.klett.de** d'abord à votre voisin/voisine et, après, à toute la classe.*

Jeunes Journalistes

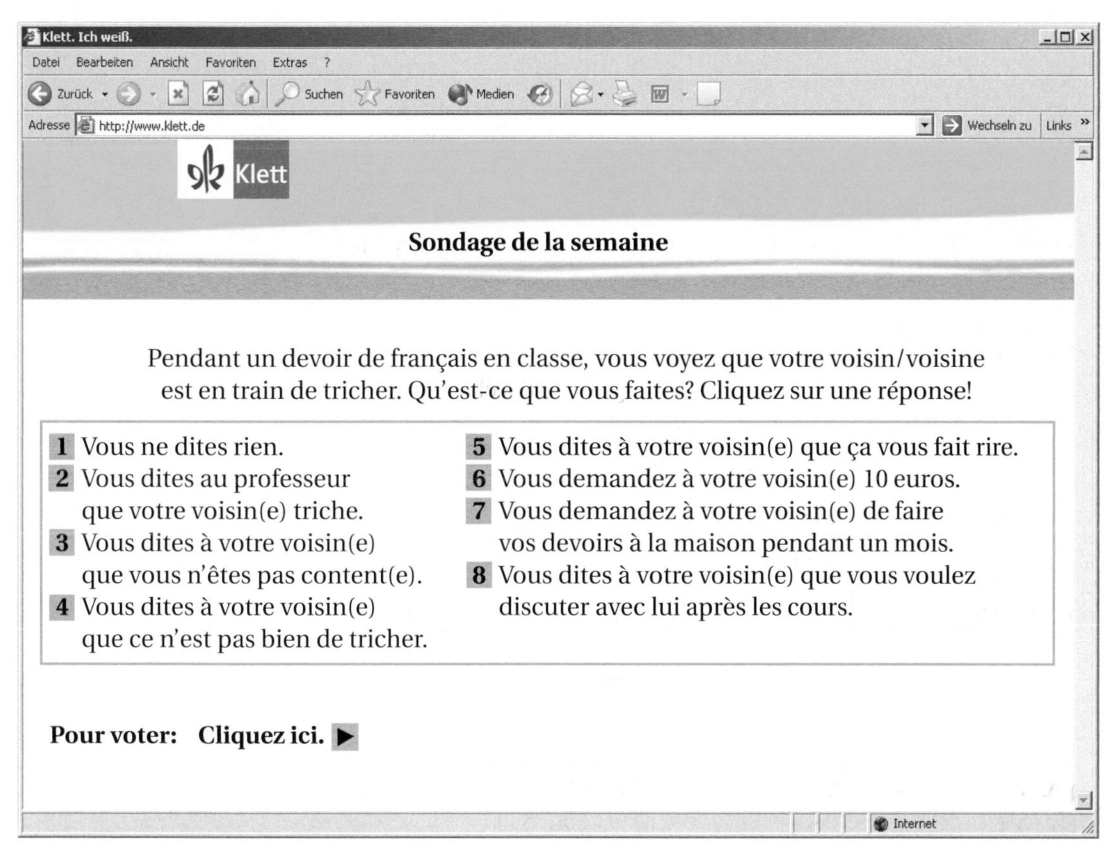

Klett. Ich weiß.

Datei Bearbeiten Ansicht Favoriten Extras ?

Adresse http://www.klett.de

Klett

Sondage de la semaine

Pendant un devoir de français en classe, vous voyez que votre voisin/voisine est en train de tricher. Qu'est-ce que vous faites? Cliquez sur une réponse!

1 Vous ne dites rien.
2 Vous dites au professeur que votre voisin(e) triche.
3 Vous dites à votre voisin(e) que vous n'êtes pas content(e).
4 Vous dites à votre voisin(e) que ce n'est pas bien de tricher.
5 Vous dites à votre voisin(e) que ça vous fait rire.
6 Vous demandez à votre voisin(e) 10 euros.
7 Vous demandez à votre voisin(e) de faire vos devoirs à la maison pendant un mois.
8 Vous dites à votre voisin(e) que vous voulez discuter avec lui après les cours.

Pour voter: Cliquez ici. ▶

Internet

a *Jouez aux journalistes. Faites le sondage dans votre classe. Posez les questions à vos camarades et faites une liste des réponses.*

Exemple: ? élèves ont répondu … ? élèves ont répondu …

b *Présentez ensuite le résultat du sondage à votre classe.*

■ **Savoir faire**

→ Stratégie, page 64.

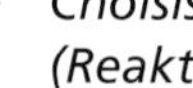

Choisissez un sujet et faites un sondage en classe. Trouvez des réactions (Reaktionen) possibles. Présentez les résultats en classe. Voici des idées de sondage:

1. Votre ami(e) vient de perdre son animal préféré.	2. Votre ami(e) vient de voler le porte-monnaie d'un élève.	3. Votre ami(e) ne veut plus aller à l'école.

LEÇON 5

La cuisine française

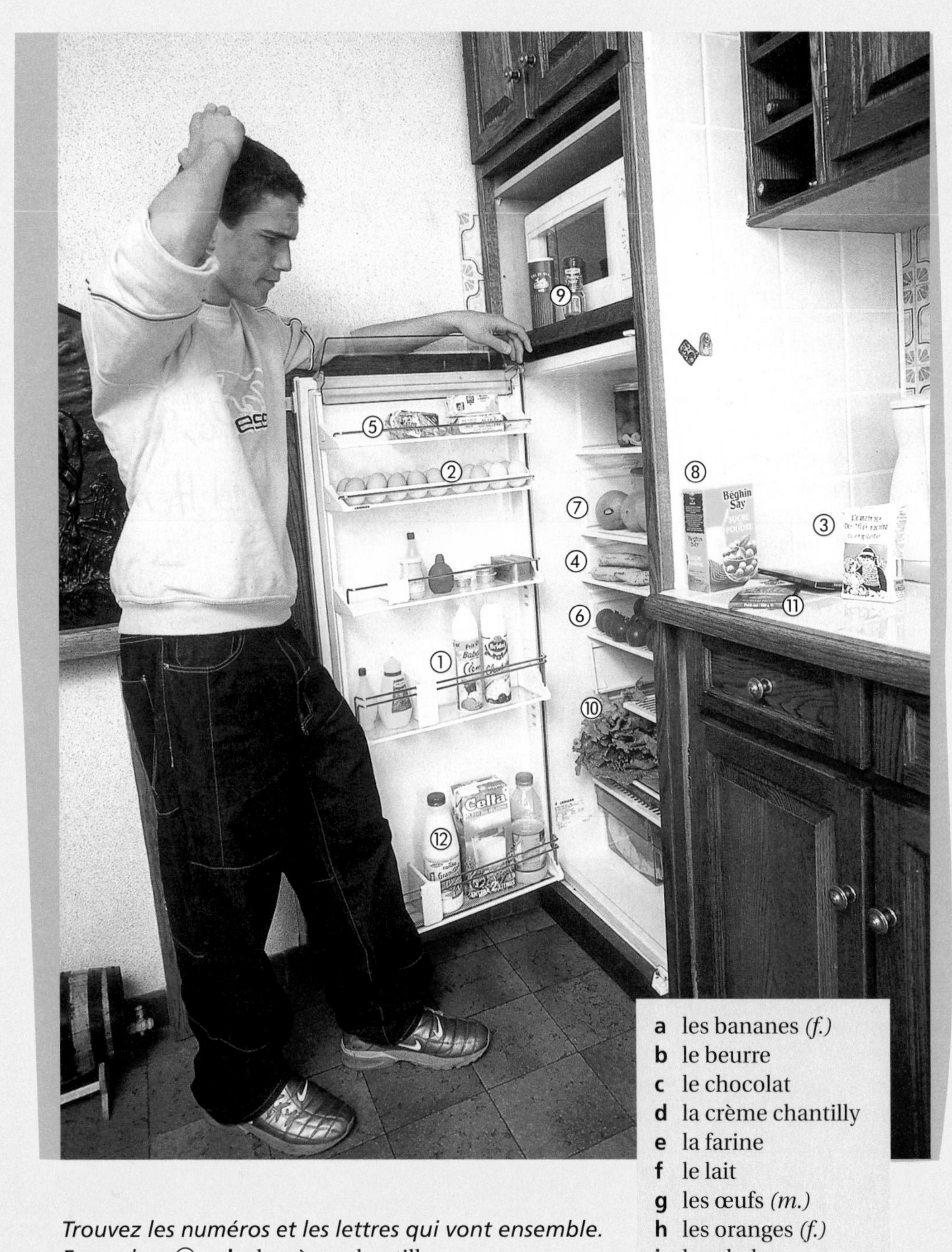

Trouvez les numéros et les lettres qui vont ensemble.
Exemple: ① + **d** = la crème chantilly

a les bananes *(f.)*
b le beurre
c le chocolat
d la crème chantilly
e la farine
f le lait
g les œufs *(m.)*
h les oranges *(f.)*
i la salade
j le sel et le poivre
k le sucre
l les tomates *(f.)*

Une surprise

Samedi après-midi, dans la cuisine des Chapuis, Cécile et Fabien veulent préparer un gâteau pour l'anniversaire de leur mère. Fabien lit la recette …

Fabien: Est-ce qu'on a encore du beurre, de la farine et du lait?
5 *Cécile:* Oui, on a de la chance, maman a fait les courses hier.
Fabien: Bon … ensuite, du sucre et de la crème chantilly.
Cécile: Ah non, elle n'aime pas ça!
10 *Fabien:* Alors, qu'est-ce qu'on peut mettre dans notre gâteau … du chocolat?
Cécile: Mais elle déteste le chocolat!
Fabien: Bon, ça m'énerve! On va lui faire un gâteau avec de l'eau et de la farine!
15 *Cécile:* Fabien, tu es bête, tu sais!
Mme Chapuis: Bonjour, les enfants. Qu'est-ce que vous faites?
Cécile et Fabien: Euh … rien. On range la cuisine.

1. Cécile mange **un** sucre et le chien Médor mange **deux** sucres.

2. Fabien met **du** sucre dans le verre.

1. Vergleicht die zwei Sätze. Was stellt ihr fest?
2. Übersetzt die beiden Sätze.
3. Vergleicht den französischen Satz mit der deutschen Übersetzung. Was ist anders?
4. Sucht weitere Beispiele wie bei Satz 2 „du sucre" aus dem Text heraus und übersetzt die jeweiligen Sätze. Man nennt ***du, de l', de la*** in diesen Fällen **Teilungsartikel**.

A vous. *Amandine rêve d'aller au restaurant. Qu'est-ce qu'elle mange et qu'est-ce qu'elle boit? Utilisez l'article partitif (Teilungsartikel)* ***«du, de la, de l'»***.

49 Un gâteau et un cadeau

1. Demain dimanche, c'est l'anniversaire de Magalie Chapuis. Elle est née en 1966. Elle va avoir 40 ans. Ses enfants veulent lui faire une surprise et lui préparer un repas d'anniversaire.

M. Chapuis: C'est une bonne idée mais vous ne pensez pas que c'est un peu trop difficile pour vous?
Fabien: Oh, tu sais, rien ne nous fait peur, papa! En plus, mamie nous a envoyé un livre de recettes … (5)
Cécile: On a déjà réfléchi au menu. Regarde, comme entrée, nous commençons par une salade de tomates avec des œufs. Comme plat principal, on a du canard à l'orange avec des pommes de terre. Ensuite, du fromage et une surprise comme dessert. (10)
Fabien: Et comme boissons, nous avons de l'eau minérale, du jus d'orange, du vin et du champagne. Tu vas voir, ça va être super génial!
M. Chapuis: Euh … bien sûr, mais vous ne préférez pas aller au restaurant? (15)
Cécile: Ah, non, papa. On n'a pas envie de passer tout l'après-midi dans une salle de restaurant! En plus, la météo a annoncé du soleil. On va faire la fête dans le jardin.
M. Chapuis: Mais votre mère va vous voir dans la cuisine et elle va tout de suite comprendre. (20)
Fabien: On a pensé à tout. Elle ne va rien voir parce qu'elle va faire du vélo avec papi demain matin.

2. Dimanche matin, Cécile et son père sont au marché. Ils achètent des fruits et des légumes.

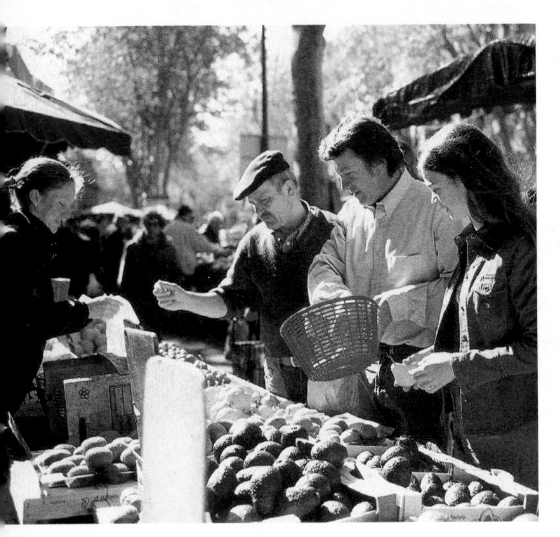

La marchande: Bonjour, qu'est-ce qu'il vous faut? (25)
Cécile: Je voudrais faire une salade de tomates. Quelles tomates est-ce que je peux prendre?
La marchande: Ces petites tomates, par exemple. Elles sont délicieuses!
Cécile: D'accord, j'en prends deux kilos. (30)
La marchande: Voilà, mademoiselle, et avec ça?
Cécile: Des pommes de terre, s'il vous plaît.
La marchande: C'est pour faire des frites?
Cécile: Non, c'est pour mon canard!
La marchande: Et quelles pommes de terre est-ce qu'il préfère, votre canard? (35)
Cécile: Euh …?
M. Chapuis: Nous voulons faire un canard à l'orange.
La marchande: Ah, bon! Alors, prenez ces pommes de terre-là, elles sont très bonnes avec des herbes de Provence. C'est pour combien de personnes, votre canard? (40)
Cécile: Pour six personnes.
La marchande: Alors, il en faut deux kilos aussi. Et avec ça?
Cécile: C'est tout, madame, merci. Papa, tu paies, s'il te plaît?

45 **3.** Pendant ce temps, Fabien commence à préparer le gâteau d'anniversaire. Il met de la farine dans un saladier. Puis, il ajoute des œufs et du beurre. Mais comme il pense toujours à Emma, il ne regarde plus la recette et il met
50 beaucoup trop de sel! Cinq minutes plus tard, il goûte son gâteau. Beurk! Quelle catastrophe! Vite, il appelle sa sœur sur son portable.

Fabien: Allô, Cécile. J'ai mis trop de sel dans le gâteau. Qu'est-ce que je fais maintenant?
55 *Cécile:* Est-ce que tu peux en faire un autre?
Fabien: Non. Il est déjà 11 heures et puis, je n'ai plus de farine.
Cécile: Mais tu peux en demander aux voisins!
Fabien: Il n'y a personne chez les voisins. Ils
60 sont en vacances.
Cécile: Ah oui, c'est vrai. Ce n'est pas grave. Je vais acheter un gâteau dans une boulangerie.
Fabien: Super. Et n'oublie pas de prendre du pain … trois baguettes.

Génoise

15 min. (préparation) + 20 min. (cuisson)
Pour 8 personnes

Ingrédients:

- 4 œufs
- 120 g de sucre en poudre
- 120 g de farine

Préparation:

- Préchauffer le four à 190 °C (thermostat 5–6).
- Beurrer et fariner le moule.
- Battre les œufs et le sucre dans un grand saladier (la pâte doit être blanche et crémeuse).
- Incorporer doucement la farine avec une grosse cuillère et ajouter un peu de sel.
- Verser le mélange dans le moule.
- Mettre le moule au four 20 min.
- Démouler le gâteau et le laisser refroidir.
- Vous pouvez fourrer ce gâteau avec de la confiture ou du chocolat.

→ page 202

65 **4.** A midi, toute la famille est à table. Il y a aussi le grand-père et la grand-mère Chapuis.

Fabien: Tu as compté les bougies, maman?
Mme Chapuis: Pourquoi? Combien est-ce qu'il y en a? Une, deux, trois, … trente! Il en manque dix. Vous êtes sympas avec moi mais
70 j'ai 40 ans aujourd'hui.
Tous: Bon anniversaire! A ta santé, maman!
Mme Chapuis: Vous êtes des amours! Mais maintenant, j'ai soif! Santé!
Cécile: Tu sais, maman, le gâteau, c'est la
75 surprise de Fabien!
Mme Chapuis: Il est très, très bon. … Hmm, il est délicieux! Fabien, tu vas me donner ta recette!
Fabien: Euh, oui, maman, bien sûr.
80 *Mamie:* Tiens, c'est drôle, j'ai déjà acheté un gâteau comme ça dans une boulangerie de Toulouse …
Cécile: Ah, non, mamie. Personne ne fait les gâteaux comme Fabien!
85 *Fabien:* Cécile, arrête!
Cécile: Papa, où est-ce que tu as mis le cadeau pour maman?

M. Chapuis: Voilà, ma chérie! Il faut l'ouvrir maintenant!
90 *Mme Chapuis:* Oh! Un vélo! C'est bien pour perdre des kilos! Merci!

1 A propos du texte

a *Corrigez les fautes de notre résumé. Combien de fautes est-ce que vous trouvez?*

Mme Chapuis va avoir 35 ans. Ses enfants veulent lui préparer un bon repas. Comme entrée, il y a des œufs à la tomate et comme plat principal, un cassoulet de canard aux pommes de terre. Les enfants ne veulent pas manger au restaurant parce que la météo a annoncé du soleil. Mme Chapuis va faire du vélo avec ses amies et Cécile va au marché avec son frère. Ils achètent des grosses tomates et des pommes de terre pour dix personnes. Pendant ce temps, Fabien prépare un gâteau mais il a un problème avec le beurre. Il téléphone à sa sœur. Emma achète alors un gâteau au marché. Elle prend aussi quatre baguettes. Dimanche, Mme Chapuis compte les bougies. Il en manque six! Elle goûte le gâteau et dit: «Personne ne fait les gâteaux comme Fabien!».

Vous avez trouvé toutes les fautes:	Vous avez oublié 1–2 fautes:	Vous avez oublié 3–4 fautes:	Vous avez oublié 5–7 fautes:
Bravo! Vous avez **très bien** compris le texte.	Vous avez **bien** compris le texte.	Vous avez **assez bien** compris le texte.	Vous n'avez **pas bien** compris le texte.

b *Cherchez l'intrus*. Puis dites pourquoi.*

Exemple: une entrée – un plat principal – une sortie – un dessert
→ L'intrus, c'est «une sortie». Ce n'est pas une partie d'un menu.

1. un canard – une bougie – une vache – une poule
2. le champagne – le beurre – le café – le lait
3. le sandwich – la glace* – la crêpe – le gâteau
4. une pomme de terre – une frite – un chou – une tomate
5. le cassoulet – le fromage – le gratin de nouilles – le magret de canard*

2 Tu as lu l'annonce? (§§ 32, 33)

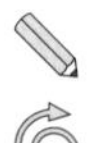

*Mettez «**acheter, envoyer, appeler, préférer, annoncer, répéter*, commencer**» au présent, à l'impératif, au passé composé ou au futur: Mercredi, Adeline appelle …*

Mercredi, Adeline  son amie Cécile sur son portable:
Adeline: Hier, j'ai lu une annonce dans le journal. Le théâtre de Blagnac cherche deux jeunes filles qui savent chanter et danser.

Cécile: Génial! Nous leur  un e-mail ou nous les  ?

Adeline: Je  écrire une lettre.
Cécile: Tes parents sont d'accord? Tu leur  la nouvelle, déjà?

Adeline: Oui, j'  un SMS* à maman ce matin.

Cécile: Demain, nous  des nouvelles robes?

Adeline: Comment?  , s'il te plaît. Je n'ai pas compris.

Cécile: On  des robes de danse? Quand est-ce que nous  ?

Adeline: Attends. Tu ne  pas attendre la réponse du théâtre d'abord?

3 On prépare une fête. (§§ 30, 31, 34)

a *Faites des dialogues et jouez les scènes chez les Chapuis.*

beurre (250 grammes*)
tomates (1 kilo)
farine (2 kilos)
eau (4 bouteilles)
sucre (1 paquet)
œufs (6)
pommes de terre (3 kilos)

Exemple:

Cécile: Qu'est-ce qu'il nous faut?
Fabien: Il (nous) faut du beurre.
Cécile: Il **en** faut combien?/ J'**en** achète combien?
Fabien: Il **en** faut/Tu **en** achètes 250 g, s'il te plaît.

Continuez.

b A vous. *Vous voulez organiser une fête avec des copains. Qu'est-ce qu'il faut (faire)?/Qu'est-ce qu'il ne faut pas (faire)? Faites des dialogues.*

Exemple:

inviter/profs?
– *Est-ce qu'il faut inviter les profs?*
– Oui, il faut inviter les profs. Ils sont sympas.
– Non, il ne faut pas les inviter. Ils sont trop vieux!

jus d'orange?
– *Est-ce qu'il faut du jus d'orange?*
– Oui, il faut du jus d'orange. On n'**en** a plus.
– Non, il ne faut pas de jus d'orange. On **en** a encore.

- discuter/parents?
- parler/voisins?
- faire/courses?
- préparer/menu? …

- bougies?
- eau minérale?
- verres?
- CD? …

4 Quelles questions! (§ 20)

*Formez les questions qu'Emma pose à son ami Fabien. Utilisez **«quel»** et **«combien»**.*

Exemple: *Emma:* **Quelles** langues est-ce que tu aimes?
Fabien: J'aime l'anglais et l'allemand.

Emma: **Combien** de stades est-ce que tu connais dans notre région?
Fabien: Je connais tous les stades de la région.

1. Je préfère la musique rock.
2. Je fais 10 heures de sport par semaine.
3. Je regarde des DVD sur la région.
4. J'ai des petits problèmes avec un garçon de mon équipe.
5. Cette semaine, je vais voir quatre films: deux avec Audrey Tautou et deux avec Zebda.
6. J'adore la rue Saint-Rome.
7. J'aime le rugby et le foot.
8. J'ai peu de copains et je n'ai qu'une copine.

5 Faisons les courses.

on dit...

1. – ***Bonjour, mademoiselle/madame/monsieur, vous désirez?***
   – Bonjour, mademoiselle / madame / monsieur.
   – Je voudrais …

des … un kilo/250 grammes de/d' …	tomates/pommes de terre/ bananes/oranges/choux/ herbes de provence
du/de la/de l' … quatre bouteilles de/d' … des	boissons/eau minérale/ jus d'orange/jus de tomates/ coca/café/lait/vin/champagne
un paquet de…	sucre/sel/poivre/farine/ nouilles

…, s'il vous plaît.

2. – ***Voilà, madame/monsieur. Et avec ça?***
   – C'est tout, merci!

3. – ***Alors, ça fait … euros.***
   – Voilà, madame/monsieur. Au revoir.
   – ***Au revoir, et merci.***

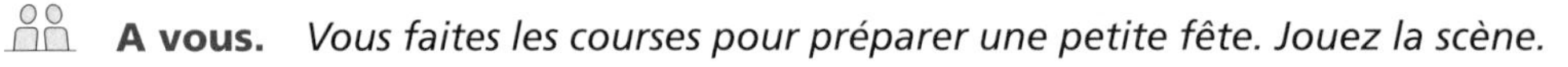

A vous. *Vous faites les courses pour préparer une petite fête. Jouez la scène.*

6 Communiquer: Bonne chance!

Bonne chance! – A tes souhaits!* – A votre santé! – Bon appétit!* – Bon anniversaire! – Bienvenue!

Trouvez la bonne expression pour chaque image.

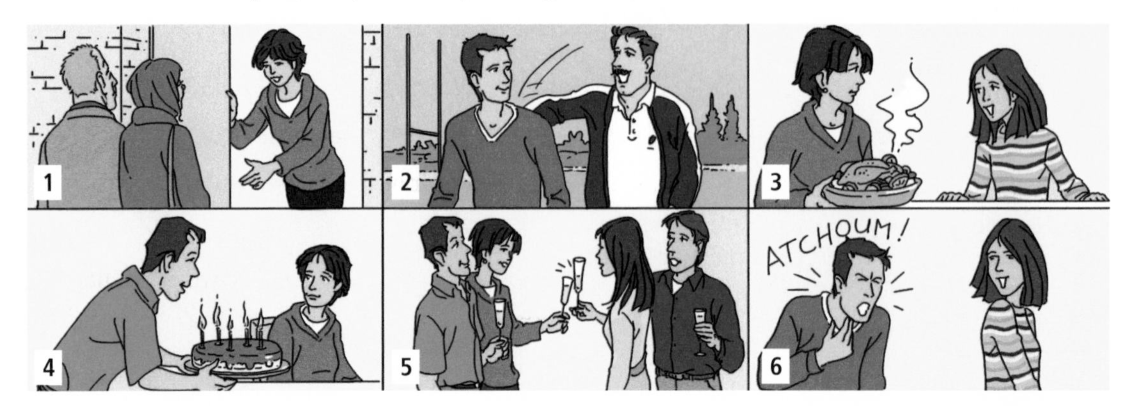

7 Communiquer: A la brasserie*

a *Votre classe est à Toulouse. Le soir, vos amis et vous, vous voulez manger dans une brasserie. Qu'est-ce que vous allez prendre? Dites pourquoi ou pourquoi pas. Ecrivez les dialogues dans votre cahier.*

Exemple:

Maike: Quel menu est-ce que vous prenez?
Moi, je ne sais pas encore.
Sven: Moi, je prends le plat du jour à 9 €. Ce n'est pas trop cher.
Anne: Mais regarde, Sven. Le plat du jour, c'est à midi.
Sven: Oui, c'est vrai. Alors, je prends …
Felix: …

- choisir/prendre/aimer/ne pas aimer
- le menu à … /le plat du jour
- comme entrée/plat principal/dessert
- poisson, fromage, salade, plat de légumes
- comme boisson: eau (minérale), coca, jus d'orange, café
- bouteille, verre
- pain
- bon appétit
- c'est délicieux/c'est bon/ce n'est pas bon

BRASSERIE

Menu à 12€	Menu à 15€	Plat du jour I à 9€
Salade maison ou Salade de tomates * Canard à l'orange ou Cassoulet * Tarte aux pommes* ou Glace	Salade maison ou Salade de tomates * Canard à l'orange ou Poisson du jour * Fromage * Fruits ou Glace	Salade de pommes de terrre * Cassoulet (à midi seulement) **Plat du jour II à 10€** Salade maison * Gratin de nouilles ou Choux de Bruxelles * Fruits

b *Jouez la scène de votre groupe devant la classe.*

8 Ecouter: Dans les magasins

05

a *Avant la première écoute, regardez bien les dessins. Qu'est-ce que vous voyez?*

b *Ecoutez les trois scènes. Trouvez le bon dessin et un titre pour chaque scène.*

c *Ecoutez encore une fois les scènes l'une après l'autre et répondez aux questions.*

Scène 1:	Scène 2:	Scène 3:
1. Qu'est-ce que la fille achète? 2. Le marchand sait que Maike est Allemande. Pourquoi?	1. L'homme ne va pas au restaurant. Pourquoi? 2. Qu'est-ce que l'homme achète?	1. Qu'est-ce que M. Chapuis veut acheter? 2. Mme Chapuis n'est pas d'accord. Pourquoi?

9 Jeu de mots

a *A quels autres mots est-ce que vous pensez quand vous entendez les mots «manger» et «boire»? Complétez les filets à mots.*

b *Décrivez la scène: les personnages et leurs activités, l'atmosphère (die Atmosphäre), les plats et les boissons …*

Utilisez vos filets à mots.

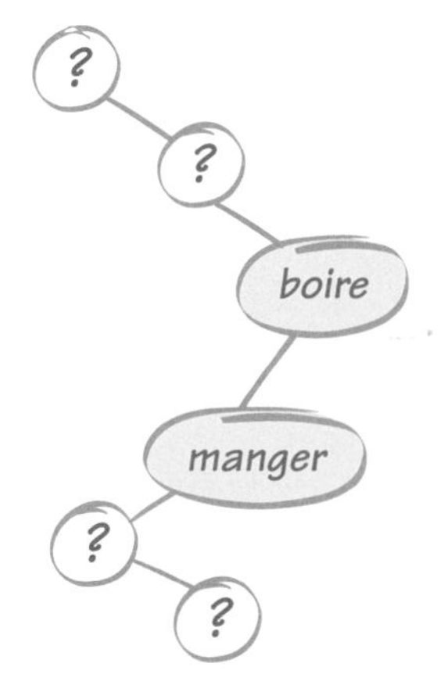

10 Manon dit non, non, non et non! (§ 35)

Après l'école, Manon rentre à la maison. Elle fait la tête. Sa mère lui pose des questions.

Prenez le rôle de Manon. Utilisez: ***«ne … rien»*** *et* ***«ne … personne».***

Exemple: *La mère:* Tu me racontes tout? → *Manon:* Non, je ne te raconte rien.

1. Tu me racontes tout?
2. Qu'est-ce que tu as fait?
3. Tu as perdu quelque chose?
4. Tu aimes quelqu'un?
5. Tu as peut-être présenté ton exposé?
6. Tu as énervé quelqu'un?
7. Tu veux manger quelque chose?
8. Tu veux peut-être voir Samira?

06 

11 Ecouter: Le bon roi* Henri IV*

a *Lisez les annotations:* **1 Sire** Majestät – **2 le ministre des finances** der Finanzminister – **3 riche** reich – **4 augmenter/baisser les impôts** die Steuern erhöhen/senken

b *Vrai ou faux? Expliquez pourquoi et notez les réponses dans votre cahier.*

Exemple: Henri IV reste toujours à Paris. → C'est faux **parce qu'**il visite les villes et les villages.

1. Henri IV reste toujours à Paris.
2. Le roi entre dans la maison de Pierre parce qu'il a faim.
3. La femme de Pierre prépare un canard à l'orange.
4. Le roi aime beaucoup le canard à l'orange.
5. Henri IV pense que les Français vivent comme des rois.
6. La deuxième* fois, Pierre offre encore un bon cassoulet au roi.
7. Pierre lui explique son problème.
8. A la fin, Pierre fait un cassoulet à sa femme.

12 Le pique-nique* de la famille Gentilli (§ 20, 30, 34)

Complétez le texte. Faites attention à l'accord.

du, de la, de l', des, quel, quelle, (il) faut

Les Gentilli font un tour en bateau sur la Garonne. ~ beau temps! Ils ont ~ chance. Il est onze heures. Et il fait chaud. Marco veut boire ~ eau minérale. Madame Gentilli lui donne un verre d'eau. Tout à coup, il dit: «J'ai faim». Ses parents lui répondent: «Il ~ attendre midi». Marco regarde le sac à dos de son père et demande à ses parents: «Qu'est-ce qu'on va manger? On en a assez pour tout le monde?» Mme Gentilli n'est pas contente: «Arrête. On a pensé à tout: On a ~ sandwichs, ~ eau minérale, ~ coca, ~ tomates, ~ fromage, ~ pain, ~ œufs ... Attends encore un peu». Le temps passe. Et Marco? Il ne peut plus attendre. Il a très faim et il lui ~ le sac à dos tout de suite! Il est en train de le prendre. Le père crie: «Attention!» Mais c'est trop tard: le sac tombe à l'eau et le pique-nique aussi. ~ histoire!

13 Wortschatz erarbeiten (Travailler sur* le vocabulaire)

Stratégie

A In einem zweisprachigen Wörterbuch nachschlagen:
Beim Lesen eines französischen Textes stößt du immer wieder auf Vokabeln, die du nicht kennst. Wenn du ein neues Wort nicht aus dem Kontext erschließen kannst (vgl. www.klett.de: Stratégie: SB1/L4), benutze ein zweisprachiges Wörterbuch.
Schau dir nun das Beispiel an:

Zoé (13 ans): J'ai la pêche.

A vous.
1. Wie lautet die Übersetzung?
2. Was bedeuten die hochgestellen Ziffern?
3. Was bedeutet das „f" hinter „pêche"?
4. Übersetze:
   - Tu aimes les pêches?
   - Le dimanche, mon père va à la pêche.
   - Quelle belle pêche! (Zwei Möglichkeiten!)

pêche¹ *f* [pɛʃ] Pfirsich ►**avoir** la pêche *(umgs.)* gut drauf sein; **se fendre la pêche** *(umgs.)* sich scheckig lachen
pêche² *f* [pɛʃ] ❶ Fischfang, Fischerei; **pêche au thon** Tunfischfang ❷ **pêche** [**à la ligne**] Angeln; **aller à la pêche** angeln gehen ❸ *(Zeitraum)* Fangzeit; **la pêche est ouverte** die Fangzeit hat begonnen; *(für Hobbyangler)* die Angelsaison ist eröffnet ❹ *(gefangene Fische)* Fang

Merke: Man darf nicht immer gleich die erste Bedeutung nehmen.

B Mit Gegensatzpaaren lernen:
Du kannst dir das Lernen und Behalten von Vokabeln erleichtern, wenn du Wörter nach Gegensatzpaaren ordnest. Gruppiere diese nach Wortarten.

Verben	Adjektive	Nomen	Präpositionen
entrer ≠ sortir	faux ≠ vrai	le jour ≠ la nuit	à droite ≠ à gauche
descendre ≠ monter	petit ≠ grand	le matin ≠ le soir	sur ≠ sous

→ In einem zweiten Schritt kann man Gegensatzpaare auch zu einem bestimmten Thema auflisten: le matin ≠ le soir; l'été ≠ l'hiver; à midi ≠ à minuit

A vous. *Lege in deinem Heft eine Tabelle nach Wortarten an und suche weitere Gegensatzpaare aus dem Vokabular. Schreibe sie dann auf Vokabelkarten und lerne sie.*

L'art de la table en France

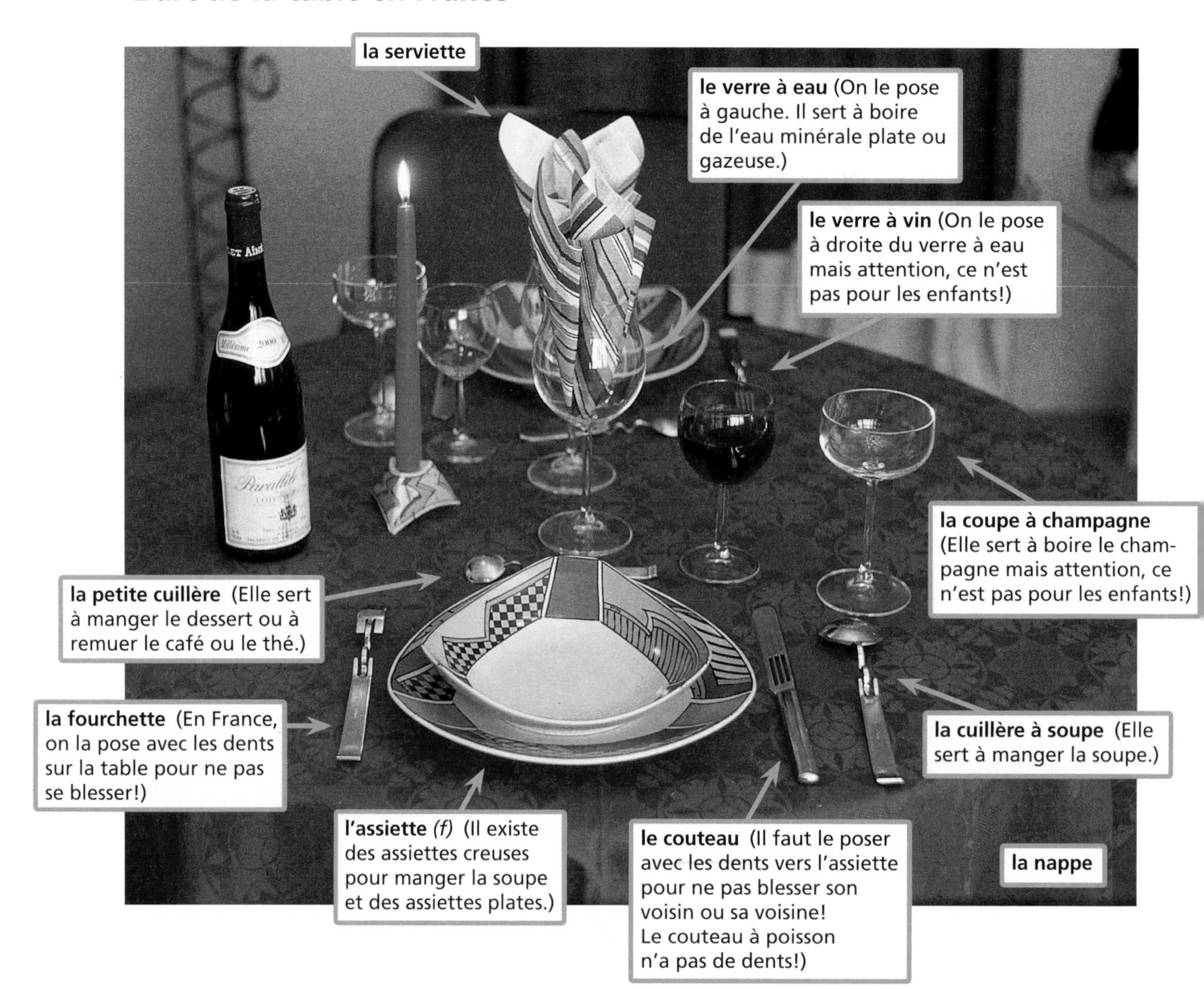

■ **Savoir faire**

→ Stratégie, page 75.

a *Cherchez les mots inconnus (unbekannt) dans votre dictionnaire et traduisez les annotations (Anmerkungen).*

b *Comment est-ce que vous faites pour apprendre le nouveau vocabulaire d'une leçon? Parlez de vos stratégies (en allemand). Révisez les stratégies du livre (vgl. www.klett.de: Stratégie: SB1 L3 + L4).*

c *Comment est-ce qu'on met la table en Allemagne? Demandez à vos parents.*

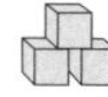

d *Apportez tout à l'école pour mettre la table à la française.*

Communiquer

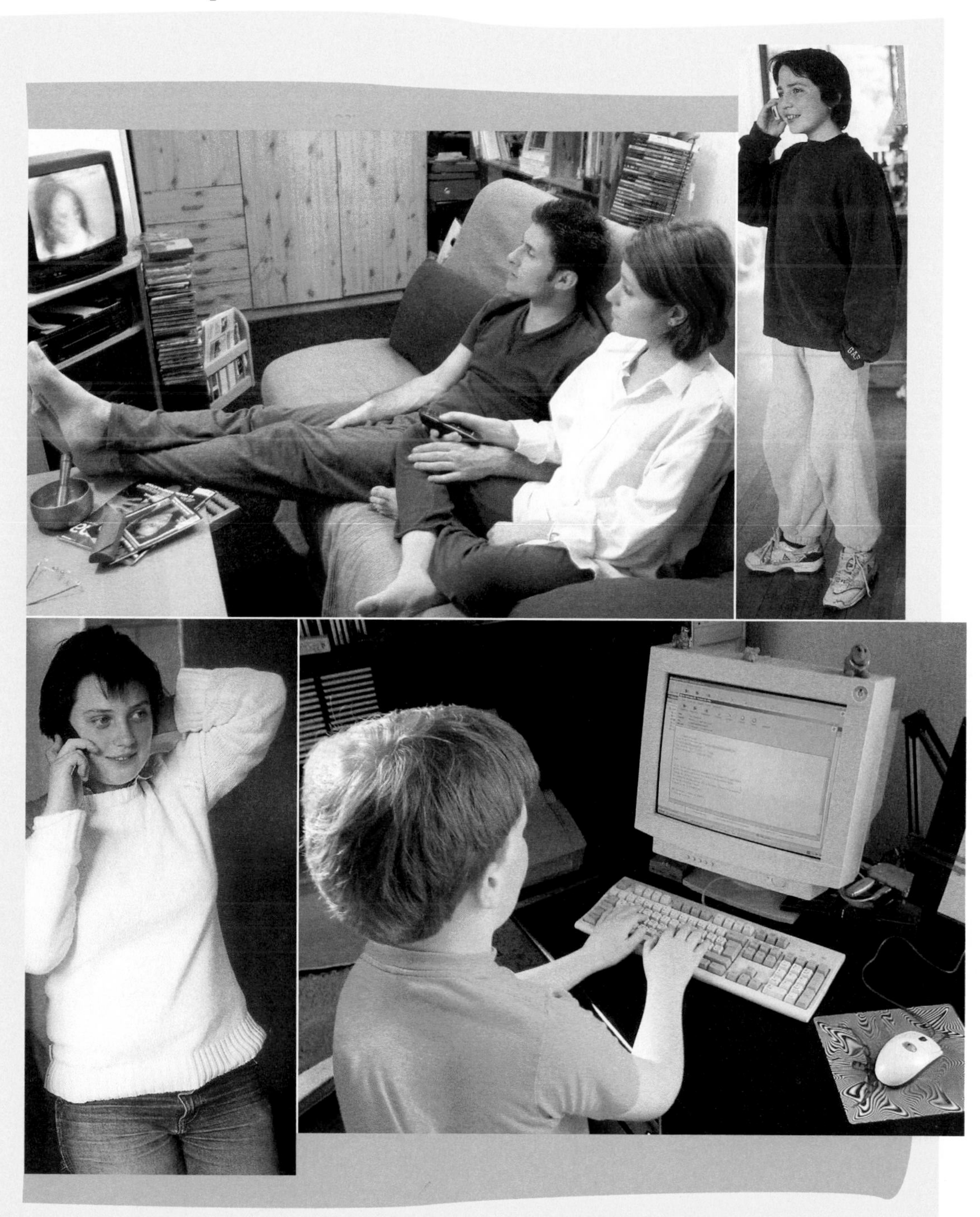

1. Choisissez une photo et faites un filet à mots.
2. Voici une situation: vous êtes en classe.
   Le portable de votre prof sonne ...
   Ecrivez le dialogue et jouez la scène.

01
A la fête de la musique

Le 21 juin, c'est la fête de la musique partout en France.
Fabien et Nicolas ont rendez-vous avec des copines sur la place du Capitole.
Tout à coup, le portable de Fabien sonne. C'est sa mère …

1. Je viens aussi à la fête.	C'est maman. Elle dit **qu'**elle vient aussi à la fête.	Ah zut!
2. Papa veut aussi venir.	Elle raconte **que** papa veut venir aussi.	Ça alors!
3. Je prends ma voiture.	Elle dit **qu'**elle prend sa voiture.	Quelle idée! Elle est folle!
4. Vous pouvez nous attendre?	Elle demande **si** nous pouvons les attendre.	Ah non!
5. Où est-ce que vous êtes?	Elle veut savoir **où** nous sommes. Ah, les parents …	Tes parents sont bien sympas, mais je préfère partir seul avec les copines.

1. Vergleicht die Äußerungen von Mme Chapuis mit denen von Fabien.
   Was fällt euch auf?
2. Die Äußerungen von Fabien stehen in der **„indirekten Rede"**.
   Durch welches Wort wird diese eingeleitet? Wie nennt man dieses Bindewort?
3. Fabiens Äußerungen 4 und 5 sind **„indirekte Fragen"**.
   Wodurch werden sie eingeleitet? (2 Antworten)
4. Welche Wortarten verändern sich in der indirekten Rede und Frage?

A vous.
Fabien reçoit un SMS de Grégory:

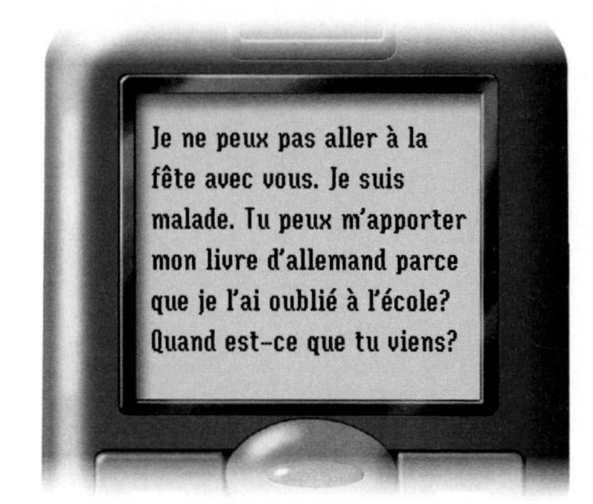

Fabien raconte à Nicolas:
«Grégory m'écrit qu'il …
Il explique …
Il me demande …
Il veut savoir …»

Ecrivez le texte dans votre cahier.

Rendez-vous manqué

1. Samedi 21 juin, devant le Capitole, une chaîne de télévision a installé une scène avec deux grands écrans pour chercher «la star de demain». Deux mille personnes applaudissent les chanteurs.

Sur la Place du Capitole à 16 heures …

Fabien: Quelle barbe, cette musique! A mon avis, c'est trop mauvais!
Nicolas: Hein? Quoi? Qu'est-ce que tu dis?
Fabien: Je dis que j'ai horreur de cette musique de supermarché. Je préfère les vrais groupes!

2. Derrière la scène …

Cécile: Tu crois que j'ai une chance de gagner?
Emma: Hein! Quoi?
Cécile: Je te demande si j'ai une chance.

3. Pendant ce temps, devant la scène …

Fabien: Mais qu'est-ce qu'elles croient, les filles? Elles sont toujours en retard!
Nicolas: Appelle-les! C'est comme ça les stars!
Fabien: Je l'ai déjà fait deux fois. Bon, je leur envoie un troisième message!

4.

Emma: Tiens, j'ai reçu un message!
Cécile: C'est mon tour. Accompagne-moi!

5.

Nicolas: Mais où est-ce qu'elles sont?
Fabien: Elles ont sûrement rencontré des copains de leur collège, crois-moi, …

6.

Fabien: Mais c'est Cécile! Qu'est-ce qu'elle fait là? J'ai cru que …
Nicolas: Croyez-moi, elle est super! Je la connais! C'est la sœur de mon copain!

7. **8.**

Emma: Allô, Fabien! Quoi? Vous êtes devant la scène? Alors, vous avez vu Cécile? Elle a gagné le premier prix! C'est super, hein?

Fabien: Tu parles! Pour une fois que ma sœur est première! Dites-nous où on peut vous trouver … Zut, ça a coupé!

9. A 18 heures, les garçons n'ont toujours pas retrouvé les filles. Ils sont fatigués. Ils quittent la foule et vont jusqu'au bord de la Garonne où un groupe de musiciens joue du jazz.

Emma: Allô, c'est Emma! Dis-moi où vous êtes.
Fabien: Tu ne me crois peut-être pas, mais je suis près de toi.
Emma: Si, je te crois maintenant car je te vois.

1 A propos du texte

Emma a pris des notes pour son journal. Racontez sa journée au passé composé. Utilisez si possible ces mots: ***Aujourd'hui, d'abord, puis, après, enfin, et, mais, alors, tout à coup, …***

Aujourd'hui, à 16 heures, **je suis allée** à la fête de la musique avec Cécile … *Continuez.*

- fête de la musique / Cécile
- arriver place du Capitole / ne pas voir Fabien et Nicolas
- Cécile / vouloir chanter sur scène / accompagner ma copine
- Cécile / gagner le premier prix
- Fabien / téléphoner / voir Cécile sur scène
- Fabien / vouloir rencontrer / filles / couper
- 18 heures / ne toujours pas voir les garçons
- Voir Fabien / au bord de la Garonne

2 A vous, les poètes*! (§ 39)

*Voilà des mots qui riment avec les formes du verbe «**croire**».*

un chat	un ballon	arriver, etc.	salut
Malika	un camion	un CD	vu
Oh là là	pardon	à côté	voulu
en bas	une chanson	un policier	pu
c'est ça	Ah bon?	un musée	entendu, etc.
Nicolas	un prénom	une journée	une rue
un cinéma	un pantalon	janvier	bienvenue
Thomas	marron	un escalier	…
une caméra	un garçon	un DVD	
Lisa	attention	dernier	
…	…	…	

a *Conjuguez le verbe croire au présent et au passé composé et écrivez un petit poème drôle dans votre cahier. Vous pouvez aussi utiliser d'autres mots qui riment et qui ne sont pas sur la liste.*

b *Faites un dessin pour votre poème.*

Exemple: ***Je crois***
Que le chat
Est en bas.
Tu crois
…

3 Sur la place du Capitole (§§ 36, 39)

*Racontez la scène. Utilisez les verbes **«croire, penser, dire, expliquer, raconter, trouver»**. Attention aux pronoms.*

Exemple: 1. La fille pense que l'ambiance* est sympa.

4 Pauvre Jérémie! (§§ 36, 37)

Jérémie aime bien Adeline. Alors, il lui téléphone …

a *Ecrivez les réponses d'Adeline.*

b *Racontez.* *Exemple:* Jérémie demande à Adeline / veut savoir si …
Adeline répond que / explique que …

1. – Salut, Adeline. Tu as envie de jouer au tennis avec moi? – (non)
2. – Pourquoi est-ce que tu ne veux pas jouer au tennis* avec moi? – (ne pas avoir le temps)
3. – Est-ce que tu as des devoirs à faire? – (non / vouloir aller au cinéma)
4. – A quelle heure est-ce que tu vas au cinéma? – (8 heures)
5. – Avec qui? – (avec un copain)
6. – Ce copain, c'est Franck? – (oui)

5 Ne me quitte pas. (§ 38)

1. Tu dois me téléphoner ce soir.
2. Est-ce que vous pouvez nous aider?
3. Tu ne dois pas me quitter.
4. Vous pouvez me donner votre adresse?
5. Vous pouvez m'expliquer le chemin?
6. Appelle le chien. Nous devons l'attacher.
7. Prends les billets. Tu ne dois pas les perdre.

a *Qui dit quoi? Ecrivez dans votre cahier.* *Exemple:* **1/g**

b *Transformez les phrases. Utilisez l'impératif avec un pronom.*

Exemple: 1. Tu dois me téléphoner ce soir. → Téléphone-moi ce soir.

6 A mon avis, ...

on dit ...

Je suis d'avis que ... / A mon avis, ...
Je suis de ton avis.
Je te donne mon avis.
Je trouve / Je crois / Je pense que ...
Je suis d'accord. / Je ne suis pas d'accord.

Je suis pour / Je suis contre.
C'est mauvais! / C'est nul! / Quelle barbe!
C'est super! C'est génial! C'est beau. C'est joli.
J'aime / Je n'aime pas.
J'ai horreur de ...

Cécile n'achète jamais de CD. Elle copie* les chansons sur Internet. Emma n'aime pas ça.

1. Un chanteur veut gagner* de l'argent*!
2. Copier sur Internet, c'est voler!
3. Ça prend du temps!
4. Ça prend de la place sur l'ordinateur!

1. Les CD sont trop chers!
2. Mes parents n'ont pas d'argent!
3. Les chanteurs gagnent trop d'argent!
4. Tout le monde le fait!

a *Travaillez à deux. Imaginez un dialogue entre Emma et Cécile. Trouvez d'autres arguments.*

b *Choisissez une phrase et écrivez votre avis dans votre cahier.*

1. Pour apprendre une langue, il faut aller dans le pays.
2. On ne peut pas sortir sans portable.
3. Le rap, ce n'est pas de la musique.
4. La seule musique rock est anglaise.

7 Ecouter: Les nombres et les années (§ 40)

a *Quel nombre est-ce que vous avez entendu?*

1.	2.	3.	4.	5.
884	5515	717	1018	393313
824	5075	7797	1678	3073
1804	595	777	6998	393

b *Quand est-ce qu'ils sont nés? Devinez (ratet) ou regardez sur Internet.*

Exemple: Napoléon est né en … **1769 1638 1972 1832 1959**

1. Napoléon*

2. Louis XIV*

3. Zinedine Zidane*

4. Astérix*

5. Gustave Eiffel*

8 Devinette (§ 41)

Pendant le cours de sport, six garçons de la 4ᵉB courent le 800 mètres. Qui arrive quand? Utilisez les nombres ordinaux (die Ordnungszahlen). Ecrivez dans vos cahiers.*

1. Franck n'arrive pas le dernier.
2. Marco arrive 3 places avant Franck.
3. Luc arrive avant Marco.
4. Jérémie arrive deux places après Grégory qui arrive devant Franck.
5. Christophe arrive après Marco.

9 Devinez le message.

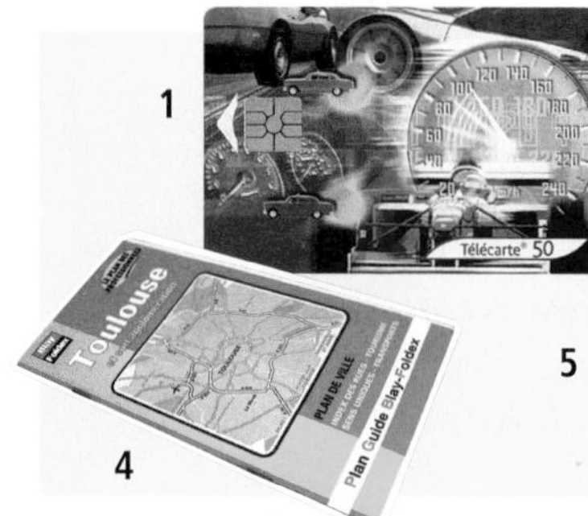

a *Qu'est-ce que c'est? Cherchez dans la liste:*
une affiche, une carte de téléphone, un journal, un SMS, un plan, une page Internet?

b *Qui a fait les images? Cherchez dans la liste un auteur (Autor) pour chaque image:*
La Dépêche du Midi*, France Télécom*, Emma, Météo France*, la télévision, la ville de Toulouse?

10 Lire: Cécile est une fan des chansons françaises.

Cécile adore les chansons françaises. Elle les écoute à la radio et les prend sur Internet. Elle va aussi à la médiathèque qui reçoit tous les nouveaux albums. Zazie est sa chanteuse préférée. Elle l'a vue la première fois à la fête de la musique. Elle a eu le coup de foudre. Zazie écrit les textes et la musique de ses chansons. Chaque chanson raconte une petite histoire comme dans un film. Cécile écoute aussi Mylène Farmer, Khaled et Carla Bruni. Ses parents lui ont donné l'envie de connaître les chanteurs français. Ce sont des fans d'Edith Piaf et de Johnny Halliday qui sont à leur avis «les dieux* de la chanson française». Un peu plus tard, ils ont aussi écouté Serge Gainsbourg et Téléphone. Cécile est d'avis que dans la chanson française, la musique est importante, mais le texte aussi, au contraire de la chanson anglaise! Dans la chanson anglaise, c'est surtout la musique qui est importante.

a *Lisez le texte et faites le test* sur la chanson française.*

1. Zazie connaît la musique:
a) Elle n'écrit que la musique.
b) Elle écrit aussi les textes.

2. Cécile écoute les nouvelles chansons:
a) à la médiathèque.
b) au CDI du collège.

3. Téléphone, c'est:
a) un groupe.
b) un chanteur.

4. Les chanteurs des années 2000 sont:
a) Gainsbourg et Brel.
b) Mylène Farmer et Zazie.

5. Les «Dieux de la chanson française»:
a) s'appellent Halliday et Piaf.
b) s'appellent Khaled et Farmer.

6. Aujourd'hui, les chanteurs français:
a) ne chantent plus qu'en anglais.
b) chantent souvent des textes français.

b *Quelle est la différence* entre la chanson anglaise et la chanson française pour Cécile? Est-ce que vous êtes de son avis?*

c *Vous connaissez un chanteur/une chanteuse français(e)? Si oui, faites son portrait.*

11 Valentin fait des courses. (§§ 36-38)

a *Ecrivez le dialogue. Employez des impératifs dans les phrases soulignées.*

1. Mme Carbonne demande à Valentin s'il peut faire des courses pour elle.
2. Valentin répond qu'il veut bien les faire parce qu'il n'a pas envie de faire ses devoirs.
3. Mme Carbonne lui dit qu'il doit les faire après.
4. Elle explique que la liste est sur la table de la cuisine et qu'il ne doit pas l'oublier.
5. Valentin demande à sa maman si elle peut lui donner son porte-monnaie.
6. Mme Carbonne répond qu'il peut le prendre mais qu'il ne doit pas le perdre.
7. La dame à la caisse du magasin lui dit que ça fait 26 €.
8. Valentin ouvre son porte-monnaie et il dit qu'il n'y a que 20 € dans le porte-monnaie.
9. La dame à la caisse dit qu'il peut lui donner le reste demain.

b *Jouez la scène entre madame Carbonne, son fils* et la dame à la caisse.*

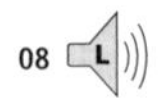

12 Hörverstehen

Stratégie

Einige Tipps zum Hörverstehen habt ihr schon in Découvertes 1 erhalten. Hier sind noch Anregungen, die euch das Verständnis von französischen Hörtexten erleichtern sollen:

1. Findet bereits **vor dem Hören** heraus, worum es geht. Die Aufgabenstellung, Bilder und Überschriften helfen euch dabei.
2. Konzentriert euch **beim 1. Hören** auf die Art der Mitteilung: (Durchsage, Chanson, ...)
3. Stellt beim **2. Hören** fest, • wer spricht und • was das Hauptthema ist. Tragt eure Ergebnisse stichwortartig in euer Heft ein.
4. Achtet beim **3. Zuhören** auf Einzelheiten. Unbekannte Wörter lassen sich häufig mit Hilfe der Muttersprache, einer anderen Sprache oder Wörtern derselben Wortfamilie erschließen.
5. Überprüft **nach dem Hören**, ob ihr alles richtig verstanden habt, indem ihr z. B. Fragen zum Text beantwortet oder falsche Aussagen zum Text korrigiert.

a *Avant d'écouter les trois messages, faites un tableau pour ces 3 scènes.*

b *Ecoutez les messages. Puis, regardez les dessins. Quel dessin va avec quel message?*

c *Pourquoi est-ce que les trois personnes ont téléphoné? Notez les mots-clés.*

d *Corrigez les fautes dans deux dessins (différences entre textes et dessin).*

A vous.

e *Anne dit que c'est bien à l'anniversaire, mais est-ce que c'est vrai qu'elle est contente? Prouvez-le (beweist es).*

f *Répondez à un des messages (coup de téléphone ou SMS).*

CYBER

ZAZIE – *Made in Love* – 1998

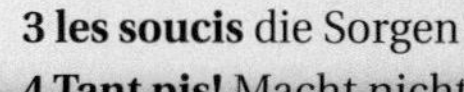

1 **croûler sous qc** unter etw. ersticken
2 **les sous** die Moneten
3 **les soucis** die Sorgen
4 **Tant pis!** Macht nichts!
5 **se consoler** sich trösten
6 **se connecter** sich einloggen
7 **la main** die Hand
8 **fier(fière)** stolz
9 **devenir** werden
10 **coincé(e)** eingeklemmt
11 **le sida** Aids
12 **une sitcom** eine Soap
13 **mieux** besser
14 **le minitel** Teletext
15 **le ciel** der Himmel
16 **un logiciel** eine Software
17 **incertain(e)** unsicher

■ Savoir faire

→ Stratégie, page 86.

a *Avant d'écouter la chanson, regardez le titre et les dessins. De quoi est-ce qu'elle va parler?*

b *Ecoutez la chanson et notez les mots-clés.*

c *Quels mots est-ce que vous comprenez? Pourquoi?*

A vous.

a *A votre avis, qu'est-ce que c'est «être cyber»? Racontez.*

b *Et vous? Vous êtes «cyber»? Pourquoi (pas)?*

En l'an 2070

Il est presque neuf heures et, dans la *communisphère*, les élèves courent vite à l'*eurocole* pour aller dans l'*euromodule* qu'ils ont choisi cette semaine. «Zut! Je suis en retard! Je peux peut-être me *téléporter*», pense Adeline qui est encore dans son *rêvelit* à la maison. Mais non, ses parents ne veulent pas. Adeline se lève[1], s'habille[2] et grimpe vite dans le *turbobus* et arrive en cinq minutes devant la porte de l'*euromodule* d'écriture créative où elle est cette semaine. «Mais quel *euromodule* est-ce que je vais choisir pour la semaine prochaine[3]? Je vais d'abord demander aux autres où ils vont». Elle entre dans *l'euromodule* d'écriture créative. Tout le groupe est là sauf ... Paolo, bien sûr! Les *nanordinateurs* attendent sur les tables. Tiens, il y a José, l'Espagnol, qui parle dans son *portablimage*. On voit l'image en 3 dimensions de sa mère qui crie en espagnol et fait des gestes sur son écran. Est-ce qu'elle est en colère? On entend: «tatatatatoutatitatouttitout it ...». Le pauvre José a beaucoup de problèmes parce qu'il oublie toujours tout. Il ferme[4] son *portablimage* et pfuit! sa mère disparaît[5]. Ouf! «Eh, José, qu'est-ce que tu as choisi comme *euromodule* pour la semaine prochaine?» lui demande Adeline. «J'ai pris *l'euromodule* d'imagination[6]», répond José. «*Mégacool!* Alors, moi aussi, je prends l'imagination!» dit Adeline. José est content car Adeline est très bonne en imagination.

Enfin, les deux *robotprofs*, madame Prisci et monsieur Ardot, arrivent. «Bonjour, Guten Tag, buon giorno, buenos días, good morning, dzień dobry. Aujourd'hui, ...», tout à coup, Paolo entre dans *l'euromodule* sur son *rollervite*. «Pardon, mais mon *rollervite* roule comme un fou, aujourd'hui!» «Oh, Paolo, pourquoi est-ce que tu n'expliques pas à ton *rollervite* que tu es toujours en retard?» Paolo va vite à sa place. «Tu vas voir, toi, à la sortie!» dit-il à son *rollervite*. «Alors, continue madame Prisci, Jérémie va vous présenter aujourd'hui son histoire qui est très intéressante.» Tout à coup, on entend: «Ahaha! splachgrutchdrinkbac ...» Sur l'écran de Katharina, on voit une mère en 3 dimensions qui parle et rigole. «Katharina, pas de *portablimage* quand on est en *euromodule* d'écriture créative! Tu vas raconter tes problèmes à ta mère plus tard!» «Pardon, madame, dit Katharina, maman, je t'appelle plus tard, pendant la récré!» «Bon, je continue maintenant. Jérémie, présente ton histoire, s'il te plaît.» «Dans mon histoire, on est en l'an 2005. J'ai utilisé le logiciel[7] *Historiofiction*. C'est un logiciel génial: on écrit une histoire et le *nanordinateur* fait un film de cette histoire.

On doit seulement bien décrire[8] les personnages. Alors voilà mon histoire ...»
Le film commence et tout le monde peut le regarder sur son *nanordinateur*. Mais qui est sur l'écran? Madame Prisci et monsieur Ardot sur des *rollervites!* «Jérémie, mais ... qu'est-ce que c'est que ça?» demande monsieur Ardot. «Euh ...» Jérémie ferme son *nanordinateur* mais le film continue et les élèves voient les deux *robotprofs* rouler comme des fous, bousculer les élèves et rentrer dans un mur. La classe rit beaucoup. «Je ne comprends pas, euh ...» «Eh bien, Jérémie, dit monsieur Ardot, je vois que tu aimes beaucoup le logiciel *Historiofiction!* La technique, c'est bien, mais, souvent, elle dépasse[9] l'imagination». Jérémie est très, très rouge. Il a envie de se *téléporter* dans le trou[10] d'une souris.
C'est la fin de *l'euromodule* d'écriture créative et tout le monde sort. Mais un groupe d'élèves attend Jérémie à la sortie: «Dis donc, Jérémie, tu nous le montres encore une fois, ton film avec les deux robotprofs?» Jérémie regarde à droite et à gauche et sort son *nanordinateur*. Le groupe rigole. Puis, madame Prisci et monsieur Argot sortent aussi du module et Jérémie entend madame Prisci dire: «Eh bien, nous sommes des *turboprofs* maintenant!»

Sabine Prudent

A vous.

a *Expliquez les mots suivants en allemand. A votre avis, qu'est-ce qu'ils veulent dire?*

Exemple: la communisphère → communiquer + sphère (Sphäre)
→ kommunizieren + runder Raum
→ Ort der Kommunikation → Forum, Schule, ...

l'eurocole	un turbobus	un robotprof
l'euromodule	un nanordinateur	un rollervite
téléporter	un portablimage	Historiofiction
un rêvelit	mégacool	un turboprof

b *Inventez des mots nouveaux en français. Utilisez la liste des mots.*

c *Faites une publicité (affiche, message, vidéo, etc.) pour une des machines du texte.*

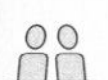

d *Vos parents sont d'accord pour vous acheter une de ces machines à Noël. Choisissez «votre» machine et dites à votre voisin(e) pourquoi vous l'avez choisie.*

---

1 se lever [səlәve] aufstehen – **2 s'habiller** [sabije] sich anziehen – **3 prochain(e)** [prɔʃɛ̃(ɛn)] nächste(r) – **4 fermer** [fɛʀme] schließen – **5 disparaître** [dispaʀɛtʀ] verschwinden – **6 l'imagination** *(f.)* [limaʒinasjõ] die Fantasie – **7 un logiciel** [loʒisjɛl] ein Computerprogramm – **8 décrire** [dekʀiʀ] beschreiben – **9 dépasser** [depase] übertreffen – **10 le trou** [lətʀu] das Loch

⟨Plateau 2⟩

1 L'histoire de Jérémie (§§ 1, 2, 17, 25, 27, 32, 33, 39)

Complétez le texte avec les verbes au présent, au passé ou au futur et lisez le texte. Utilisez chaque verbe une fois.

Mes camarades et moi, nous ~ des petites histoires sur les années 80, les années que je ~. Ensuite, nous ~ beaucoup ~ en cours de français quand le prof ~ ces histoires. Un exemple: Un jour, en 80, mes parents ~ des papiers par téléphone. Ils ~ ça des «fax». Mes parents ~ qu'ils ~ bien ~ dans les années 80. Je ne sais pas encore comment ~ mon histoire. C'est toujours difficile de trouver une bonne fin, comme ~ une fois notre prof de français. On ne sait pas comment on va communiquer demain …

2 Il faut du temps. (§§ 9, 30, 34)

a *Voici des citations (Zitate). Faites trois phrases d'après les exemples dans votre cahier. Utilisez: «Il me/te/nous/vous faut du …/de la …/de l'…/des …».*

1. «Il me faut de la chance pour réussir à l'école!»
2. «Il nous faut de l'argent pour vivre!»
3. «Il faut du temps pour changer le monde. Qu'est-ce qu'on attend?»

b *Choisissez une citation et imaginez une situation. Ecrivez un texte de cinq ou six phrases.*

3 Quelle salade! (§§ 30, 31, 36, 37)

a *Complétez le dialogue avec «du, de la, de l', des» et «en».*

Papa: On fait une salade, Valentin?
Valentin: Oui, bonne idée, papa!
P: Est-ce qu'on met ~ œufs, ~ fromage et ~ tomates?
V: Oui, on ~ met et on ajoute aussi ~ poivre, ~ sel, …
P: Et ~ crème chantilly.
V: Quoi? ~ crème chantilly? Tu es sûr qu'il ~ faut?
P: Oui. On peut mettre aussi ~ oranges.
V: On voit que tu as ~ pratique!
P: Oui, mais … je peux avoir ~ silence pour faire la cuisine?
V: Oui, je sais, c'est ~ travail, une salade!
P: A propos, on a ~ salade verte et ~ pain?
V: Non! Zut! Attends, maman est en ville. Je l'appelle.

b *Inventez le coup de téléphone de Valentin:*

– Allô, maman! C'est Valentin. Papa veut faire une salade. Il demande si …/Il dit que …

LEÇON 7

Aventures dans les Pyrénées

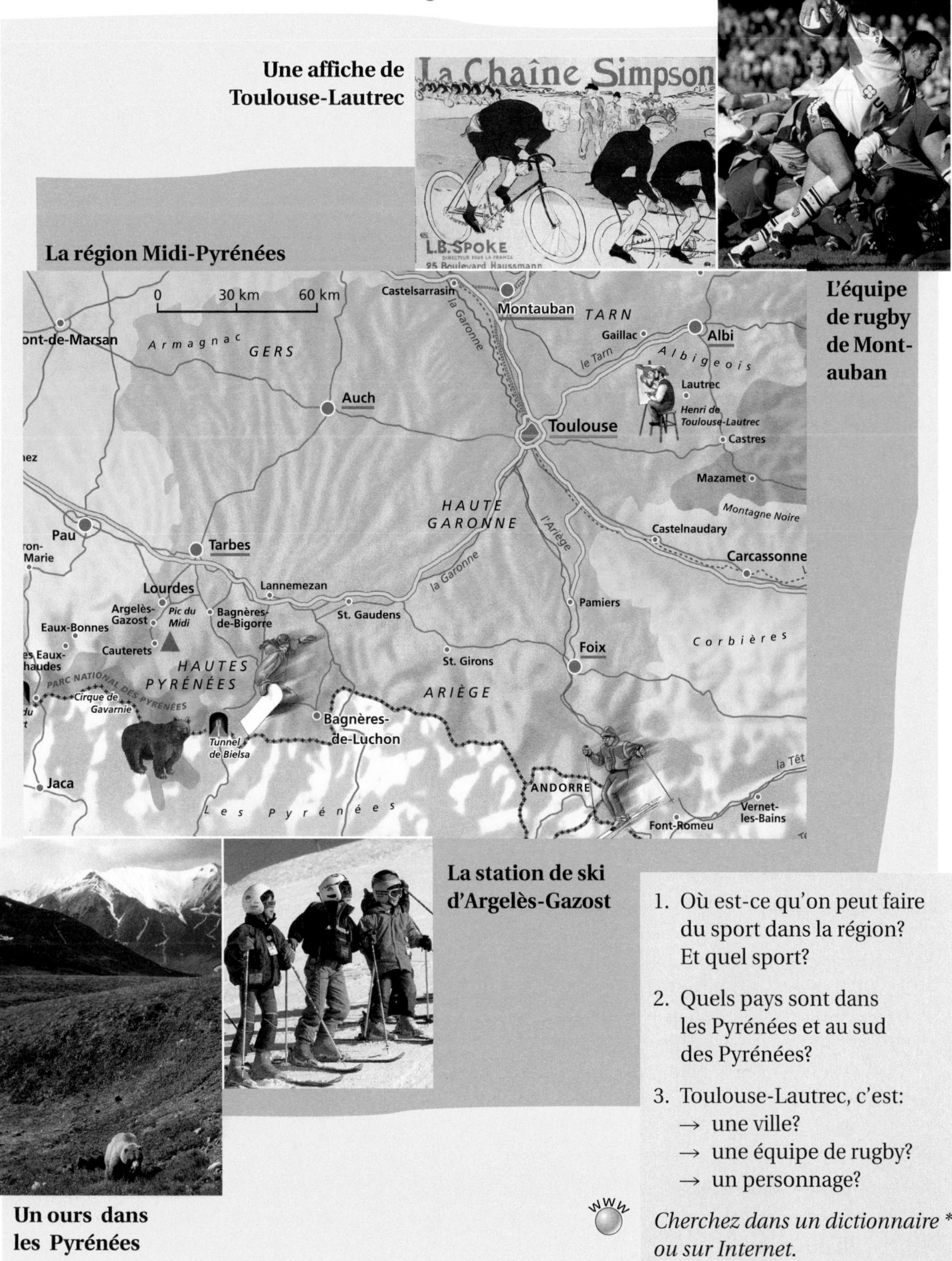

Une affiche de Toulouse-Lautrec

L'équipe de rugby de Montauban

La région Midi-Pyrénées

Un ours dans les Pyrénées

La station de ski d'Argelès-Gazost

1. Où est-ce qu'on peut faire du sport dans la région? Et quel sport?
2. Quels pays sont dans les Pyrénées et au sud des Pyrénées?
3. Toulouse-Lautrec, c'est:
   → une ville?
   → une équipe de rugby?
   → un personnage?

WWW *Cherchez dans un dictionnaire * ou sur Internet.*

13

Qu'est-ce qui te plaît dans ta région?

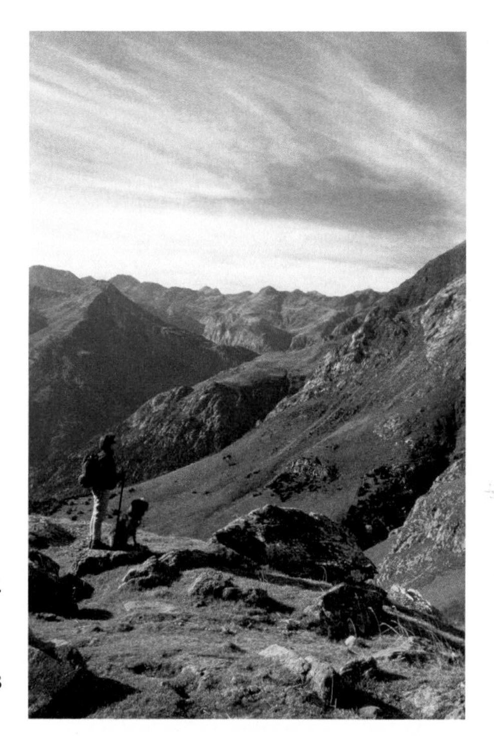

Les Bajot ont envie de passer un long week-end de juin dans les Pyrénées. Marise Bajot appelle son amie, Annie Carbonne, pour avoir des informations sur la région …

Mme Bajot: Dis-moi, Annie: Qu'est-ce qu'on peut visiter dans la région?
Mme Carbonne: Qu'est-ce qui t'intéresse? La mer, la montagne? Tu sais, la région est grande comme la Suisse, alors c'est difficile de choisir.
Mme Bajot: Eh bien, c'est surtout la montagne. Qui est-ce qui peut nous aider à trouver un terrain de camping? Qui est-ce que je peux contacter? Tu as une idée?
Mme Carbonne: Ecris à Nathalie Marcou. C'est une amie. Elle est directrice de l'office de tourisme d'Argelès-Gazost. C'est une jolie petite ville dans les Pyrénées. Son adresse, c'est: n.marcou@tourisargeles.fr. Qu'est-ce que je peux encore te dire?
Mme Bajot: C'est très bien comme ça. Merci, Annie.
Mme Carbonne: De rien. Alors, on vous attend chez nous le 15 juin dans l'après-midi. Emma va être contente …

Die Fragewörter ***„qui, que"*** und die Frageform ***„qu'est-ce que"*** sind euch bereits bekannt.
1. Im Text findet ihr noch weitere Frageformen. Sucht sie heraus.
2. Mit welchen zwei Formen fragt man nach Personen und mit welchen beiden nach Sachen?
3. Ordnet den einfachen Frageformen die „Teilfragen" zu, vervollständigt sie und beantwortet sie auf Französisch.
4. Zu der Frage D gibt es keine Entsprechung mit der einfachen Frage. Wonach wird bei Frage D gefragt: Person, Sache, Subjekt oder Objekt?

Einfache Frageformen:	**Erweiterte Frageformen:**
1. Qui téléphone à Mme Carbonne?	A. Qu'est-ce que …?
2. Que veut Mme Bajot?	B. Qui est-ce que …?
3. Elle appelle qui?	C. Qui est-ce qui …?
Ø →	D. Qu'est-ce qui plaît à Mme Carbonne?

5. In den folgenden Beispielen wird beide Male nach einer Person gefragt. Worin unterscheiden sich die zwei Fragen?

A vous.
Posez les questions d'Emma avec ***«qui est-ce qui/que»*** *et* ***«qu'est-ce qui/que»****.*

Emma: …?

Mme Carbonne: **La famille Bajot** va venir à Toulouse. On va leur montrer **la ville**. **La région** les intéresse. Je vais appeler **Nathalie Marcou**.

Un long week-end à la montagne

1. Huit heures du matin. C'est la bonne heure pour marcher sur ce chemin de montagne parce qu'il ne fait pas encore trop chaud. Mais à midi, le soleil est au rendez-vous. La montagne est belle: le vent dans les arbres, la forêt, les animaux …

2. Le groupe fait une halte dans un chalet. Il y a les Bajot, les Carbonne et Fabien Chapuis. On boit, on mange, on discute. «Qu'est-ce que la météo a annoncé pour aujourd'hui?» demande monsieur Bajot. «Beau et chaud. On n'a pas besoin de mettre nos vêtements de pluie», répond Mme Carbonne. Victor pose mille questions à Emma. Ils rigolent beaucoup ensemble. Emma a aussi invité Fabien mais il fait la tête. Mais qu'est-ce qu'il a? Le groupe continue son chemin. Tout à coup, madame Bajot dit: «Vous voyez ces traces? Ce sont les traces d'un animal. Quel est son nom? Qui est-ce qui a une idée? Eh bien, c'est un ours.» «On n'est pas à l'école ici!» répond Fabien. Zoé commence à pleurer. «Qu'est-ce qui t'arrive?» demande monsieur Bajot à sa fille. «J'ai peur des ours, papa», répond Zoé.

3. «On y va!» dit monsieur Carbonne. C'est lui qui est le guide du groupe parce qu'il connaît bien la région. C'est lui qui regarde aussi la carte et qui dit «tournez à droite», «prenez le premier chemin à gauche» ou «allez tout droit». Emma et Victor, eux, discutent. De quoi est-ce qu'ils discutent? Des ours, bien sûr! Madame Bajot en parle aussi. Elle a travaillé au CDI sur ces animaux avec les élèves de 4e du collège Anne Frank. Elle explique: «Quand on rencontre un ours, il faut lui montrer qu'on est là. Bougez, mais ne courez pas.» «Qui est-ce que ça intéresse?» dit Fabien dans sa barbe. «Quel ours!» pense Emma.

4. Il commence à faire chaud. Sur le chemin, on ne parle plus. On marche. Zoé a toujours un peu peur. Elle est la dernière du groupe. Tout à coup, elle dit: «Je suis fatiguée, moi, et vous, vous allez trop vite!» «Regarde là-bas, les enfants dans les arbres, dit son papa, c'est le parc ‹Chloro'fil›. C'est là que nous allons.»

1 A propos du texte

Lisez les trois résumés. Quel est le bon résumé? Numéro 1, 2 ou 3? Expliquez pourquoi.

1. Les Bajot, les Carbonne et Cécile sont à la montagne, dans les Pyrénées. On est au mois de juin et il fait déjà très beau. Mais les parents ont pris leurs vêtements de pluie parce qu'à la montagne, le temps change très vite. Zoé Carbonne a mal à la tête. Alors, son père lui dit: «On est arrivé. Vous voyez, les enfants dans les arbres, c'est le parc ‹Chloro-fille›.» «Oui», dit Zoé qui, tout à coup, n'a plus mal à la tête.

2. Un week-end de juin dans les Pyrénées. Fabien, les Bajot et les Carbonne marchent sur un chemin de montagne. Dans un chalet, ils mangent, boivent et discutent. Un peu plus tard, Mme Bajot voit les traces d'un ours. Zoé a un peu peur. Fabien est en colère. Zoé n'a plus envie de marcher: elle est fatiguée. Son papa lui montre alors le parc ‹Chloro'fil› qui est maintenant tout près.

3. Un week-end d'août dans les Pyrénées. Les Bajot, les Carbonne et Fabien marchent sur un chemin de montagne. Tout à coup, ils voient un ours. Ils ont tous très peur, sauf Zoé. «Vite!» dit monsieur Bajot qui est le guide du groupe, «à droite, à gauche, tout droit!». Mais Zoé qui aime les animaux veut rester. «Regarde, là-bas,les enfants dans les arbres, dit son papa, c'est le parc ‹Aqua'fil›. On est bientôt arrivé.»

2 L'interview (§§ 20, 42)

a A la caisse de ‹Chloro'fil›, des élèves du collège d'Argelès-Gazost posent des questions aux touristes.
Utilisez ***«qui est-ce qui/que»*** *et* ***«qu'est-ce qui/que»*** *et trouvez les réponses.*

Questions des élèves:

1. *Qui est-ce qui* est déjà venu ici?
2. **?** vous a donné l'adresse du parc?
3. **?** vous voulez faire ici?
4. **?** a eu l'idée de venir ici?
5. **?** vous avez rencontré dans la montagne?
6. **?** a déjà grimpé sur un arbre?
7. **?** vous plaît dans les Pyrénées?
8. **?** vous avez pris avec vous?

Réponses des touristes:

a) Personne, on n'a pas vu un chat!
b) Moi! Je fais même de l'escalade!
c) Tout! La nature, le silence.
d) Ma fille l'a trouvée sur Internet.
e) *Personne. C'est la première fois.*
f) Visiter le parc et rigoler.
g) Des casques et des vêtements de pluie.
h) Ma femme. Elle a une amie dans la région.

b *Faites quatre groupes à 5–8 élèves. Le groupe A pose six questions aux Bajot, le groupe B pose six questions aux Carbonne et à Fabien. A et B écrivent les questions dans leurs cahiers. Les groupes C et D reçoivent les questions et écrivent les réponses. Utilisez les différentes questions.*

Exemple: *Les élèves:* **Comment est-ce que** vous êtes venus dans les Pyrénées?
M. Bajot: Nous sommes venus en TGV.

- Est-ce que …?
- Qui est-ce que …?
- Qu'est-ce qui …?
- Qui est-ce qui …?
- Qu'est-ce que …?
- Quand / Pourquoi / Où / Comment est-ce que …?
- A qui est-ce que …?
- A quelle heure est-ce que …?
- Quel âge est-ce que …?

3 Eux, ils viennent chez nous! (§ 43)

a *Complétez les dialogues avec* ***«moi, toi, lui, elle, nous, vous, eux, elles».***

Emma: Victor va venir à Toulouse. Il est super sympa, ~ ! Je suis sûre qu'on va bien rigoler, ~ trois.
Fabien: Pff! Super sympa! ~ , tu vas rigoler avec ~ , pas ~ !
Cécile: Arrête, Fabien, tu ne le connais pas, ~ !
Emma: Ses sœurs sont sympas aussi, ~ ! On rigole bien aussi avec ~ !
Cécile: Arrêtez, ~ deux!

Mme Carbonne: Qu'est-ce qu'on montre aux Bajot? Vous avez une idée, ~ ?
M. Carbonne: Je peux montrer Airbus, ~ .
Emma: Non, papa, les Bajot, ~ , veulent visiter les Pyrénées. Et puis, Zoé, ~ , est encore trop petite pour aimer les avions.
Manon: Alors, ~ , les grands, vous visitez Airbus et ~ , on va jouer dans le jardin.
Emma: Non, les grandes personnes, ~ , visitent Airbus. Manon, Zoé et Valentin, ~ , restent ici et ~ , je vais au cinéma avec Victor!

b *Jouez les scènes.*

[ ] ## 4 Dans le TGV (§§ 43, 44)

a *Mettez en relief les mots soulignés (Hebt die unterstrichenen Wörter hervor). Utilisez* ***«c'est … qui/que».***

1. *Zoé:* Je n'ai pas de place, moi. Léa et Mathilde prennent encore toute la place.
2. *Léa:* Arrête, tu n'es jamais contente.
3. *M. Bajot:* Marise, les Carbonne savent qu'on arrive ce soir?
4. *Mme Bajot:* Oui. Victor vient de téléphoner à Emma. Hein, Victor?
5. *Léa:* Il n'entend rien. Il pense à sa musique!
6. *Mathilde:* Victor! Maman t'a posé une question!
7. *Victor:* Quoi? Vous avez dit quelque chose?
8. *Mme Bajot:* Est-ce que tu as dit à Emma qu'on arrive ce soir?
9. *Victor:* Bien sûr! Je l'ai appelée ce matin.

b *Jouez en classe.*
Il faut trouver la chose que quelqu'un voit. L'élève qui a trouvé le premier continue.*

Exemple:
– Je vois quelque chose qui est rouge.
– **C'est** le cahier que tu vois?
– Oui, c'est le cahier … / Non, ce n'est pas le cahier que je vois. C'est …

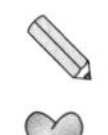

5 Jeu de mots: La nature et les activités

a *Cherchez dans le texte 7 A tous les noms et tous les verbes qui décrivent* «la nature» et «les activités du groupe». Complétez le tableau.*

Noms (nature)	**Verbes** (nature)	**Activités** (du groupe)
le chemin la forêt …	faire chaud …	marcher écouter …

b *Choisissez ensuite un nom et un verbe et écrivez un petit poème d'après l'exemple. Pensez aux vacances à la montagne, à la mer, en été, en automne, etc.*

1ère ligne: Une couleur (1 mot) 2ième ligne: Une chose qui a cette couleur (2 mots) 3ième ligne: Une phrase qui donne des informations sur cette chose: où elle est, ses activités, etc. (3 mots) 4ième ligne: Une phrase qui commence avec «je» (4 mots) 5ième ligne: Un mot de résumé … (nom, adjectif, etc.) (1 mot)	*Verte* *La forêt* *Elle chante toujours* *J'écoute sa musique* *Chance!*

c *Faites un dessin sur votre poème et présentez vos textes à la classe.*

6 Demander et expliquer son chemin

on dit …

- Pardon, monsieur / madame / mademoiselle, où est … , s'il vous plaît?
- Pour aller à … , s'il vous plaît?
- Comment est-ce que je vais à … , s'il vous plaît?
- Est-ce que c'est le bon chemin pour aller à … , s'il vous plaît?

- Prenez la première rue à droite.
- Allez tout droit.
- Tournez à droite / à gauche aux feux*. / au carrefour*.
- Vous passez devant …
- Traversez …

tourner à droite

tourner à gauche

aller tout droit

faire demi-tour*

passer devant

traverser

A vous.

a *Travaille avec un(e) autre élève. Tu choisis un point* A sur la carte de Toulouse-Blagnac de ton livre. Ton voisin choisit un point B. Tu lui donnes rendez-vous au point A. Décris le chemin de B à A à ton voisin. Changez de rôle.*

b *Expliquez le même chemin à une personne qui ne parle pas le français.*

Aventures

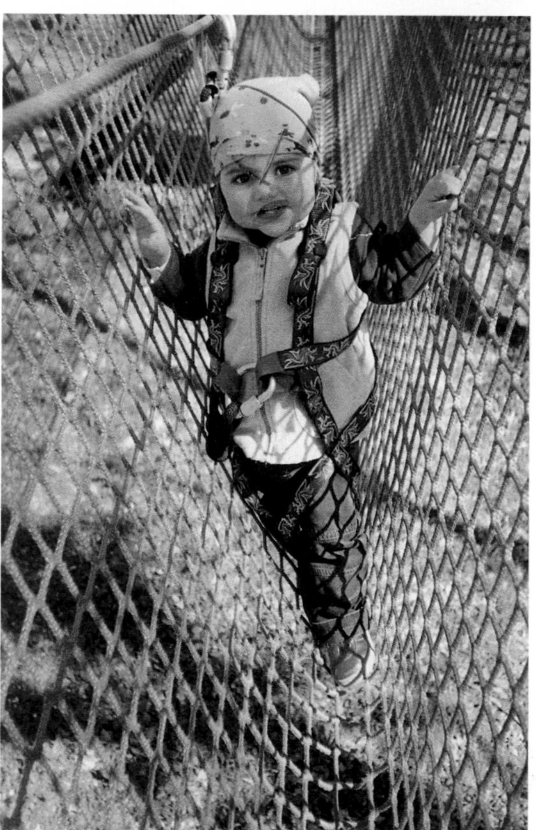

1. Les Bajot et les Carbonne sont maintenant arrivés au parc ‹Chloro'fil› qui se trouve près d'Argelès-Gazost. «Chloro» comme la chlorophylle des feuilles et «fil» comme un fil qui va d'un arbre à l'autre. Parents et enfants peuvent y découvrir la nature et les sports ou se promener dans la nature. On traverse des ponts, on passe d'un arbre à un autre sur des cordes, on grimpe comme «Tarzan» mais surtout, on s'amuse comme des fous! «Je ne suis plus fatiguée du tout et je m'amuse beaucoup. En plus, je n'ai plus mal aux pieds», dit Zoé.

2. Emma et Fabien se disputent: «Tu mets ton casque ou alors je ne viens pas avec toi et je fais le parcours avec Victor.» Fabien s'éloigne. Il est rouge de colère. «Qu'est-ce que tu as? Qu'est-ce que je t'ai fait?» crie Emma. Mais elle sait très bien pourquoi Fabien est en colère. C'est parce qu'elle s'amuse bien avec Victor et qu'elle rigole avec lui. Fabien est jaloux.

3. Emma et Victor font un parcours. «C'est cool! Ils ont construit un super parc!» crie Emma, la nouvelle «Jane» des Pyrénées, à Victor qui ne répond pas parce qu'il a peur de tomber.

4. Il est maintenant quatre heures. Il fait très chaud et le soleil se cache derrière des gros nuages noirs. C'est l'heure du départ. Tout le monde est là … sauf Fabien. Emma raconte qu'il est parti sans dire un mot. Alors, tout le monde se demande où il est. Monsieur Carbonne et monsieur Bajot le cherchent. Les autres attendent. Zoé crie: «Fabien, Fabien! Où est-ce que tu te caches?» Tout à coup, Emma a une idée. Elle prend son portable pour appeler Fabien. Le téléphone sonne … une fois, deux fois, trois fois. Rien ne se passe. Fabien ne peut pas répondre car il a trop mal. Tout à coup, monsieur Bajot crie: «Roberto, viens vite! Je l'ai trouvé.» Fabien qui est sous un arbre a mal à la jambe gauche et parle comme dans un rêve: «Au secours! Aïe! Je ne peux plus bouger.» Il dit qu'il a couru comme un fou et qu'il est tombé dans un trou. Monsieur Carbonne prend son portable et fait le 15 pour appeler une ambulance. Elle arrive très vite et conduit Fabien à l'hôpital. Madame Carbonne l'accompagne. Mais pour Emma, il n'y a plus de place dans l'ambulance.

5. A l'hôpital de Lourdes, le médecin qui regarde la jambe de Fabien dit: «Ce n'est pas trop grave, jeune homme. Un petit accident. Vous avez une jambe cassée. On va vous mettre

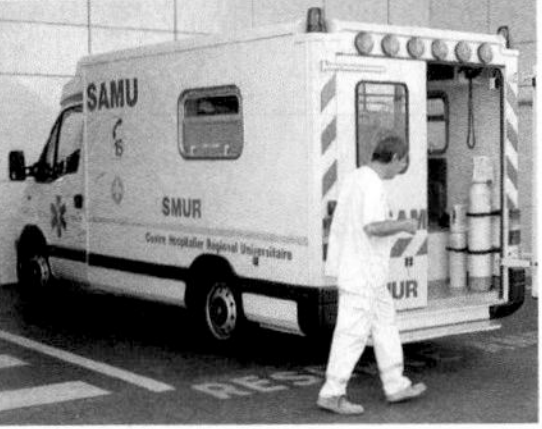

un plâtre et avec les béquilles, vous allez pouvoir jouer au rugby dans quelques semaines. Et puis, si ce soir vous avez mal à la jambe, prenez quelque chose contre la douleur.» Pendant ce temps, le groupe, un peu triste, rentre au camping des Bajot. Surtout Emma est triste. Elle pense que c'est de sa faute. Et Fabien, qu'est-ce qu'il pense maintenant? Tout à coup, le vent se lève. On entend le tonnerre. On voit des éclairs. Il commence à pleuvoir. C'est l'orage … et la panique. Des minutes longues comme des heures. Tout le monde court. Enfin, les amis arrivent au terrain de camping où ils attendent la fin de l'orage et des nouvelles de Fabien. Quelle aventure!

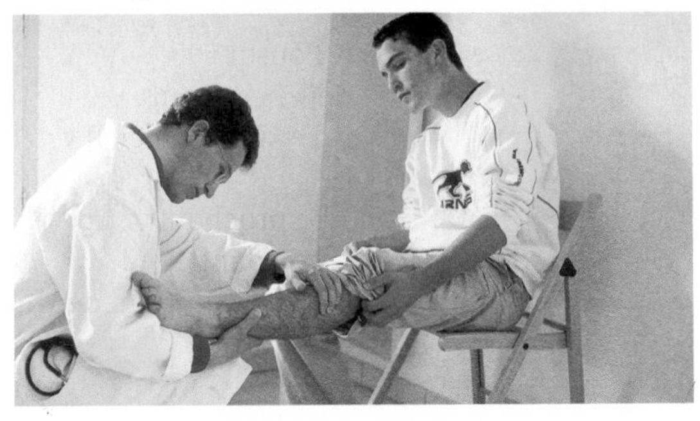

1 A propos du texte

a *Regardez les images et mettez-les d'abord dans le bon ordre.*

b *Racontez l'histoire au **présent** sans regarder le texte.*

2 Dialogues dans la voiture (§ 45)

*Complétez les dialogues avec les formes des verbes «**conduire**» et «**construire**». Attention aux temps!*

Emma: Ne ~ pas trop vite, papa!
M. Carbonne: Je ne ~ pas trop vite, j'ai froid et je veux rentrer.
Emma: Dans quel hôpital est-ce qu'on ~ Fabien tout à l'heure?
Valentin: Attends! Papa, tu nous y ~ sûrement maintenant, non?
M. Carbonne: Oui, maman et Fabien nous attendent à l'hôpital de Lourdes.
Manon: J'aime les parcs. Pourquoi est-ce qu'on n'en ~ pas plus?
M. Carbonne: On en ~ déjà beaucoup. L'année dernière, ils ~ une nouvelle station de ski près d'ici. Il y a même des parcs où on peut faire du vélo.
Manon: On y va, dimanche prochain*, papa?
M. Carbonne: Non, c'est trop dangereux. Vous ~ comme des fous en vélo et je n'ai pas envie de ~ un de vous trois à l'hôpital chaque semaine!

3 Emma chez Fabien (§ 46)

a *Ecrivez le dialogue entre Emma et Fabien. Utilisez les verbes au* ***présent****.*

1. – Pourquoi est-ce que ton chat ~ sous le lit, Fabien?
2. – Il a peut-être peur de toi. Les chats ~ toujours quand ils ont peur.
3. – Pourquoi est-ce que tu ~ ?
4. – Je ~ parce que je n'ai plus mal à la jambe maintenant. Alors on ~ dans le jardin, si tu veux?
5. – Oui, nous ~ bien ensemble!
6. – Surtout quand mes parents ~ de la maison et quand Victor ~ de toi!
7. – Mais arrête! Qu'est-ce qui ~ ? Tu fais la tête! Tu es jaloux!
8. – Nous ~ toujours à propos de Victor!

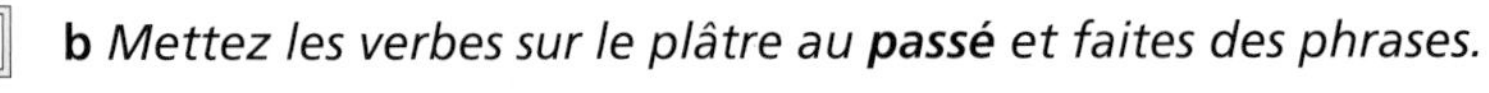

[ ] **b** *Mettez les verbes sur le plâtre au* ***passé*** *et faites des phrases.*

4 Chez le médecin

on dit...

– Qu'est-ce qui ne va pas? / Qu'est-ce que je peux faire pour vous/toi?	– J'ai (très) mal à la tête / au ventre*/ à la jambe / au bras* / au pied / à la gorge*.
– Bon, je vais regarder ça … Ça vous / te fait mal?	– Ma jambe/mon ventre /… me fait mal! / Aïe!/ Je ne peux plus bouger! / J'ai eu un accident! / Je suis malade. / Non, ça va! / Oui, ça me fait (très) mal.
– Oui, c'est grave. / Non, ce n'est pas (trop) grave. / Non, ce n'est rien. – Vous avez une jambe cassée / la grippe*. – Je vais vous donner quelque chose. / Je vais vous mettre un plâtre.	– C'est grave, docteur*? / Ce n'est pas (trop) grave, docteur?
– Voilà l'ordonnance*! Ça fait 28 €.	– Voilà. Merci, docteur, et au revoir!

Info F
In Frankreich muss man beim Arzt sofort bezahlen.

A vous. *Faites l'interprète. Jouez la scène.*

Deine Mutter hat sich verletzt. Du musst für sie dolmetschen.
- Bonjour! Qu'est-ce que je peux faire pour vous? – …
- Ich bin gestern hingefallen und mein rechtes Bein tut sehr weh. – …
- Bon, je vais regarder la jambe. Ça vous fait mal? – …
- Au! Wenn ich das Bein nach rechts drehe, habe ich Schmerzen. – …
- Ce n'est pas grave. La jambe n'est pas cassée. Voici quelque chose contre la douleur. Est-ce que vous voulez des béquilles? – …
- Ich will keine Krücken und bedanke mich. – …
- Ça fait 28 €. – …

5 Ecrire: L'accident de Monsieur Sarré

a *Regardez les images et mettez-les dans le bon ordre. Puis écrivez une petite histoire.*

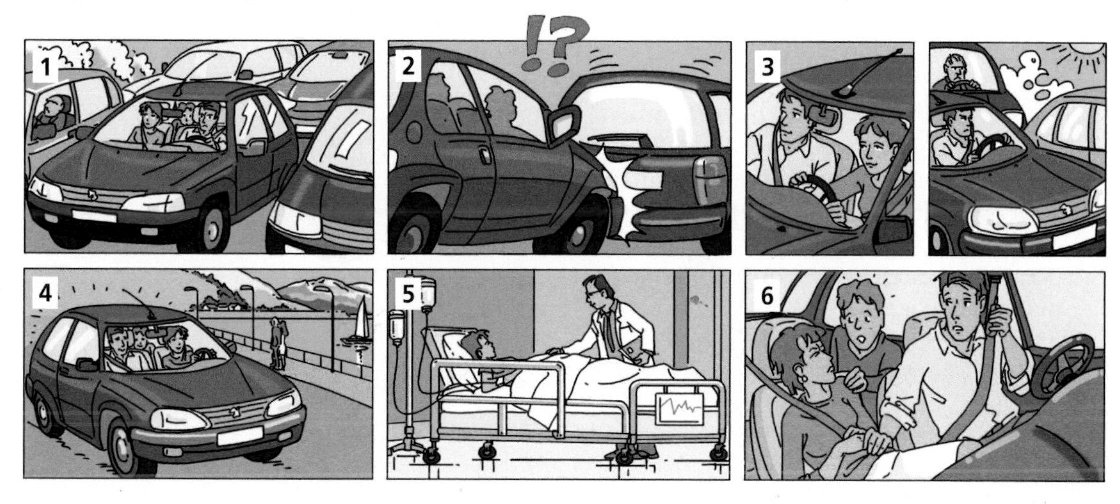

b *Qu'est-ce que Thomas pense à la fin de l'histoire? Imaginez. Ecrivez cinq à dix phrases.*

6 Ecouter: Elles sont belles, les Pyrénées!

Info F

«Le cirque» bedeutet normalerweise „Zirkus". Um den Begriff «cirque de montagnes» zu verstehen, schaut euch das Foto an. Die Berge bilden hier eine Landschaft, die der Manege in einem Zirkus ähnelt. Die UNESCO hat diese Landschaftsformation in den Pyrenäen als Weltkulturerbe ausgewiesen.

Cirque de Gavarnie

Avant la première écoute*:

a *Lisez les informations.*
b *Cherchez sur Internet «Sud Radio»: Cette radio est en France ou en Espagne*?*

A la première écoute:

c *Est-ce que c'est un ou une journaliste* qui fait l'interview?*
d *Avec combien de personnes est-ce que le ou la journaliste parle dans l'interview?*

A la deuxième/troisième écoute:

e *Ecrivez deux questions qu'on leur pose.*
f *D'où viennent les deux jeunes à la fin de l'interview?*

7 Qui est-ce qui est jaloux? (§§ 42-44)

Lisez le dialogue. Choisissez les formes correctes des questions et remplacez le symbole (Symbol) ★ par les pronoms.

1. *Emma:* Dis-moi, **qu'est-ce qui / qu'est-ce que** te fait peur quand il y a un orage?
2. *Fabien:* L'orage, ★, ne me fait pas peur!
3. *Emma:* Et Victor, il te fait peur?
4. *Fabien:* Je n'ai pas peur de ★. Je ne l'aime pas, c'est tout! **Qui est-ce que / Qu'est-ce qui** te plaît chez ★?
5. *Emma:* C'est un bon copain pour ★. Il est drôle et il aime la musique et ses copains. Avec ★, il joue dans un groupe de rock.
6. *Fabien:* Tu sais, Emma, je te trouve bizarre!
7. *Emma:* C'est ★ qui es bizarre!
8. *Fabien:* Je ne veux pas me disputer avec ★ mais je ne te comprends plus. Dis: **Qui est-ce que / Qui est-ce qui** t'intéresse? **Qui est-ce que / Qui est-ce qui** tu préfères, ★ ou ★?
9. *Emma:* Ecoute, Fabien, avec Victor, je rigole bien. Victor et ★, on est des bons amis. ★, nous sommes trop différents!
10. *Fabien:* Oui, oui! Des bons amis, ★! Ce soir, je vais aller au cinéma avec Cécile et Adeline. Elles sont sympas, ★!
11. *Emma:* Pourquoi tu dis ça? Est-ce que je ne peux pas rigoler avec un autre garçon, ★? Et ★, **qu'est-ce qui / qu'est-ce que** tu as?
12. *Fabien:* ★, vous rigolez tout le temps ensemble. Je trouve que ★, tu oublies vite tes copains de Toulouse!

8 Internetrecherche (chercher sur Internet)

Stratégie

Ihr wollt euch Informationen auf Französisch zu einem Thema im Internet beschaffen.

1. Verwendet die französische Version einer euch bekannten Suchmaschine, z. B. **http://www.google.fr** ; **http://www.copernic.fr** u. ä., oder ein Portal wie **http://www.voila.fr** und gebt den Begriff ein, den ihr sucht.

2. Die Schwierigkeit besteht darin, aus dem breiten Angebot die „richtige" Startseite herauszufinden. Nicht alle angegebenen Seiten sind brauchbar! Oft helfen auch Abbildungen und Logos der Startseite bei der Orientierung.

3. Häufig findet man die gewünschte Information nicht auf der Startseite, sondern auf einer der folgenden Seiten. In diesem Fall hilft euch die Rubrik *„Suchen"* der Suchmaschine weiter. Diese Rubrik findest du in der Menüleiste unter *„Bearbeiten"*.

4. Wendet anschließend zum gezielten Herausfiltern und Verständnis von Informationen die Erschließungstechniken an, die ihr bereits gelernt habt! (vgl. www.klett.de: stratégie: SB1/L4 + SB2/L1 + L5)

A vous.

Zur Vorbereitung einer Klassenfahrt sollt ihr herausfinden, ob der Freizeitpark „Cloro'fil" im Juni geöffnet ist, wann die Öffnungszeiten sind, wie viel der Eintritt für Schüler kostet, wie viel die begleitenden Lehrer zahlen müssen und ob es eventuell eine Gruppenermäßigung gibt.

a *Ruft im Internet **www.google.fr** auf, aktiviert **pages: France** und gebt als Suchbegriff **Chloro'fil** ein! Welche der angebotenen Seiten liefert/n die gewünschten Informationen? Erklärt, warum.*

b *Versucht nun, die obigen Fragen zu beantworten. Was habt ihr herausgefunden?*

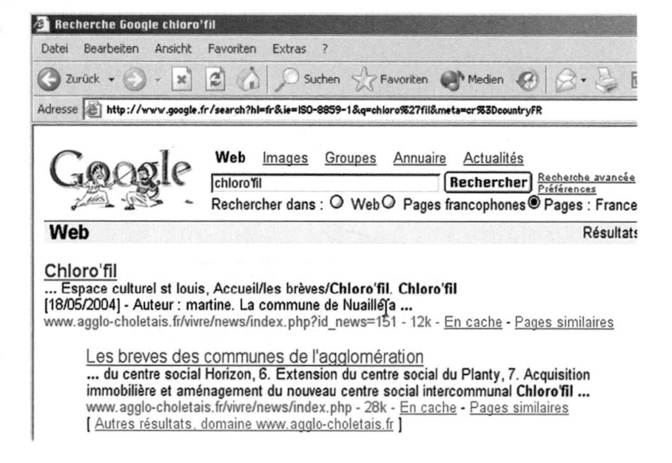

Les Parcs des Pyrénées

Votre prof est content(e) de vos travaux sur ‹Chloro'fil›, mais comme il y a encore d'autres parcs intéressants dans la région, il / elle vous demande de chercher des informations sur ces parcs.

1 Indiana Parc

2 Vertige de l'Adour

3 Montozarbres

4 Aventure Parc

5 Pyrénées Hô

■ **Savoir faire**

→ Stratégie, page 103.

a *Faites cinq groupes. Chaque groupe travaille sur un parc et répond aux questions suivantes:*

1. Où est-ce que le parc se trouve?
2. Quel est le numéro de téléphone et / ou l'adresse e-mail du parc?
3. Est-ce qu'il est ouvert au mois de juin? De quelle heure à quelle heure?
4. Est-ce qu'il y a un parking pour les bus?
5. Combien coûte un billet d'entrée pour un groupe d'élèves?
6. Est-ce qu'on peut réserver? / Quand est-ce qu'il faut réserver?
7. Quelles activités / Quels parcours est-ce qu'on peut y faire?
8. Est-ce qu'on peut pique-niquer dans le parc?

b *Questions supplémentaires (zusätzliche Fragen):*

1. Expliquez le nom de votre parc.
2. Quels autres parcs est-ce qu'il y a encore dans les Hautes-Pyrénées? Notez les noms.

c *Chaque groupe présente ses résultats à la classe. Chaque groupe peut aussi préparer une affiche sur «son» parc.*

d *Question pour toute la classe: Quel parc vous plaît / vous intéresse le plus (am meisten)? Votez (stimmt ab)!*

Lire, écouter, sortir

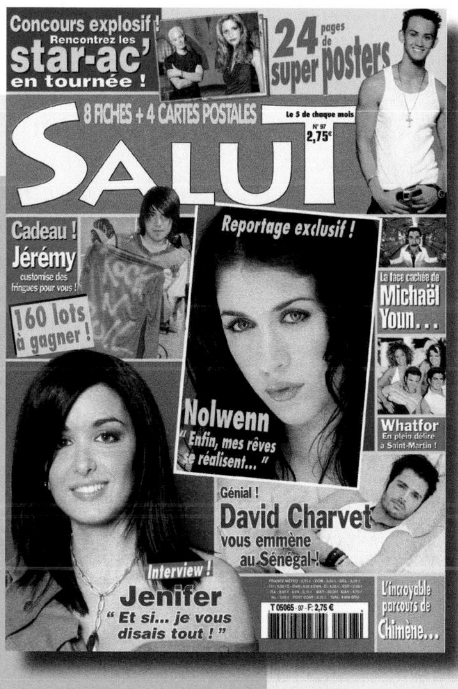

1. De quoi parlent ces journaux?
2. Cherchez sur Internet d'autres titres de journaux pour les jeunes en France. Cherchez «presse + jeune», par exemple sur **http://www.google.fr**

24 **Quelle musique?**

Cécile cherche un cadeau pour l'anniversaire d'Adeline. Elle écoute des CD avec Emma quand, tout à coup, le prof de français, M. Philibert, arrive avec sa femme.

M. Philibert: Ah, bonjour, Cécile. Qu'est-ce que tu écoutes comme musique?
Cécile: Moi, j'écoute tout: le rap, la chanson française, etc. Et vous, qu'est-ce que vous écoutiez comme musique quand vous aviez notre âge? 5
M. Philibert: Moi, j'aimais beaucoup les chansons de Serge Gainsbourg. Avec mes copains, on allait à tous ses concerts. **Nous connaissions** ses chansons par cœur et nous les chantions toute la journée. 10
Mme Philibert: **Tu écoutais** surtout Renaud.
M. Philibert: Il y avait aussi un groupe génial qui s'appelait Téléphone. Sur scène, ils criaient comme des fous.
Emma: Ah, oui. Maman les adorait aussi. 15

*1. In dem Text sind zwei Verben unterstrichen, die im **Imparfait,** einer weiteren Zeit der Vergangenheit, stehen. Es gibt noch weitere Verben im **Imparfait**. Übertragt die folgende Tabelle in euer Heft und sucht für jede Person ein Verb im **Imparfait**.*

*2. Tragt zu den Verben des Textes jeweils den **Infinitiv** und die **1. Person Plural** im **Présent** in die Tabelle ein. Was stellt ihr fest?*

	Verb im *Imparfait*	Infinitiv	1. Pers. Pl. im *Présent*
je / j'			
tu	écoutais		
il / elle / on			
nous	connaissions		
vous			
ils / elles			

*3. Formuliert eine Regel zur Bildung des **Imparfait**.*

A vous.

M. Philibert raconte: **Aujourd'hui**, tout a changé:
1. Les gens n' **ont** pas beaucoup de temps. 2. On ne **voit** pas souvent ses amis. 3. Je ne **comprends** pas la musique des jeunes. 4. Nous **payons** les billets d'entrée en euros. 5. Ma femme et moi, on ne **connaît** plus les textes par cœur.

Mais quand j'avais votre âge, 1. … les gens **avaient** beaucoup de temps. 2. …

Continuez. Utilisez l'imparfait.

25

Il était une fois Zen Zila ...

1. On devient souvent fan comme on tombe malade. Cécile et Emma sont devenues fans un mardi midi. Ce jour-là, elles regardaient les affiches qu'un jeune homme était en train de coller sur le mur en face du collège. Les affiches annonçaient un concert de Zen Zila à Toulouse. Sur la photo du groupe, on voyait surtout deux hommes. L'un, plus mince que l'autre, rigolait et portait des lunettes noires. L'autre était moins grand et cachait ses cheveux sous un bonnet. Il avait l'air intéressant avec ses yeux noirs.

Emma: Zen Zila, quel drôle de nom!

Le jeune homme: Comment? Vous ne connaissez pas? Il faut sortir, les filles, à votre âge! Allez les voir! Ça va être le meilleur concert de l'année!

2. Les jours passaient. Une semaine plus tard, Emma et Cécile pensaient toujours à Zen Zila. Du matin au soir, même pendant les récrés, elles n'écoutaient que Zen Zila. Pour le cours de français, elles voulaient même faire un exposé sur le groupe. M. Philibert commençait aussi à s'intéresser aux textes de leurs chansons. Il devenait aussi fan que Cécile et Emma.

3. Quinze jours après, Emma et Cécile étaient de vraies fans. Elles avaient envie d'aller au concert mais leurs parents n'étaient pas d'accord parce qu'elles étaient trop jeunes et en plus, elles avaient cours de français jusqu'à 17 heures. Pour avoir une bonne place, c'était trop tard. Madame Carbonne trouvait toujours des arguments contre le concert.

Mme Carbonne: Moi aussi, j'étais fan quand j'avais ton âge. Mes copines et moi, nous étions très amoureuses d'un chanteur qui s'appelait Roch Voisine! Il avait les plus beaux yeux du monde. Pour moi, il était le meilleur. Mais à notre premier concert, nous avions seize ans et pas treize!

Emma: Mais, maman, les temps ont changé. Quand vous étiez jeunes, c'était encore le XXe siècle!

4. En cours de français, après leur exposé sur Zen Zila, Emma et Cécile répondaient tout le temps aux questions de leurs copains qui voulaient tout savoir sur Zen Zila.
Mais le plus curieux, c'était M. Philibert: Après les cours, il fermait la porte et écoutait seul les CD de Zen Zila pendant des heures.

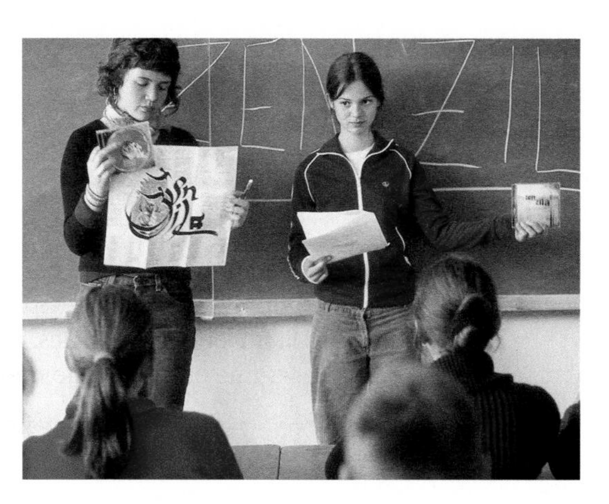

1 A propos du texte

Raconte l'histoire au présent. Les dessins et les mots vous aident. Reliez vos phrases avec des mots comme ***«un jour, un peu plus tard, quelques jours après …».***

devant le collège – regarder – coller

trouver drôle – ne pas connaître – super – aller au concert

écouter – faire un exposé

avoir envie – pas d'accord – arguments contre – 1er concert

poser des questions – répondre – M. Philibert – fan

2 Mamie raconte. (§ 49)

a *Cécile passe un week-end chez sa grand-mère qui à 60 ans. Elle lui demande de raconter sa vie, ses habitudes (ihre Gewohnheiten) du temps où elle* ***était*** *jeune.*

Imparfait	
Gewohnheit	Zustand
souvent – chaque matin/soir – toujours – toute la journée	«Là-bas, on était heureux.»

Mamie: Quand j'(être) jeune, j'(habiter) dans un petit village des Pyrénées. On (connaître) tous les voisins. Le soir, ils (venir) à la maison et on (discuter). On (manger) ensemble et on (boire) un verre de vin. Nous ne (regarder) pas souvent la télé.
Cécile: Quand est-ce que vous (aller) au lit?
Mamie: Pas très tard, parce que la journée (commencer) à 6 heures. Mon père (partir) le premier. Mes frères et moi, nous (quitter) la maison à 7 heures et nous (prendre) le bus ou le vélo pour aller à l'école.
Cécile: Et à quelle heure est-ce que vous (finir) les cours à l'école?
Mamie: Nous (rentrer) à 18 h 30 et après, il (falloir) faire nos devoirs et aider maman à la maison. On (manger) à 19 h 00 quand papa (rentrer).
Cécile: Tu (partir) aussi en vacances?
Mamie: Pas très souvent. Mais nous (être) heureux* à la maison. C'(être) la belle vie et il y (avoir) une bonne ambiance.

b A vous. *Ecrivez un petit texte à l'imparfait et racontez vos activités avec des verbes comme* ***«être, avoir, aller, jouer, aimer, habiter, rêver, adorer, détester, vouloir, pouvoir, savoir, comprendre, chercher, …».*** *Utilisez aussi* ***«souvent, toujours, toute la journée, …».***

Exemple: A un an, je dormais tout le temps, … / A deux ans, … / A trois ans, …, etc.

3 Trois amies (§ 48)

Ces trois amies sont toujours ensemble mais elles sont très différentes:

Adeline

- 14 ans
- musique, foot
- 1 m 64
- 18 / 20 en maths
- 15 / 20 en allemand

Chloé

- 14 ans
- tennis, vélo, natation
- 1 m 72
- 10 / 20 en maths
- 17 / 20 en allemand

Lili

- 12 ans
- tennis
- 1 m 64
- 15 / 20 en maths
- 17 / 20 en allemand

a *Comparez.*

Exemple: Adeline / Lili / Chloé (jeune)
→ Lili est **plus** jeune **que** Chloé.
→ Chloé est **moins** jeune **que** Lili.
→ Chloé est **aussi** jeune **qu'**Adeline.

1. Lili / Chloé / Adeline (jeune)
2. Adeline / Chloé (sportif)
3. Adeline / Chloé / Lili (bon en allemand)
4. Adeline / Chloé (bon en allemand)
5. Adeline / Lili (grand)
6. Adeline / Lili / Chloé (petit)
7. Chloé / Adeline / Lili (bon en maths)
8. Adeline / Lili (bon en maths)

b ***«Adeline aime la musique. Pour elle, ...»*** *Continuez. Utilisez le superlatif. Attention à l'accord et à la place de l'adjectif!*

Exemple:
1. Zen Zila est le groupe **le plus** intéressant.
2. La techno* est la musique **la moins** belle.

1. Zen Zila / groupe (+ intéressant)
2. la techno / musique (– beau)
3. Wahid* / chanteur (+ sympa)
4. Cécile / fan (+ amoureux)
5. le rock / musique (+ beau)
6. «Salma ya salama» / texte (+ bon)
7. «El Ouricia» / texte (– facile)

4 En français: L'interview de Wahid

Katja, la corres de Victor, veut faire une interview de Wahid pour le journal de son collège à Kassel. Victor est d'accord pour l'aider à écrire ses questions en français.

a *Traduisez.*

Exemple: Bereiten Sie ein neues Album vor? → Est-ce que vous préparez un nouvel album?

1. Bereiten Sie ein neues Album vor? 2. Wann wird man es kaufen können? 3. Wie finden Sie Ihren Beruf? 4. Macht Ihnen die Bühne Angst? 5. Wo werden Sie ihr nächstes Konzert geben? 6. Wie viele Sprachen sprechen Sie? 7. Wollten Sie schon als Kind Sänger werden oder hatten Sie auch eine andere Idee für Ihren Beruf? 8. Was ist Ihre schönste Erinnerung, als Sie ein Kind waren? 9. Bekommen Sie viele Briefe von den Fans? 10. Beantworten Sie alle Briefe?

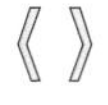

b *Imaginez les réponses de Wahid en français.*

5 Lire: Etre journaliste à la radio

a *Lisez le texte.*

Pascal* Cestor*, le père de Nicolas, travaille comme journaliste à France Inter*. Il a toujours préféré la radio à la télévision. Il raconte souvent: «Quand j'étais jeune, mon père mettait tous les jours France Inter à l'heure du repas. Quand on écoutait les informations, on ne devait plus parler. Mes parents écoutaient cette station de radio car il y avait moins de publicité que sur les autres stations. Ils aimaient aussi la musique qui passait*: du jazz et beaucoup de chansons françaises. Vingt ans plus tard, je travaille pour la station préférée de mes parents. Je fais surtout des interviews. De temps en temps*, je présente le journal du matin. J'arrive à la radio à 4 heures, je lis les journaux, j'écris mes textes et je discute avec le réalisateur. Puis, c'est l'heure d'aller en studio. Alors, je mets mon casque et j'annonce les nouvelles. La radio, c'est génial: On est seul dans le studio et on parle à tout le pays. En plus, personne ne vous voit. Il n'y a pas de caméras comme à la télévision.»

b *Répondez aux questions.*

1. Pour quelle radio est-ce que le père de Nicolas travaille?
2. Pourquoi est-ce qu'il préfère cette radio?
3. Quel est le travail d'un journaliste à la radio?
4. Pourquoi est-ce que la radio, c'est «génial»?
5. Donnez le nom d'une radio allemande comme France Inter.

6 Jeu de mots: Radio-télévision

a *Lisez encore une fois le texte de l'exercice 5. Faites un filet à mots.*

b *Regardez ces publicités pour des stations de radio des jeunes. Donnez votre avis.*

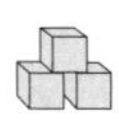

c A vous.
Imaginez votre radio: Donnez-lui un nom. Imaginez un programme. Faites une affiche.

7 Jeu de rôle: Le journaliste et la star (§§ 49, 50)

a *Travaillez à deux. Choisissez votre rôle: le journaliste ou la star.*
L'élève-star choisit une des photos 1–4 et imagine son rôle et sa vie.
L'élève-journaliste prépare des questions pour les poser à la star.

Exemple:
Le journaliste: Est-ce que votre famille est importante dans votre travail?
La star: Je viens d'une famille d'acteurs. Quand j'étais jeune, je devais accompagner mes parents au théâtre, plus tard, au cinéma. Pour moi, le théâtre ou la scène, c'était …

Emanuelle Béart Zinedine Zidane Zazie Azouz Begag

b *Ecoutez l'interview d'un autre groupe, résumez-le en allemand pour les «journalistes» du journal de votre école.*

3 

8 Ecouter: Les correspondants arrivent.

a *Dites où sont les trois correspondants. Utilisez «près de, à côté de, devant, derrière, …»*

b *Choisissez une personne du dessin et décrivez-la. Les autres devinent* qui c'est.*

29

Zen Zila au collège

1. Le 21 juin dernier, Zen Zila a donné un concert au collège Guillaumet. Personne n'y croyait plus. C'est M. Philibert qui a proposé l'idée au principal. Quand ils ont reçu la lettre du prof de français, Wahid et Laurent, le chanteur et le guitariste du groupe, ont tout de suite été d'accord. Voici l'interview d'Emma pour le journal du collège.

2. *Emma:* Zen Zila, qu'est-ce que c'est?
Wahid: Cela vient d'un livre que mon oncle, Azouz Begag, a écrit: «Zenzela». En arabe, zenzela, c'est le tremblement de terre.
Emma: Qu'est-ce que vous faites comme musique?
Wahid: On aime mélanger la chanson française, le pop et la musique arabe. Mais, surtout, on veut raconter des histoires.
Emma: Pourquoi est-ce que l'idée de chanter dans un collège vous a plu?
Wahid: Pendant des années, on a travaillé avec des enfants des quartiers difficiles de la banlieue de Lyon. On aime bien rencontrer les jeunes.

3. *Emma:* Dans vos chansons, vous dites souvent qu'il ne faut pas oublier. Pourquoi?
Laurent: Mes parents sont nés en Algérie et moi, je suis né à Lyon. Ne jamais oublier d'où on vient, qui on est, c'est très important. Ça nous aide à avancer.
Emma: J'ai lu qu'à 13 ans, vous étiez aussi fan d'un chanteur. C'est vrai?
Wahid: Quand j'étais enfant, j'aimais la musique noire. Ensuite, à 13 ans, je suis devenu fan d'un groupe qui s'appelait «Carte de séjour». Son chanteur, Rachid Taha, avait les mêmes origines que moi. Cela voulait dire beaucoup pour moi.

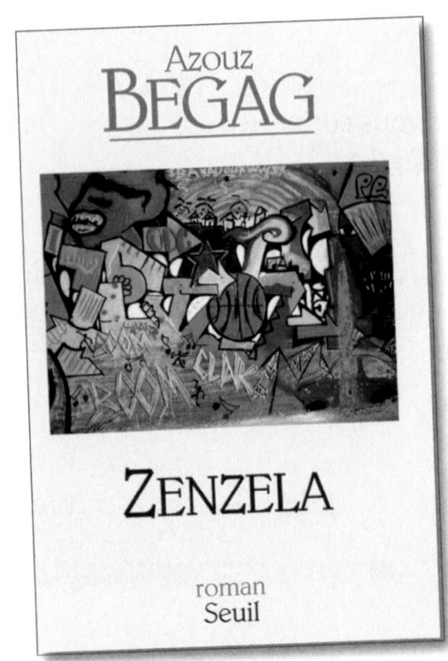

Laurent: J'ai un frère et une sœur plus grands que moi. Quand j'étais ado, je les voyais faire de la musique. Pendant que je les regardais sur scène avec leur groupe, je rêvais déjà de faire de la musique. C'était plus important que l'école ou l'argent.
Emma: A cet âge-là, vous écriviez déjà vos chansons?
Wahid: Non, pas à 13 ans. J'avais 18 ans quand j'ai commencé à écrire des textes. Mais j'ai tout gardé pour moi. J'étais timide. J'ai fait des chansons plus tard mais ça n'intéressait personne. Personne sauf Laurent. C'est là que tout a commencé. Il y a presque quinze ans!

4. *Emma:* Alors Zen Zila, c'est aussi une histoire de copains?
Laurent: Sur scène, nous sommes six mais Wahid et moi, nous nous connaissons depuis vingt ans. On a connu ensemble des temps très difficiles. Aujourd'hui, quand je lis les textes de Wahid, je dis «Chapeau!».
Emma: Alors, merci Wahid et merci Laurent.

1 A propos du texte

a *Répondez aux quatre questions sur la première partie de texte.*

1. D'où vient le nom «Zen Zila»?
2. Quelles formes de musique est-ce que le groupe mélange?
3. Pourquoi est-ce qu'ils aiment chanter dans les collèges?
4. Dans leurs chansons, ils disent souvent qu'il ne faut pas oublier. Oublier quoi?

b *Imaginez quatre questions sur le reste du texte. Posez-les à vos copains/copines.*

2 La lettre de M. Philibert à Zen Zila

(§§ 1, 2, 7, 8, 49-51)

Remplacez les verbes à l'infinitif par le temps correct (imparfait ou passé composé). Ecrivez les phrases dans votre cahier et soulignez tous les mots qui indiquent le temps.

Imparfait:

- Beschreibung
- Gewohnheit
- Zustand
- Wiederholung
- zeitlich unbegrenzte Handlung

Passé composé:

- einmalige, aufeinanderfolgende, abgeschlossene Handlungen

COLLEGE H.GUILLAUMET
2 Avenue du Parc
31700 BLAGNAC
☎ **05.34.36.80.90**
Fax 05.34.36.80.91
e-mail : 0311237b@ac-toulouse.fr

Toulouse, le 15 mai 2006

Cher Zen Zila,

1. Il y a* deux semaines, je (ne pas vous connaître). 2. Quand je (passer) tous les jours devant vos affiches, en face du collège, je (ne pas avoir envie) d'écouter votre musique. 3. Et puis, un jour, je (entendre) deux de mes élèves parler de Zen Zila. 4. Elles (être) fans de votre groupe depuis trois jours et elles (ne chanter plus que) vos chansons. 5. Alors, je (commencer) à écouter votre musique. 6. Je (aimer) tout de suite vos textes. 7. Hier, je (avoir) l'idée de vous inviter à chanter pour nous au collège. Est-ce que vous seriez* d'accord? J'attends votre réponse.

A bientôt!

Alain Philibert

3 L'histoire d'Azouz Begag (§§ 1, 2, 7, 8, 49–51)

Racontez l'histoire de la famille Begag au passé (imparfait ou passé composé). Utilisez les mots qui indiquent le temps.

1	2	3
En 1960: mes parents – paysans* / vivre en Algérie, à la campagne / être six enfants / toute la famille – travailler dehors* – toute l'année / avoir des vaches et des poules / ne pas être très heureux / ne pas avoir d'argent / connaître la France / ne pas avoir de travail en ville	**Un jour:** un homme – venir à la maison / parler de la France **tout à coup:** mon père – vouloir partir aussi **deux ans après:** toute la famille – arriver en France	**pendant les premières années:** la vie – être dure / la famille – vivre dans la banlieue **Enfin, un jour:** nous – avoir de la chance / mon père – trouver du travail / je – découvrir la lecture **Un peu plus tard:** je – commencer à écrire / devenir connu

4 Le voleur

*Reliez les phrases et ajoutez **«pendant»** ou **«pendant que»**.*

1. *Le soir, M. Philibert est fatigué …*
2. Il va au lit …
3. Une fois, un voleur est entré …
4. M. Philibert a ouvert les yeux …
5. Alors, il a eu peur …
6. M. Philibert criait …
7. Il a eu des tremblements …
8. Sa femme regardait un film d'horreur …

- ~ toute la nuit.
- ~ des heures.
- ~ sa femme regarde encore la télé.
- *car il travaille beaucoup ~ la journée.*
- ~ la nuit.
- ~ le voleur volait son porte-monnaie.
- ~ ce temps.
- ~ sa femme regardait toujours la télé.

5 Raconter

on dit …

Quand vous parlez:
- J'ai quelque chose à te / vous raconter.
- Tu connais / Vous connaissez la nouvelle?
- Ça a commencé comme ça: …
- Je viens d'entendre cette histoire: …

Quand vous écrivez:
- C'est / Voilà l'histoire de …
- C'était en … (1970)
- Il était une fois … (Märchen)

Pour décrire une action* de tous les jours au passé:
- souvent / toujours / tout le temps / tous les jours / de temps en temps / deux fois par semaine / pendant ce temps / pendant que
- temps: **imparfait**

Pour décrire une action unique* et une suite d'actions:
- d'abord / puis / ensuite / plus tard / alors / tout à coup / enfin / un jour / tout de suite
- temps: **passé composé**

A vous.
Imaginez l'interview d'une star par un journaliste et écrivez l'interview dans votre cahier.
1. Imaginez la situation de l'interview et écrivez une introduction (Einleitung) pour votre interview.
2. Donnez un nom à votre personnage.
3. Parlez de ses premières années:
*Ex.: **«Vous étiez grand(e), timide, drôle, …»***
4. Parlez de sa famille. Qu'est-ce qu'il / elle faisait souvent, toujours, de temps en temps?
5. Un jour, quelque chose a changé sa vie. Demandez à la star.

6 Ecouter: Les mots voisins

a *Vous allez entendre huit phrases avec des mots voisins par la phonétique (A et B). Pour chaque phrase, dites si A ou B est correcte. Copiez le tableau dans votre cahier et complétez-le.*

	1	2	3	4	5	6	7	8
A	x							
B								

b *Ecoutez à nouveau les phrases et écrivez chaque phrase correcte dans votre cahier.*

c *Faites la liste des mots voisins. Exemple 1:* ***«quartier/cahier»***

7 Lire: La lettre de Kevin*

Okapi* est un journal pour les jeunes.
On y trouve des articles mais aussi des lettres.
Voici une lettre de Kevin:

a *Pourquoi est-ce que Kevin a écrit à Okapi?*

b *Est-ce que vous comprenez Kevin? Dites pourquoi.*

c *Imaginez la réponse d'Okapi.*

«Je viens d'avoir 13 ans. J'ai un frère de 8 ans qui veut tout faire comme moi et ça m'énerve! Quand je veux regarder un film à la télé le soir, je ne peux pas car il veut aussi le regarder. Quand je vais jouer avec des copains, il veut venir. Il ne peut rien faire seul. Mes parents disent qu'ils veulent m'aider mais ça ne peut pas marcher.»

Kevin, 13 ans

8 Monsieur Petit et son chien (§§ 1, 2, 7, 8, 48-51)

Racontez l'histoire de M. Petit et de son chien au passé. Utilisez aussi le comparatif (+/–) ou le superlatif (++/––). Attention aux temps et à la place et à l'accord de l'adjectif.

M. Petit (avoir) un chien. C'(être) le ~ chien ~ (++ génial) de la ville parce qu'il (savoir) lire! Il s'(appeler) Socrate*, et tous les gens l'(adorer). Il (être) (+ mignon) que les autres chiens et (– difficile) que le chien que M. Petit (avoir) avant. Pour M. Petit c'(être) le ~ chien ~ (++ beau) du monde. Un jour, M. Petit (aller) à la bibliothèque avec lui. Mais le monsieur à l'entrée (dire): «Pas de chiens dans la bibliothèque!» Bien sûr, M. Petit (être) triste mais il (attacher) Socrate à la porte de la bibliothèque et il (entrer) tout seul. Pendant qu'il (chercher) un livre, Socrate l'(attendre) à l'entrée. Quand M. Petit (sortir) de la bibliothèque, il (porter) un grand livre. C'(être) le ~ livre ~ (++ bon) et le ~ livre ~ (++ grand) de la bibliothèque. Un peu plus tard, M. Petit et son chien (aller) dans un square. M. Petit (dormir) et Socrate qui (être) (– fatigué) que M. Petit (lire) son livre.

9 Kreatives Schreiben: Personen beschreiben

Stratégie

Du kannst dich nun im Französischen schon gut ausdrücken und eigene Texte verfassen. Häufig kommt es vor, dass du eine Person beschreiben sollst. Auch dafür gibt es bestimmte Tipps. Um eine Person zu charakterisieren, sind folgende Einzelheiten wichtig:
→ ihr Aussehen, ihr Alter, ihre Familie, ihr Wohnort, ihre Hobbys und ihr Charakter.

Aussehen	il / elle est	grand (e) ↔ petit (e) mince ↔ gros (se)		beau, belle, joli (e) mignon, mignonne	
	il / elle a	les cheveux longs ↔ courts les cheveux noirs, blonds*, châtains* les yeux bleus / verts / marron …			
Kleider	il / elle porte	un jean* un pantalon une chemise	une robe un t-shirt*	rouge bleu (e) blanc, blanche	jaune vert (e)
Familie	il / elle a	deux sœurs, un frère			
	son père est sa mère est	médecin, professeur, cuisinier … actrice, conductrice, professeur …			
Charakter	il / elle est il / elle a l'air	facile ↔ difficile curieux (-euse), sympa, bizarre, content (e), bête, triste, calme, timide, dur (e), cordial (e) …			
Alter	il / elle a	13 ans			
	il / elle est né(e)	en 1999, à Lyon			
	il / elle est	jeune ↔ vieux, vieille			
Hobbys	il / elle joue	**au** foot, au tennis … **du** piano, de la guitare …			
	… aime / adore	la musique, le cinéma …			
Wohnort	il / elle habite	à Paris 3 rue Trousseau			

Wenn du einen Text fertig gestellt hast, überprüfe ihn noch einmal mithilfe der Strategie „Fehler vermeiden“ aus Lektion 2 (S. 31).

A vous. *Faites le portrait de la fille sur la photo. Donnez-lui un nom, un âge, une adresse. Parlez de sa famille, de ses activités préférées et de son caractère*.*

33 S

Savoir d'où on vient

Une chanson: (page 203)

Il arrivait d'El Ouricia / Un coin perdu dans un beau coin de là-bas / Au soleil, il brûlait sa vie / En échange d'un ou deux épis / Allant de douars en douars / Avec derrière lui sa femme en binouar / Offrant ses bras au plus offrant / Le temps était colonisant.
A peine 30 ans et déjà las / Surtout d'être là
A semer, labourer, ensemencer / Il n'était bon qu'à ça / Voilà c'est décidé, il part / A peine le temps de dire au revoir / Dans son sac 2 pull-overs 1 vieux costard / Sétif Perrache 10 heures du soir.

Il arrivait d'El Ouricia un coin perdu à l'Est de là-bas. Je voudrais tant qu'on s'en souvienne. Du vieil homme au Chaâba.
...
Zen Zila, *2 pull-overs 1 vieux costard,* 2003

Un livre:

– Tu sais où elle est, la salle, toi? m'interroge un élève alors que nous montons l'escalier.
– Non, lui dis-je. Je suis nouveau dans cette école.
– Moi aussi, poursuit-il. Tu es d'où, toi?
La question me surprend un peu, mais je réagis rapidement.
– Je suis né à Lyon.
– Non, je voulais dire dans quelle école tu étais l'année dernière?
– Ah! Quelle école? … A l'école Sergent-Blandan. C'est tout près de la place des Terreaux.
– Je connais pas, fait l'élève. Moi avant, j'étais à Paris, et mes parents ont déménagé à Lyon.

Azouz Begag, *Le gone du Chaâba,* 1986

Une autre chanson: (page 202)

Un homme des sables des plaines sans arbres
S'en va de son pays / Au-delà des dunes courir la fortune / Car le paradis pour lui ce n'est qu'un jardin sous la pluie

Salma ya salama je te salue ya salama
Salma ya salama je reviendrai bessalama

Mais l'homme des sables pour faire le voyage
N'a que l'espoir au cœur / Un jour il arrive il touche la rive. / Il voit devant lui des fleurs la grande rivière du bonheur
...
Dalida, *Si j'étais là,* 1995

Un film:

Christophe Ruggia, *Le gone du Chaâba,* France, 1997

■ **Savoir faire**

→ Stratégie p. 117.

a *Choisissez un des personnages et faites le portrait: de l'homme de la chanson 1 ou de la chanson 2 ou du garçon du livre – d'après les indications (Angaben) du texte.*

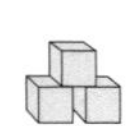
b *Et toi, quelles sont tes origines? Fais le portrait de ta famille.*

[LEÇON 9]

Voyages en zigzag

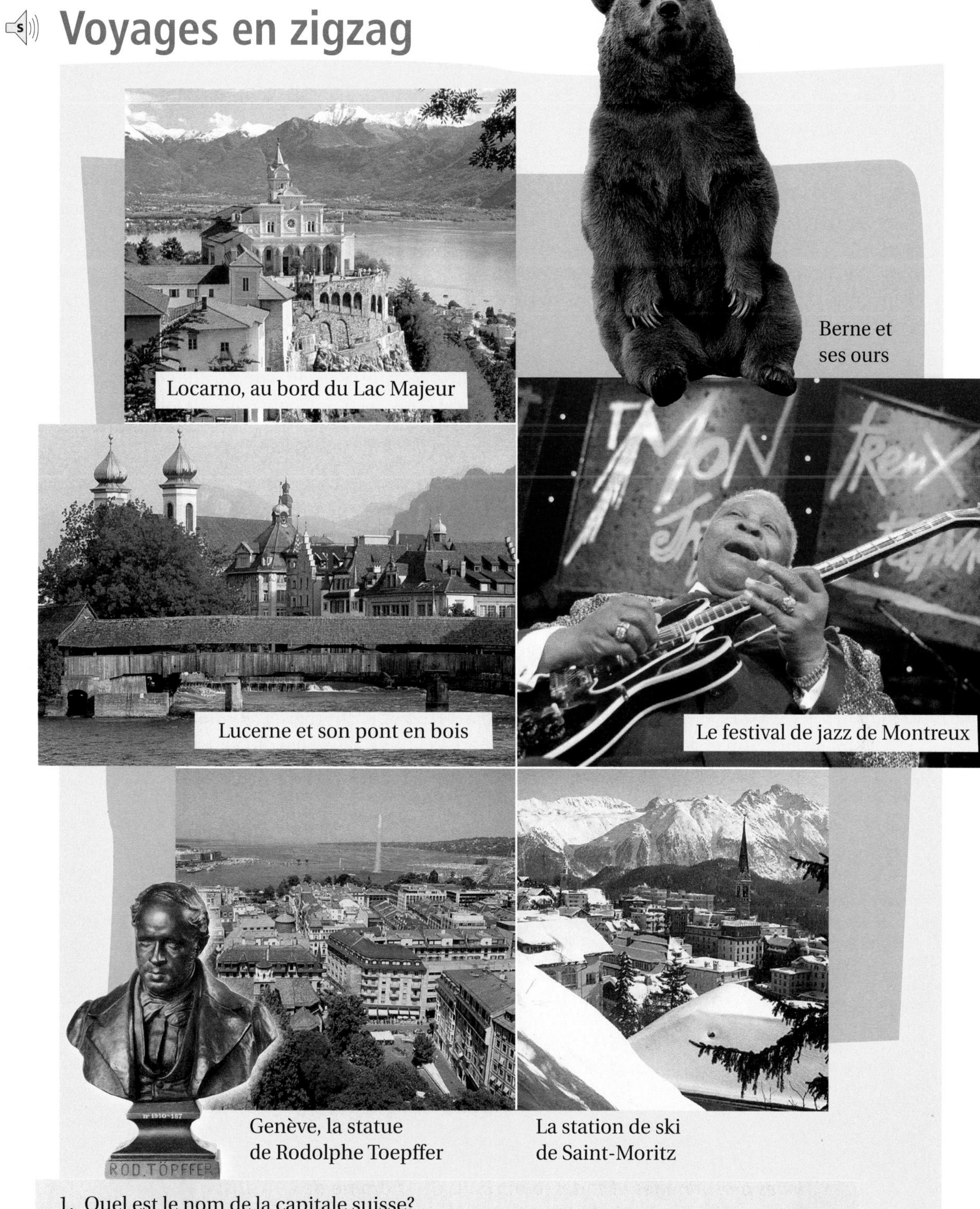

Locarno, au bord du Lac Majeur

Berne et ses ours

Lucerne et son pont en bois

Le festival de jazz de Montreux

Genève, la statue de Rodolphe Toepffer

La station de ski de Saint-Moritz

1. Quel est le nom de la capitale suisse?
2. Comment est-ce qu'on dit en allemand pour «Berne», «Bâle», «Genève» et «Lucerne»?
3. En Suisse, on parle quatre langues: l'allemand, le français, l'italien et le romanche (Rätoromanisch) dans le canton des Grisons (Graubünden). Quelle langue est-ce qu'on parle à Bâle, à Locarno, à Lucerne et à Genève?
4. Qui est Rodolphe Toepffer? Pour le savoir, tournez la page, s'il vous plaît.

Qui est Rodolphe Toepffer?

Un groupe de touristes mange dans le restaurant d'Adrien Carbonne à Genève.
C'est la jolie Laura qui est leur guide.

Un touriste: Qui est Rodolphe Toepffer? Pourquoi est-il célèbre?
Une touriste: Célèbre? Moi, je ne le connais pas, ce Toepffer!
Laura: Cet après-midi, nous allons visiter la vieille ville, et je vais vous montrer sa statue.
Un touriste: Est-il Suisse? Vient-il de Genève?
Laura: Oui, il vient de Genève. Il est né en 1799 quand la ville était française.
Il a inventé quelque chose qui plaît beaucoup aux jeunes. Alors, avez-vous une idée?
Une touriste: Comment pouvons-nous le savoir?

Un touriste: Il a inventé le chocolat!
Laura: La Suisse est le pays du chocolat mais je ne connais pas le chocolat «Toepffer».
Une touriste: Que fabrique-t-il? Des montres?
Laura: Non. Rodolphe Toepffer a inventé la BD. Un dernier mot: Quand Toepffer a fait ses dessins, on ne parlait pas encore de BD mais d'histoires en images.

Adrien qui apporte le dessert, un gâteau au chocolat, demande à l'oreille de Laura: «C'est toujours d'accord pour le cinéma, ce soir, après le travail?» «Oui, bien sûr!» répond-elle.

1. Ihr kennt bereits Frageformen wie *Qu'est-ce qu'il a fait?*
   Ihr kennt auch die Frage *Que fait Rodolphe Toepffer?* Hier lernt ihr die so genannte „Inversionsfrage" (Inversion = Umkehrung) kennen. Was wird denn bei dieser Frageform überhaupt umgekehrt? Sucht Beispiele heraus.
2. Zu welcher Wortart gehört das Subjekt der Fragen? Wo steht es in Bezug auf das Verb?
3. Warum wird eurer Meinung nach bei *fabrique-t-il* ein **«-t-»** eingeschoben, bei *est-il* aber nicht?
4. Formuliert die Regel für die Bildung der Inversionsfrage.

A vous. *Posez des questions sur la Suisse à vos camarades. Utilisez l'inversion.*

Exemple: vous – connaître – BD suisses? → Connaissez-vous des BD suisses?
Oui, …/Non, …/Je ne sais pas.

tu – aimer – lire – «Heidi»?

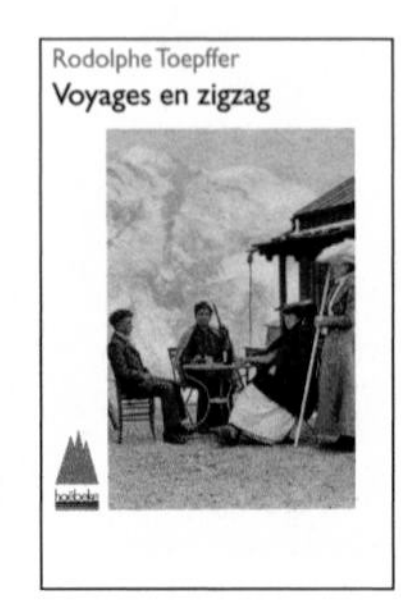

vous – faire – voyages en zigzag?

en Suisse – on – manger – beaucoup – chocolat?

comment – elle – s'appeler?

Où allons-nous cet été?

1. Les Carbonne préparent leurs vacances d'été. «Où allons-nous cet été?, demande monsieur Carbonne, moi, je vous dis tout de suite que j'aimerais aller à la montagne pour faire de l'escalade». Manon et Emma préfèrent aller à Biarritz, au bord de la mer, et madame Carbonne rêve d'un séjour en Espagne. Valentin, lui, a envie de partir sur les traces de Charlemagne parce qu'il a appris en cours d'histoire des choses intéressantes sur ce personnage qui a construit l'Europe.
«Alors, où faut-il commencer notre voyage?» demande monsieur Carbonne à son fils.
«On pourrait le commencer en Espagne», répond Valentin. «C'est là que Charlemagne a eu des problèmes avec les Sarrasins. Et puis, dans mon livre, on dit aussi qu'il a traversé les Pyrénées.»

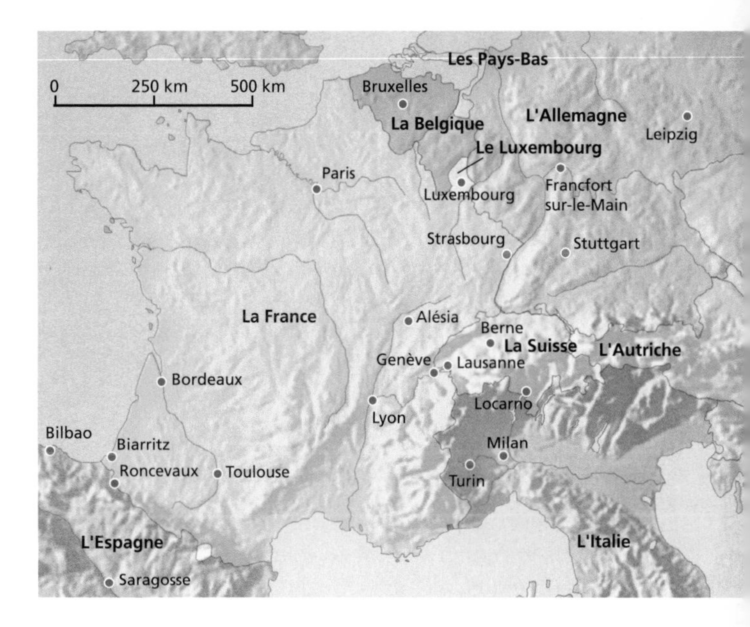

2. *Manon:* Oh! La barbe!
Valentin: T'as raison, il en avait une! Une très grande barbe!
Manon: Mais pourquoi qu'il traverse les Pyrénées?
Mme Carbonne: Comme tu parles mal, Manon! On dit: Pourquoi traverse-t-il les Pyrénées?
Valentin: Je ne sais pas. Mais les Sarrasins ont attaqué Roland, le neveu de Charlemagne, et ses hommes à Roncevaux.
Mme Carbonne: Alors, Roncevaux va être notre deuxième étape!

3. Valentin va chercher son livre d'histoire …

Charlemagne traverse les Pyrénées. Ses hommes et les chevaux montent jusqu'à Roncevaux. Ils sont très fatigués. Devant, il y a Charlemagne et, loin derrière, il y a Roland, son neveu. C'est le moment que choisissent les Sarrasins pour les attaquer. Heureusement pour eux mais malheureusement pour les Francs, les Sarrasins réussissent à tuer Roland et tous ses hommes. C'était le 15 août 778.

Manon: Mais la barbe de Charlemagne, peut-on encore la voir aujourd'hui?

Tout à coup, le téléphone sonne …

45 **4.** *Adrien Carbonne:* Bonjour, Roberto. Comment vas-tu? Toulouse te plaît toujours?
Roberto Carbonne: Beaucoup. Il faut que tu viennes nous voir.
Adrien: J'aimerais bien mais cet été, je ne peux
50 pas. Je me marie au mois d'août.
Roberto: Tu te maries? Je suis très heureux pour toi!
Adrien: Merci. La fille avec qui je me marie est une copine de classe. Elle s'appelle Laura.
55 Elle est guide à Genève. Laura et moi, nous aimerions que vous veniez à notre mariage. C'est pourquoi je te téléphone aujourd'hui.
Roberto: Ben … écoute, on avait envie d'aller en Espagne et dans les Pyrénées mais bon, on
60 va aller avec plaisir en Suisse. J'espère que la famille va être d'accord.
Adrien: Dis-le-moi vite. Il faut que je réserve les chambres d'hôtel et une salle.
Roberto: A Genève?
65 *Adrien:* Non. On veut se marier à Locarno où Laura est née. Vous verrez, c'est très beau. Vous adorerez Locarno et … Laura, bien sûr!

5. Le jour du mariage est arrivé … Après l'église, Roberto et Adrien discutent sur les
70 escaliers:
Roberto: Sur ma montre, suisse, bien sûr, il était exactement 10 heures, 5 minutes et 30 secondes quand tu as dit «oui» à Laura! 10, 5 et 30, ce sont vos chiffres porte-bonheur.
Adrien: Et aujourd'hui, jour de mon mariage, 75
nous sommes le 4 août 2006. 4, 8 et 6 et 10, 5 et 30: voilà les chiffres que je vais jouer au loto.

6. A 13 heures, les deux familles, les Carbonne et les Guazzatti, et les mariés arrivent au restaurant où Adrien a réservé une salle. «Je 80
peux t'aider?» demande Emma à son cousin. «Je te remercie. C'est sympa mais mes amis vont le faire!» Et quels amis! Adrien qui est cuisinier a invité son ami Pit qui est pâtissier à Luxembourg et Geneviève qui a un grand 85
restaurant à Bruxelles. Tous les trois ont préparé un repas que personne ne va oublier. Surtout pas Roberto: «Geneviève, Pit, il faut que je vous dise une chose: votre repas était un vrai poème!» Et Valentin chante un rap pour les 90
mariés …

7.

On voulait voir Roncevaux,
On a vu Locarno.
On voulait aller sur les traces de Charlemagne,
On a bu du champagne.
Les filles voulaient passer leurs vacances à la plage,
Et finalement, on a fêté un mariage!
Non, ce n'est pas un gag!
C'est un vrai voyage en zigzag!

1 A propos du texte

a *Copiez le tableau dans vos cahiers et complétez-le pour les parties 2, 3, 4, 5 et 6.*

Partie 1	Qui?	Où?	Quand?	Quoi?
	La famille Carbonne (M. et Mme Carbonne, Emma, Valentin et Manon)	A la maison, à Toulouse	Avant les vacances	Les Carbonne préparent les vacances d'été. Tout le monde dit où il veut aller. Valentin parle de Charlemagne et explique les étapes du voyage qu'il a envie de faire.
Partie 2				
Partie 3				
Partie 4				
...				

b *Ecrivez un rap sur vos vacances d'après le modèle du rap du texte. Utilisez l'imparfait et le passé composé.*

2 Que sais-tu sur la Suisse et sur Charlemagne? (§ 52)

Jouez en classe. L'élève A pose la question 1 à son voisin/sa voisine B. Utilisez l'inversion. L'élève B donne la (les) bonne(s) réponse(s). Après, changez de rôle.

Exemple:

Quelles villes est-ce qu'on trouve en Suisse?
→ **Quelles villes trouve-t-on en Suisse? On trouve ...**

a) **Berne** b) Bruxelles
c) Toulouse d) **Bâle**

1. Quelles langues est-ce qu'on parle en Suisse? On parle ...
   a) français b) espagnol
   c) italien d) allemand

2. Où est-ce que tu vas en Suisse pour le festival de jazz? Je vais ...
   a) à Zurich* b) à Montreux
   c) à Locarno d) à Genève

3. Qu'est-ce qu'on fabrique en Suisse? On fabrique ...
   a) des montres b) du chocolat
   c) des fromages d) des voitures

4. En quoi est-ce qu'on paie en Suisse? On paie ...
   a) en euros b) en francs suisses
   c) en marks* suisses d) en dollars* suisses

5. Comment est-ce qu'on dit «Charlemagne» en allemand? On dit ...
   a) Karl der Kahle b) Karl der Große
   c) Karloman d) Karl der Bärtige

6. A quoi est-ce qu'on pense quand on entend «Roland»? On pense à ...
   a) Locarno b) Roncevaux
   c) Bâle d) Montreux

3 En français: Vacances en zigzag

Emma écrit un e-mail à sa corres Julia qui le traduit pour son copain Philipp.

a *Traduisez l'e-mail d'Emma pour le copain de Julia.*

```
Chère Julia,

Je ne vais pas pouvoir venir chez toi à Ratisbonne*. Cet été, nous allons
aller en Suisse. Mon cousin Adrien va se marier. Il va y avoir une grande fête
à Locarno. J'espère qu'il va faire beau. C'est mon cousin Adrien qui va préparer
le repas avec deux amis. Je suis sûre que papa va encore manger trop! Et toi,
qu'est-ce que tu vas faire cet été? Où vas-tu aller? Tu vas pouvoir venir fin août?
Tu peux donner le bonjour à ta maman, s'il te plaît?

Je t'embrasse :-) :-* Emma
```

b *Voici la réponse de Julia. Emma fait l'interprète pour son copain Fabien. Aidez-la.*

```
Liebe Emma,

oh, das tut mir Leid! Ich wollte Dir unsere Stadt mit ihrem großen Marktplatz zeigen.
Naja, das nächste Mal! Apropos Heirat, heiratet Dein Vetter in der Kirche?
Meine Schwester, die Lisa, heiratet auch in diesem September in einem kleinen Dorf
bei München, da ihr Freund Paul dort Bauer ist. Philipp, mein neuer Freund,
und ich werden dort zwei Wochen im August verbringen. Ich kann vielleicht Ende
August zu Dir nach Toulouse kommen. Mal schauen! Bis bald. Grüße auch an Fabien!

Alles Liebe, Julia
```

4 Communiquer: Un coup de téléphone de Paris (§§ 1, 2, 7, 8, 49–51)

Complétez le dialogue entre Victor et Emma d'après les indications. Inventez là où c'est possible. Continuez le coup de téléphone. Utilisez les temps que vous connaissez.

Victor	Emma
– Allô? Salut, Emma, ça va?	– Allô? Oui, je vais même très bien. Et toi?
– Ça va. Merci pour ta carte de Locarno.	– (Tu sais,/hier/je/faire du bateau/lac Majeur./ Demain,/on/visiter .../et/on/faire ...)
– (Tu/où/maintenant?/Quel temps/Locarno?)	– (Moi/fêter/mariage/de .../Ici, / 27 °C
– (Comment/se passer/fête de mariage?)	– ...!/Maintenant,/nous/restaurant/famille./ Venir de manger/super menu/trois plats:/ d'abord, .../ensuite, .../comme dessert ...)
– (Hmm/tout à coup,/moi/faim!/Week-end dernier,/Rombly/canard à l'orange/et ...)	– (Comment/se passer/week-end à Rombly?/ Quels travaux?/Léa et Mathilde/aussi?/ Et/ que/Zoé/vacances?)
– (A Rombly, .../Sœurs/déjà/colonie./Zoé .../ Moi/seul/Paris./Tous les amis/déjà/partir/ à ..., à ... ou en ...)	– (Ecoute,/après/voyage en Suisse/nous/ peut-être/avec/les Chapuis/mer./Tu/envie/ venir?)

5 Ecouter: Je vous fais septante bises …

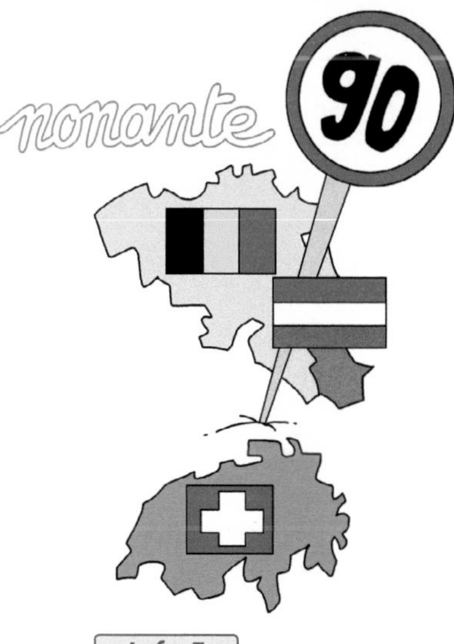

a *Après la première écoute, répondez aux questions suivantes:*

1. Avec qui est-ce qu'Emma discute?
2. D'où viennent les personnes à qui Emma pose des questions?

b *Après la deuxième/troisième écoute: Vrai ou faux? Corrigez les phrases. Complétez-les avec les informations du texte.*

1. Au Luxembourg, on parle trois langues.
2. Au Luxembourg, on parle l'espagnol, le luxembourgeois* et l'allemand.
3. En Belgique, on parle deux langues.
4. En Belgique, on parle: le belge, le français et le flamand*.
5. En Suisse, on parle quatre langues.
6. A Locarno, on parle l'allemand.
7. A Genève, on parle l'allemand.
8. On dit «huitante*» pour quatre-vingts en Belgique et en Italie.
9. Pour dire «nonante», les Français disent «huitante».

Info F

Dans le canton des Grisons, on parle encore le romanche. Le romanche est aussi une langue romane comme le français et l'italien, mais beaucoup plus rare.

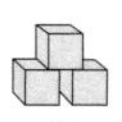

6 Jeu de mots: Les voisins des Français

a *Copiez le filet à mots dans vos cahiers et complétez-le.*

b *Ecrivez, avec le filet à mots, un petit article pour un guide de tourisme (Touristenführer) et parlez de la Suisse et des activités pour les touristes.*

c *Faites deux groupes et regardez sur Internet. Un groupe cherche des informations sur le Luxembourg, l'autre sur la Belgique. Chaque groupe fait une affiche pour la salle de français. Pensez aussi à préparer un filet à mots pour «votre» pays.*

7 Encore des questions avant le mariage
(§§ 28, 29, 52)

Complétez les réponses d' Adrien.
Utilisez les expressions et un pronom.
Choisissez vos expressions préférées.

venir de faire qc / être en train de faire qc / aller faire qc / vouloir faire qc / aimer faire qc / préférer faire qc / avoir envie de faire qc / pouvoir faire qc / réussir à faire qc / continuer à faire qc / demander à qn de faire qc

Exemple:
– As-tu dit **à tout le monde** que le mariage commence à 10 heures? – Oui, **je viens de le dire à tout le monde.**

1. – Appelle **tes parents** pour leur dire qu'on les attend à la gare. – Oui, ce soir …
2. – Veux-tu voir **ma robe blanche**? – Non, … avant le mariage.
3. – Tu n'as pas envie de préparer **la salle** maintenant? – Non, maintenant, …
4. – As-tu expliqué aux Carbonne **où se trouve l'hôtel**? – Oui, …
5. – Ne peux-tu pas dire **à Pit et à Geneviève** qu'ils arrivent plus tôt*? – Non, …
6. – Pourquoi est-ce que tu ne veux pas **que tes cousins et cousines t'aident**? – … parce qu'ils ne viennent pas à Locarno pour travailler.
7. – Est-ce que tu as déjà acheté **des cartes**? – Non, pas encore. Demain, …
8. – Je déteste organiser **les grandes fêtes**. – Pas moi, mon amour! Je/J' … Allez, embrasse ton cuisinier.

8 Lire: Vercingétorix* contre Jules César*

Après Locarno, les Carbonne visitent Alésia*, en Bourgogne* où les Romains* ont battu les Gaulois*. Valentin lit un petit texte dans son livre d'histoire.

En 52 avant J.-C.*, rien ne va plus entre les Gaulois et les Romains. Vercingétorix conduit les armées* gauloises* et Jules César conduit les armées romaines*. Les Romains attaquent Vercingétorix et ses hommes à (5) Alésia, en Bourgogne. Plus personne n'entre ou ne sort d'Alésia. Très vite, Vercingétorix et ses hommes n'ont plus rien à manger. Vercingétorix doit capituler*. Toute la Gaule* (10) devient romaine.

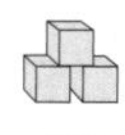

A vous. *Présentez ce texte en français. Regardez la stratégie p. 64.*
Copiez ce tableau dans votre cahier. Ecrivez des mots-clés dans le tableau.
Pour présenter votre texte, utilisez vos propres mots (eigenen Worte).

Quel texte?	Quel endroit*?	Quel temps?	Quels personnages?	Quelles actions?
…	…	…	…	…

9 Des situations différentes

on dit...

Überraschung

C'est génial / super / très intéressant ...!
Ça alors!
Quelle (bonne / mauvaise) surprise!
Tiens / Tenez*!
La vache*! (fam.)
Ah bon?
Mon Dieu!
Tu es / Vous êtes sûr(s) / sûre(s)?
Je ne te / vous crois pas!
Ce n'est pas possible!

Erlaubnis/Versprechen

Pourrais-je ...? / Ne pourrait-on pas ...?
Serait-ce possible (de ...)?
Tu es / Vous êtes d'accord?
J'espère que tu n'as / vous n'avez rien contre!
Ça te / vous va?

Tu peux / Vous pouvez compter sur moi!

Wahrscheinlichkeit

J'espère que c'est possible.
On va voir ...
C'est possible.
Pourquoi pas!?

Gleichgültigkeit

Bof!
Ça m'est égal*!
Je m'en fous*! (fam.)
Et alors?
La barbe! (fam.)

A vous.

a *Travaillez à deux. Choisissez une des situations suivantes et écrivez un dialogue. Utilisez aussi des expressions du tableau.*

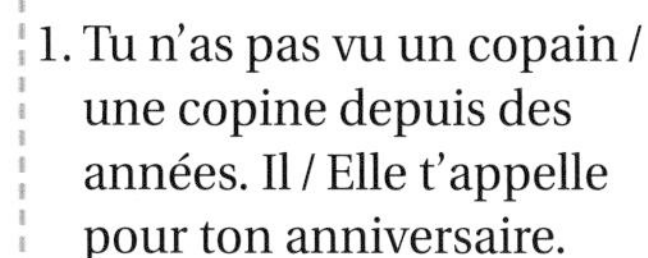

1. Tu n'as pas vu un copain / une copine depuis des années. Il / Elle t'appelle pour ton anniversaire.

2. Ton/Ta correspondant /e français /e te téléphone le 31 juillet pour t'inviter à passer une semaine au mois d'août chez lui / elle.

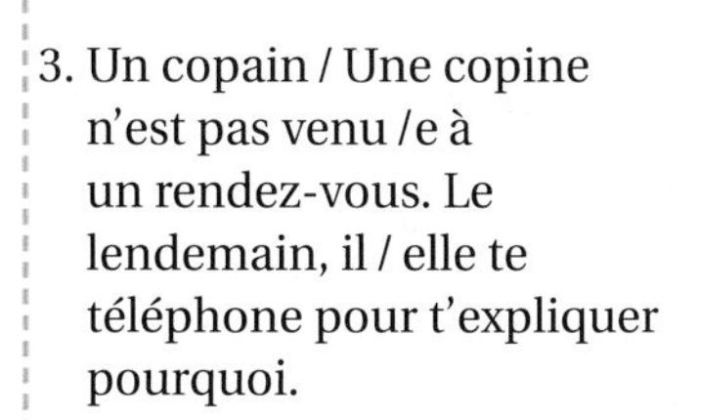

3. Un copain / Une copine n'est pas venu /e à un rendez-vous. Le lendemain, il / elle te téléphone pour t'expliquer pourquoi.

4. Tu demandes à la mère de ton / ta corres(-pondant/e) si vous pouvez aller à la fête d'un copain / d'une copine. Vous voulez être à la maison à 22 heures.

b *Jouez les scènes et les situations.*

10 Kreatives Schreiben: Eine Fabel schreiben

Stratégie

Rezept für eine Fabel:

Man nehme:
- mindestens zwei Tiere,
  - die wie Menschen sprechen und handeln können
  - und die bestimmte Charaktermerkmale aufweisen,
- einen Konflikt zwischen den Tieren,
- eine in sich logische Handlung,
- eine Moral / Lehre, die aus dem Konflikt gezogen wird und zum Schluss vermittelt werden soll.

1. Hier ist eine euch vielleicht bekannte Fabel von Jean de La Fontaine* (1621–1695), «Le corbeau* et le renard*», bildlich dargestellt. Beim Verfassen einer eigenen Fabel kann es euch neben den oben genannten Hinweisen helfen, weitere Ideen und Einfälle zu sammeln und diese in einem Cluster festzuhalten und zu sortieren:

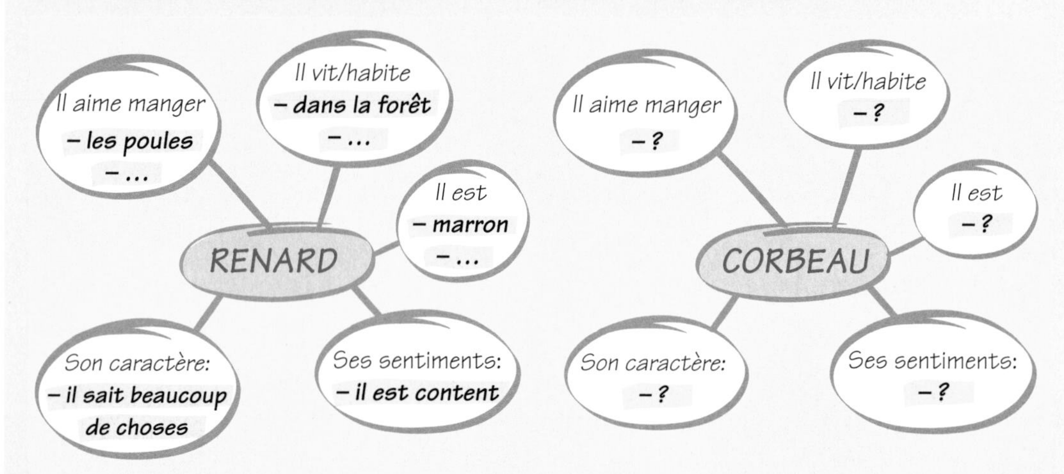

2. Ergänzt die Vorgaben im linken und im rechten Cluster.

3. Schreibt nun zu der Bildvorlage mithilfe eurer gesammelten Ideen und passend zum „Rezept" eine Fabel. Weitere Hilfen zum Erarbeiten eures Fabeltextes findet ihr auf den Seiten 15, 28, 31–32, 42, 115, 117, 127.

4. Falls ihr wirklich nicht weiter kommen solltet, hilft euch sicherlich der Text auf S. 204, den ihr dann allerdings so umschreiben müsst, dass er zeitgemäß ist – wie eine moderne Fabel.

5. Die Reimform ist eine besondere Variante der Fabel. Wenn ihr in Reimen schreiben wollt, solltet ihr euch vorab auch Reimwörter zu beiden Tieren überlegen; z. B.: «le corbeau» → «beau».

L'éléphant et la souris

Par une belle nuit d'été
Un éléphant et une souris étaient nés.
A Bambou, l'enfant éléphant,
Les parents ont dit qu'un jour, il serait
très beau et très grand.
Le père et la mère de Firifi
Ont répété à la petite souris:
Fais attention,
Tous les animaux ne sont pas bons!
Choisis bien tes amis,
Ils doivent être plutôt gris et petits …
Pourtant, Bambou et Firifi
Ont commencé à être des amis
Et … tous les deux étaient gris –
Le paradis!
Jusqu'à un moment dans l'année,
Où ils se sont disputés.
En colère, Bambou a levé son pied
Et la terre a tremblé.
En panique, Firifi s'est d'abord cachée,
Puis, elle a crié:
Non! Arrête, Bambou, veux-tu me tuer?
Est-ce que tu oublies qu'on s'est toujours
amusés?
Là, Bambou a tout de suite compris:
Il ne voulait pas perdre sa meilleure amie
Firifi, la petite souris!
D'abord, il a commencé à pleurer,
Puis il l'a embrassée.
Comment il a fait
Ça reste un secret!

Moralité:
Même si on est très différent
Et si on se dispute par moments,
On peut être et rester amis
Comme Bambou et Firifi.

Birgit Bruckmayer

a *Lisez la fable.*
b *Faites un dessin sur chaque partie de la fable et trouvez une phrase de résumé.*
c *Avez-vous déjà eu une dispute (Streit) avec un copain/une copine?*
Etes-vous encore ami(e)s? Racontez.

■ **Savoir faire**

→ Stratégie, page 128.

1. *Choisissez une des deux images. Faites un filet à mots comme à la page 128.*
2. *Posez-vous les questions: Quels animaux? Que mangent-ils? Où habitent-ils? Que font-ils?*
3. *Ecrivez ensuite une fable. Présentez-la à la classe.*

Amélie et Jonathan font de la spéléo[1].

Amélie dit toujours qu'elle est plus vieille que moi. Tu parles[2]! Tout ça parce qu'elle est née dix minutes avant moi. Mais 5 moi, je suis plus grand qu'elle. A treize ans, je fais déjà 1 mètre 76. Elle, c'est une vraie naine[3], avec ses 1 mètre 72! Mais bon, j'adore ma sœur! On fait tout 10 ensemble. Même nos devoirs.

Alors, Amélie et moi, nous étions[4] au mois de juillet en vacances dans les Pyrénées, avec nos parents. Nos parents 15 sont relativement sympas. Ils ne sont pas tout le temps sur notre dos[5]. Ils ne nous disent pas: «Faut faire ci! Faut pas faire ça!» Non. Alors on aime bien les accompagner. Mais là, après 20 huit jours avec nos parents, Amélie et moi, on en avait un peu assez des chalets, des petits chemins dans la montagne et des pique-niques. Un jour, on a découvert à l'office de tourisme d'Argelès-Gazost qu'il y avait une activité 25 «spéléologie» pour débutants[6]. On a eu envie de goûter à ce sport. Au début, les parents n'étaient pas bien d'accord parce qu'ils trouvaient que c'était dangereux et que ça coûtait cher. Alors, Amélie a expliqué à maman que les premières 30 sorties n'étaient pas difficiles. Et moi, j'ai dit à mon père, d'homme à homme: «La spéléo, c'est cher, c'est vrai. Alors, tu ne me donnes plus d'argent de poche[7] pendant une année pour payer la spéléo. C'est mieux que les jeux vidéo». 35 Nos parents ont trouvé nos arguments très cool. Ils ont alors dit «oui». Et c'est là que l'aventure a commencé …

Ce matin-là, nous étions un petit groupe de dix personnes. Nous étions prêts à partir. Il y avait 40 le moniteur[8], bien sûr, Amélie, moi et puis sept jeunes de notre âge. On nous a demandé, en plein été[9], de prendre des vêtements chauds parce que sous terre, il fait toute l'année entre 10 et 13 degrés. Je ne vous dis pas comme les sacs à dos étaient lourds[10]! J'ai même demandé 45 à Amélie de porter mon sac mais c'était pour rire. Mais après, c'est Amélie qui m'a donné son sac … que j'ai porté parce que je suis trop cool et plus grand qu'elle! Mais pour revenir à mon histoire, je voudrais vous dire que les sacs 50 étaient lourds mais que ça m'était égal. On avait tellement envie de descendre sous terre pour découvrir une nature que nous ne connaissions pas encore.

Nous avons marché une bonne heure et demie 55 avant d'arriver à la grotte qui se trouve dans le Parc national des Pyrénées, pas très loin des «Eaux-Chaudes[11]». Dans le groupe, on rigolait tout le temps. Il faisait lourd et le temps était à l'orage. Mais d'après le moniteur, la 60 météo annonçait du beau temps pour toute la journée. Devant la grotte, on a bu, on a mangé et on a écouté une fois de plus les conseils[12] du moniteur: «Faites attention à ces trois règles: Mettez vos casques, n'entrez jamais seul dans la 65 grotte et respectez-la.» En plus, il répétait tout le temps: «Quand on est prudent, la spéléo, ce n'est pas dangereux.» Ok! Mais on peut dire ça pour tout, non? Bon. Ensuite, on a mis nos vêtements chauds et on est entré dans la grotte … 70

On a avancé jusqu'à un puits[13], et là, on est descendu de trois, quatre mètres. C'était facile parce qu'il y avait des grosses cordes pour nous aider. Enfin, on est arrivé dans la grotte. Amélie portait comme tout le monde un casque avec une lampe. Elle était vraiment drôle. Je l'ai dit à Amélie. Elle m'a répondu: «Tu es bête! Tu ne t'es pas regardé, toi!» Ce qu'on[14] a vu dans la grotte était … «vrai», si vous voyez ce que je veux dire. Personne ne parlait. Tout le monde admirait. Tout à coup, on a entendu au loin un grand bruit. Le moniteur a dit que c'était l'orage et qu'il ne fallait pas avoir peur.

Nous, on était bien, sous terre. Ici, il n'y avait pas d'éclairs, pas de tonnerre et il ne pleuvait pas. On avait quand même[15] tous un peu peur. Même le moniteur avait l'air bizarre. Amélie lui a alors demandé: «T'as peur de l'orage, Manu?» Il a mis du temps à répondre! Il écoutait le bruit du tonnerre et il réfléchissait. Tout à coup, il a crié: «Il y a un autre puits. Il faut descendre. Vite! Restez bien ensemble!» On voulait savoir pourquoi mais il ne répondait pas à nos questions. Il nous a attachés, comme pour faire de l'escalade. On est entré dans le puits. Nous avions froid. Nous ne comprenions pas ce que Manu avait en tête. Mais on se disait qu'il savait ce qu'il faisait. Et puis, «la spéléo, ce n'est pas dangereux …».

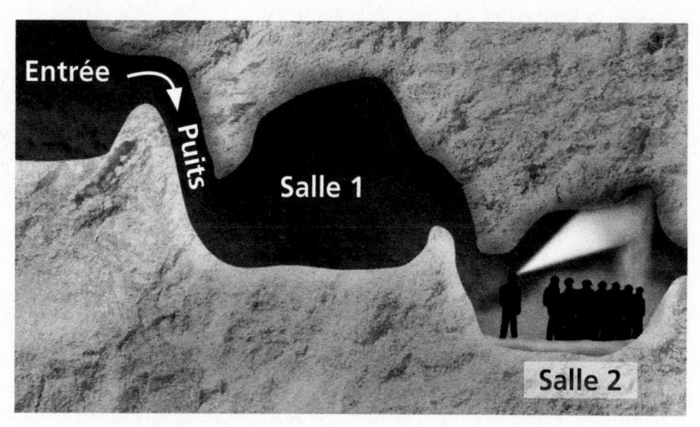

On avançait difficilement dans le puits parce qu'il ne faisait que 1 mètre 60 de haut[16]. C'était plus facile pour Amélie que pour moi! Manu nous répétait tout le temps: «Vite! Vite!» Alors, on a commencé à courir. C'était la panique. Tout à coup, Manu a crié: «Ça y est[17]! On est arrivé.» Nous étions dans une autre salle. On n'a pas eu le temps de poser des questions: une cascade[18] arrivait au-dessus de nos têtes. Et à nos pieds, l'eau montait déjà. «Et ben, c'était moins une[19], dit Manu! Cette fois, l'orage était très fort. Il a beaucoup plu et ça pouvait devenir dangereux. Et maintenant, vous allez comprendre la règle numéro quatre: Dans une grotte, il ne faut jamais monter contre l'eau. Il faut toujours descendre.» Heureusement, à l'office de tourisme, ils savaient où nous étions. Quand nous sommes sortis de la grotte, les pompiers[20] étaient déjà là …

Léo Koesten

A vous.

a *Qu'est-ce que nous apprenons sur la famille d'Amélie et Jonathan?*

b *Qu'est-ce que c'est, la «spéléologie», d'après le texte? Expliquez.*

c *Expliquez pourquoi la sortie est devenue dangereuse.*

d *Est-ce que vous avez déjà vécu une situation dangereuse? Racontez.*

---

1 la spéléo(logie) [laspeleo(loʒi)] die (Hobby-)Höhlenforschung – **2 Tu parles!** [typaʀl] (hier:) Von wegen! – **3 un(e) nain(e)** [ɛ̃nɛ̃/ynɛn] ein(e) Zwerg(in) – **4 nous étions** [nuetjõ] wir waren; *Imparfait: -ais, -ais, -ait, -ions, -iez, -aient* – **5 sur notre dos** [syʀnɔtʀədo] hinter uns her – **6 un(e) débutant(e)** [ɛ̃debytɑ̃/yndebytɑ̃nt] ein(e) Anfänger(in) – **7 l'argent de poche** [laʀʒɑ̃dəpɔʃ] das Taschengeld – **8 le moniteur** [ləmonitœʀ] der Betreuer – **9 en plein été** [ɑ̃plɛnete] im Hochsommer – **10 lourd** [luʀ] schwer, schwül – **11 Les Eaux-Chaudes** [lezoʃod] Kurort in den Pyrenäen – **12 un conseil** [ɛ̃kõsɛj] ein Ratschlag – **13 le puits** [ləpɥi] der Schacht – **14 ce qu'on** [səkõ] was man – **15 quand même** [kɑ̃mɛm] trotzdem – **16 un mètre de haut** [ɛ̃mɛtʀədəo] ein Meter hoch – **17 Ça y est!** [sajɛ] Es ist soweit! – **18 une cascade** [ynkaskad] ein Wasserfall – **19 C'était moins une!** [setɛmwɛ̃yn] Es war fünf vor zwölf! – **20 les pompiers** [lepõmpje] die Feuerwehrleute

1 Qui est-ce qui sait encore ...? (§ 42)

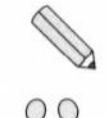

a *Posez des questions à vos camarades. Utilisez le présent ou le passé composé. Vos camarades cherchent la réponse. Ils peuvent utiliser le livre.*

Exemple: Qui est-ce qui a écrit des romans policiers? → C'est Georges Simenon.

Qui est-ce qui ...		rencontrer	des romans policiers?
		transporter	visiter à la Villette?
Qu'est-ce qui ...		pouvoir	un paquet à Emma?
	on	envoyer	chez Airbus?
Qui est-ce que ...	Cécile et Fabien	faire	un exposé sur les araignées?
		fabriquer	pour l'anniversaire de leur maman?
Qu'est-ce que ...	Mme Chapuis	préparer	Fabien à l'hôpital?
	M. Philibert	écrire	au collège Guillaumet?
	Emma	inviter	pour la première fois devant le stade?

b *Inventez d'autres questions d'après le modèle.*

2 Le pique-nique de Jonathan et Amélie (§§ 1, 2, 7, 8, 49-51)

[ ]

a *Regardez les images et racontez l'histoire au passé composé ou à l'imparfait. Utilisez les mots-clés.*

En juillet/Ce jour-là/ Depuis 2 heures, ...	D'abord/Puis/Ensuite/ Comme toujours, ...	A deux heures/ Pendant que ...	Tout à coup/Alors, ...

b *Inventez la fin de l'histoire.*

3 Le petit homme vert (→ L7B, ex. 4, p. 100)

45

a *Lisez le «On-dit», page 100, et le texte, p. 204.*

b *Ecoutez la chanson «Contact» et regardez ce dessin.*

c *Imaginez et écrivez un sketch entre l'homme et le médecin.*

d *Jouez la scène devant la classe.*

Lautzeichen

Vokale

[a]	ma**dame**; wie das deutsche *a*.
[e]	caf**é**, man**ger**, regar**dez**; geschlossenes *e*, etwa wie in *geben*.
[ɛ]	il **fait**, il **est**, **mer**ci; offenes *ä*, etwa wie in *Ärger*.
[i]	**il**, dess**in**er; geschlossener als das deutsche *i*, Lippen stark spreizen; etwa wie in *Liebe*.
[o]	pho**to**, all**ô**, **au**ssi; geschlossenes *o*, wie in *Rose*.
[ɔ]	l'é**co**le, a**lo**rs, co**l**lège; offenes *o*, offener als in *Loch*.
[ø]	**deux**, monsi**eur**; geschlossenes *ö*, etwa wie in *böse*.
[œ]	s**œur**, n**euf**, h**eur**e; offenes *ö*, bei kurzem Vokal etwa wie in *Röcke*.
[ə]	**le**, **de**main; der Laut liegt zwischen [œ] und [ø], näher bei [œ], etwa wie in *Farbe*.
[u]	**où**, bon**jour**; geschlossenes *u*, etwa wie in *Ufer*.
[y]	**tu**, **rue**, sa**lut**; geschlossenes *ü*, etwa wie in *Tüte*.

Nasalvokale

[ɛ̃]	**un**, chi**en**, **lun**di, cop**ain**; nasales [ɛ]
[õ]	**on**, **sont**, **nom**; nasales [o]
[ɑ̃]	**dans**, ch**am**bre, je pr**ends**; nasales [ɑ]

Die Nasalvokale haben im Deutschen keine Entsprechung.
Beachte: *un, lundi:* Neben [ɛ̃] hört man in Frankreich auch [œ̃] = nasales [œ].

Konsonanten

[f]	**f**rère, **ph**oto; wie das deutsche *f* in *falsch*.
[v]	de**v**ant, il arri**v**e; wie das deutsche *w* in *werden*.
[s]	**s**œur, **c**'est, **ç**a, re**s**ter, atten**t**ion; stimmloses *s*, wie in *Los*; als Anlaut vor Vokal ist *s* immer stimmlos.
[z]	phra**s**e, mai**s**on, il**s**‿arrivent, **z**éro; stimmhaftes *s*, wie in *Esel*; zwischen zwei Vokalen ist *s* stimmhaft.
[ʃ]	je **ch**er**ch**e; stimmloses *sch*, wie in *schön*.
[ʒ]	**j**e, bon**j**our, éta**g**e; stimmhaft wie *j* in *Journalist*.
[ɲ]	campa**gn**e; klingt *nj* wie das *gn* in *Kognak*.
[ŋ]	in Wörtern aus dem Englischen, z. B. camping.
[ʀ]	**r**egarder; Zäpfchen-Reibelaut; wird auch am Wortende und vor Konsonant deutlich ausgesprochen.

Die nicht erwähnten Konsonanten sind den deutschen sehr ähnlich. Bei [p], [b], [t], [d], [k], [g] ist jedoch darauf zu achten, dass sie ohne „Hauchlaut" gesprochen werden.

Halbkonsonanten

[j]	quar**ti**er; weicher als das deutsche *j* in *ja*.
[w]	**ou**i, **t**oi; flüchtiger [u]-Laut, gehört zum folgenden Vokal.
[ɥ]	**cu**isine, je **su**is, **hu**it; flüchtiger [y]-Laut, gehört zum folgenden Vokal.

Symbole und Abkürzungen

D	Deutsch	→	Vergleiche mit …
F	Französisch	↔	Achte auf den Unterschied zwischen
E	Englisch	=	bedeutet
I	Italienisch	≠	Ist das Gegenteil von
SP	Spanisch	*m.*	*masculin* (= maskulin)
	Vokabelnetz	*f.*	*féminin* (= feminin)
	Wortfamilie	*pl.*	*pluriel* (= Plural)
	Schreibung	*sg.*	*singulier* (= Singular)
	Aussprache	qc	*quelque chose* (= etwas)
!	Achtung!	qn	*quelqu'un* (= jemand)
	leicht zu merken	jd.	jemand
fam.	*familier* (= umgangssprachlich)	jdn.	jemanden
ugs.	umgangssprachlich	jdm.	jemandem

Zu Beginn jeder *Leçon* steht ein **Tipp zum Vokabellernen**. Probiere ihn aus: Hilft er dir beim Lernen und Behalten der Wörter?

Die neuen Wörter in den ⟨**Album**⟩-Teilen werden in den folgenden Lektionen nicht als bekannt vorausgesetzt. Sie erscheinen in Band 2 nicht mehr im lektionsbegleitenden Vokabular.

Du kannst sie aber in der **alphabetischen *Liste des mots*** am Ende des Buches nachschlagen.
Die neuen Wörter der ⟨**Plateau**⟩-Seiten werden ebenfalls nicht als bekannt vorausgesetzt. Sie werden auf den ⟨Plateau⟩-Seiten in **Fußnoten** erklärt.
In der Übersicht ***Pour faire les exercices de ce livre*** findest du die Vokabeln der Arbeitsanweisungen.

LEÇON 1

TIPP **Sprich** neue Vokabeln laut aus und **schreibe** sie auf. Mündlich + schriftlich = 2 Lernchancen!

Entrée J'aime Paris.

un **parc** [ɛ̃paʀk]		ein Park
la Villette [lavilɛt]		la Villette *(Stadtviertel im Nordwesten von Paris)*
le **Parc de la Villette** [ləpaʀkdəlavilɛt]		der Parc de La Villette *(große Parkanlage)*
une **découverte** [yndekuvɛʀt]		eine Entdeckung
hier [jɛʀ]	~, aujourd'hui, demain	gestern
un **matin** [ɛ̃matɛ̃]		ein Morgen
le matin [ləmatɛ̃]	≠ le soir	morgens
une **étoile** [ynetwal]	Au planétarium, on peut regarder les ~[1].	ein Stern
un **planétarium** [ɛ̃planetaʀjɔm]	→ un **album** [ɛ̃nalbɔm]	ein Planetarium
un **poisson** [ɛ̃pwasɔ̃]	~, c'est un animal.	ein Fisch
un **aquarium** [ɛ̃nakvaʀjɔm]	→ un **planétarium** [ɛ̃planetaʀjɔm]	ein Aquarium
Atlantis [atlɑ̃tis]		Atlantis *(hier) (Filmtitel)*
la **Géode** [laʒeɔd]		die Géode *(großes Kino)*
chéri *(m.)*/(chérie) *(f.)* [ʃeʀi]		Liebling
le **dos** [lədo]		der Rücken
un **sac à dos** [ɛ̃sakado]		ein Rucksack
un **vestiaire** [ɛ̃vɛstjɛʀ]		eine Garderobe
même [mɛm]	Elle est jolie, ~ très jolie.	sogar
un **sous-marin** [ɛ̃sumaʀɛ̃]	~ va sous l'eau.	ein Unterseeboot/U-Boot
l'Argonaute [laʀgɔnot]		die Argonaut *(frz. U-Boot)*
comme ça [kɔmsa]		so/auf diese Weise
embrasser qn [ɑ̃bʀase]		jdn. küssen/umarmen
Je t'embrasse. [ʒətɑ̃mbʀas]		Ich küsse/umarme dich. *(Grußformel in einem Brief an gute Freunde)*

[1] étoiles

Texte Quitter Paris ?

1	**mettre qc** [mɛtʀ]	On ~[1] les sacs à dos au vestiaire.	etw. legen/setzen/stellen; etw. anziehen

mettre: je mets, tu mets, il met, nous mettons, vous mettez, ils mettent. *Passé composé:* j'ai **mis**

	mettre la table [mɛtʀlatabl]		den Tisch decken
	passer qc *(une journée)* [pase]	Hier, nous ~[2] une journée super!	*(hier)* etw. verbringen *(einen Tag)*
	le **temps** [lətɑ̃]		*(hier)* das Wetter
	dormir [dɔʀmiʀ]		schlafen

dormir: je dors, tu dors, il/elle/on dort, nous dorm**ons**, vous dorm**ez**, ils/elles dorm**ent**. *Passé composé:* j'ai **dormi**

	un **mécanicien**/une **mécanicienne** [ɛ̃mekanisjɛ̃/ynmekanisjɛn]	Le métier de M. Carbonne, c'est ~[3].	ein Mechaniker/eine Mechanikerin
	Airbus [ɛʀbys]		Airbus *(europäischer Flugzeughersteller)*
	un **avion** [ɛ̃navjɔ̃]	Chez Airbus, on fait des ~.	ein Flugzeug
	Toulouse [tuluz]		Toulouse *(Stadt in Südwestfrankreich)*
2	**déménager** [demenaʒe]	Un autre appartement? Non! Emma ne veut pas ~.	umziehen

déménager wird konjugiert wie **manger**:
je déménage, nous déménag**e**ons; *Passé composé:* j'ai déménagé

	ne ... pas non plus [nə...panɔ̃ply]	Manon ~ veut ~ déménager.	auch nicht
	partir [paʀtiʀ]	le dé**part**	weggehen/abfahren

partir: je pars, tu pars, il part, nous part**ons**, vous part**ez**, ils part**ent**

	un **jardin** [ɛ̃ʒaʀdɛ̃]		ein Garten
	ne ... pas encore [nə...pazɑ̃kɔʀ]	M. Carbonne ~ a ~ trouvé d'appartement.	noch nicht
	un **camping-car** [ɛ̃kɑ̃piŋkaʀ]		ein Wohnmobil
	là-bas [laba]	≠ ici	dort(hin)/da(hin)
3	**froid/froide** [fʀwa/fʀwad]	«Brrr! L'eau est trop ~[4]!»	kalt
	j'ai froid [ʒefʀwa]	! F **j'ai ...** ⟷ D mir **ist ...**	mir ist kalt
	une **capitale** [ynkapital]		eine Hauptstadt
	un **musée** [ɛ̃myze]		ein Museum

1 met – 2 avons passé – 3 mécanicien
4 froide

sortir (de qc) [sɔʀtiʀ]	≠ entrer (dans)	(aus etw.) hinausgehen/-fahren; ausgehen

sortir: je sors, tu sors, il sort, nous sortons, vous sortez, ils sortent

quand [kɑ̃]		wenn, als *(zeitlich)*
chaud/chaude [ʃo/ʃod]	≠ froid/froide	warm, heiß
il fait chaud [ilfɛʃo]	≠ il fait froid	es ist warm/heiß
il fait beau [ilfɛbo]	! F il **fait** … ⟷ D es **ist** …	es ist schönes Wetter
un **degré** [ɛ̃dəgʀe]	→ E **degree**	ein Grad
il fait trente degrés [ilfɛtʀɑ̃tdəgʀe]		es sind 30 Grad
le **soleil** [ləsɔlɛj]		die Sonne
il y a du soleil		es ist sonnig
pleuvoir [pløvwaʀ]	Il ne fait pas beau aujourd'hui, il ~[1]!	regnen

pleuvoir tritt nur in Verbindung mit dem unpersönlichen **il** auf, z. B. **il pleut** [ilplø] – es regnet, **il a plu** [ilaply] – es hat geregnet.

l'Italie *(f.)* [litali]		Italien
ne … pas du tout [nə…padytu]	Je ~ aime ~ l'hiver, il fait trop froid!	überhaupt nicht
en France [ɑ̃fʀɑ̃s]		in Frankreich
voir qc [vwaʀ]	→ au re**voir**	etw. sehen

voir: je vois, tu vois, il voit, nous voyons, vous voyez, ils voient; j'ai **vu**

changer de qc [ʃɑ̃ʒedə]	→ changer **de** train	etw. wechseln
4 une **région** [ynʀeʒjõ]		eine Region
une **montagne** [ynmõtaɲ]		ein Berg/ein Gebirge
loin [lwɛ̃]		weit
le **ski** [ləski]	En hiver, on peut faire ~[2].	das Skifahren
adorer qc [adɔʀe]	Valentin ~[3] **les** avions.	etw. sehr gern mögen
venir [vəniʀ]		kommen

venir: je viens, tu viens, il vient, nous venons, vous venez, ils viennent

les **vacances** *(f.) (pl.)* [levakɑ̃s]	~, ce sont les jours et semaines où nous n'avons pas école!	die Ferien/der Urlaub
signer qc [siɲe]		etw. unterschreiben
revenir [ʀəvəniʀ]	On va au musée et on ~[4] dans 4 heures.	zurückkommen
Noël *(m.)* [nɔɛl]		Weihnachten

[1] pleut – [2] du ski – [3] adore – [4] revient

Pratique

	un **résumé** [ɛ̃ʀezyme]		eine Zusammenfassung
1	**imaginer qc** [imaʒine]	une image	sich etw. (aus)denken
	un **argument** [ɛ̃naʀgymɑ̃]		ein Argument
2	un **vélo** [ɛ̃velo]		ein Fahrrad
	Roberto [ʀɔbɛʀto]		Roberto *(männl. Vorname)*
	le **boulevard** [ləbulvaʀ]		ein Boulevard
	le **jardin du Luxembourg** [ləʒaʀdɛ̃dylyksɑ̃buʀ]		der Jardin du Luxembourg *(Park in Paris)*
	le **boulevard St-Michel** [ləbulvaʀsɛ̃miʃɛl]		der Boulevard St-Michel *(Boulevard in Paris)*
	une **Porsche** [ynpɔʀʃ]		ein Porsche

Automarken sind im Französischen weiblich.
Man sagt also: **une** Renault, **une** Toyota …

	rentrer [ʀɑ̃tʀe]	A quelle heure tu ~[1] ce soir?	heimgehen/heimkommen
	le **café** [ləkafe]		der Kaffee
	un **café** [ɛ̃kafe]	On va au ~ boire un café?	ein Café

Ein **Café** ist in Frankreich ein Lokal, in dem man etwas trinken und eine Kleinigkeit essen kann. Meistens gibt es auch eine Straßenterrasse. Dem deutschen Café mit Torten und Kuchen entspricht in Frankreich eher der *Salon de thé.*

5	**Sylvie** [silvi]		Sylvie *(weibl. Vorname)*
	Alain [alɛ̃]		Alain *(männl. Vorname)*
	arrêter (de faire qc) [aʀɛte]	Emma, ~[2] crier!	aufhören (etw. zu tun)
6	**classer qc** [klase]	la classe	etw. einordnen
7	le **Musée d'Orsay** [ləmyzedɔʀsɛ]		das Musée d'Orsay *(Museum in Paris)*
	les **gens** *(m., pl.)* [leʒɑ̃]	Il y a beaucoup de ~[3] dans la rue.	die Leute
	l'**Institut du Monde Arabe** [lɛ̃stitydymɔ̃daʀab]		das Institut du Monde Arabe *(Museum zur arabischen Kultur)*
	Montmartre *(m.)* [mɔ̃maʀtʀ]		Montmartre *(Stadtviertel in Paris)*
	la **fin** [lafɛ̃]		das Ende/der Schluss
	à la fin [alafɛ̃]	~ du livre, il y a une liste des mots.	schließlich, am Ende
8	**italien/italienne** [italjɛ̃/italjɛn]	l'Italie *(f.)*	italienisch
9	la **météo** [lameteo]		die Wettervorhersage
	un **nuage** [ɛ̃nyaʒ]		eine Wolke
	la **température** [latɑ̃peʀatyʀ]		die Temperatur
10	un **parapluie** [ɛ̃paʀaplɥi]	Prends ton ~ il va pleuvoir!	ein Regenschirm

[1] rentres – [2] arrête de – [3] gens

En France

Sehenswürdigkeiten in Paris

Der **Parc de la Villette** im Nordosten von Paris ist ein großer Kultur- und Erlebnispark mit vielen verschiedenen Einrichtungen:
- In der *Cité des Sciences et de l'Industrie* kann man sich über nahezu alle Wissengebiete informieren.
- Die *Géode* ist ein Kino mit verstellbaren Sitzen und einer riesigen Leinwand in Form einer Halbkugel.
- Das Unterseeboot *Argonaute* hat auf seinen Fahrten schon zehnmal die Erde umkreist und kann hier von innen besichtigt werden.
- Im *Planétarium* kann man eine Darstellung des Sternenhimmels betrachten.
- Die *Cité de la Musique* beherbergt eine Hochschule für Musik und Tanz, einen großen Konzertsaal und ein Museum.

Das **Musée d'Orsay** ist auf die Kunst des 19. Jahrhunderts spezialisiert. Das Museum liegt direkt an der Seine und ist in einem ehemaligen Bahnhofsgebäude untergebracht.
Das **Centre Georges Pompidou** ist ein modernes Kunst- und Kulturzentrum. Auf dem Vorplatz unterhalten Artisten, Clowns und Musiker die Besucher.
Das **Institut du Monde Arabe** informiert über die Kunst und Kultur der arabischen Länder. Seine ungewöhnliche Architektur ist weltbekannt. Von der Dachterrasse hat man einen großartigen Blick auf die Kirche *Notre Dame*.
Das ehemalige Künstlerviertel **Montmartre** liegt auf einem Hügel. Bei Touristen sehr beliebt ist die Kirche *Sacré-Cœur* und die *Place du Tertre* mit ihren vielen Kunstmalern.

LEÇON 2

TIPP Schreibe die schwierigen Vokabeln auf **Kärtchen** oder Zettel. Vorderseite: Französisch. Rückseite: Deutsch. Hefte sie an eine gut sichtbare Stelle, z. B. über dem Bett.

Entrée Paris-Toulouse

le premier/la première [ləpʀəmje/lapʀəmjɛʀ]		der Erste/die Erste *(hier)* als Erster/als Erste
une **crêpe** [ynkʀɛp]	Tu aimes ~[1]?	ein Pfannkuchen
danser [dɑ̃se]	la danse	tanzen
descendre [desɑ̃dʀ]	≠ monter	hinuntergehen/aussteigen

descendre: je descends, tu descends, il descend, nous descendons, vous descendez, ils descendent; *Passé composé:* je suis **descendu**

Texte Ce n'est qu'un au revoir !

1 **ne ... que** [nə...kə]	Nous ~ avons ~ 4 euros.	nur
un **déménagement** [ɛ̃demenaʒmɑ̃]	déménager	ein Umzug/Wohnungswechsel

[1] les crêpes

un **reste** [ɛ̃ʀɛst]	rester	ein Rest
un **kilomètre** [ɛ̃kilɔmɛtʀ]		ein Kilometer
en cinq heures [ɑ̃sɛ̃kœʀ]	Le train fait 730 km ~.	in(nerhalb von) fünf Stunden
courir [kuʀiʀ]		laufen/rennen

courir: je cours, tu cours, il court, nous courons, vous courez, ils courent; *Passé composé:* j'ai **couru**

devoir faire qc [devwaʀ]		etw. tun müssen

devoir: je d**oi**s, tu d**oi**s, il d**oi**t, nous devons, vous devez, ils d**oi**vent; *Passé composé:* j'ai **dû**
ne pas devoir bedeutet „nicht dürfen":
Tu **ne** dois **pas** m'oublier. = Du **darfst** mich nicht vergessen.

une **minute** [ynminyt]	Courons vite, le train part dans 2 ~[1].	eine Minute
un **retard** [ɛ̃ʀətaʀ]		eine Verspätung
être en retard [ɛtʀɑ̃ʀətaʀ]	Pierre ~[2] toujours ~.	verspätet sein
envoyer qc à qn [ɑ̃vwaje]	Tu nous ~[3] des photos?	jdm. etw. schicken

envoyer: j'envo**i**e, tu envo**i**es, il envo**i**e, nous envoyons, vous envoyez, ils envo**i**ent; *Passé composé:* j'ai **envoyé**

2 **perdre qc** [pɛʀdʀ]	J'ai ~[4] mon porte-monnaie!	etw. verlieren

perdre: je perds, tu perds, il/elle/on perd, nous perdons, vous perdez, ils/elles perdent; *Passé composé:* j'ai **perdu**

énerver qn [enɛʀve]		jdn. aufregen
des **idées noires** *(f., pl.)* [dezidenwaʀ]		düstere Gedanken
recevoir qc [ʀəsəvwaʀ]	Tu as ~[5] ma lettre?	etw. empfangen

recevoir : je reçois, tu reçois, il reçoit, nous recevons, vous recevez, ils reçoivent; *Passé composé:* j'ai **reçu**

une **nouvelle** [ynnuvɛl]	un nouveau	eine Nachricht/Neuigkeit
triste [tʀist]	C'est un film drôle? – Non, c'est un film ~.	traurig
3 **intéresser qn** [ɛ̃teʀɛse]		jdn. interessieren
qn est désolé(e). [dezɔle]	→ E I am sorry.	es tut jdm. leid
qc est **nul/nulle** *(fam.)* [nyl]	Je suis désolé(e) mais ton idée est ~[6] !	etw. bringt's nicht/ist blöd *(ugs.)*
une **tête** [yntɛt]		ein Kopf
faire la tête *(fam.)*		schmollen/sauer sein *(ugs.)*

[1] minutes – [2] est – [3] envoies – [4] perdu
[5] reçu – [6] nulle

4	le collège **Guillaumet** [gijomɛ]		das Collège Guillaumet
	un **accent** [ɛ̃naksɑ̃]	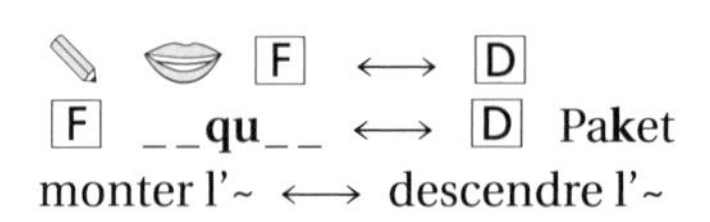 [F] ⟷ [D]	ein Akzent/Tonfall
5	un **paquet** [ɛ̃pakɛ]	[F] __**qu**__ ⟷ [D] Paket	ein Paket
	un **escalier** [ɛ̃nɛskalje]	monter l'~ ⟷ descendre l'~	eine Treppe

descendre l'escalier - Beachte beim *Passé composé:*
descendre – Je **suis** descendu.
descendre **qc** – J'**ai** descendu l'escalier.
Ebenso: *monter/monter qc.*

5	**Cécile** [sesil]		Cécile *(weibl. Vorname)*
7	**rose** [ʀoz]	Le ~ est une couleur.	rosa
	le **Capitole** [ləkapitɔl]		das Kapitol *(Name des Rathauses von Toulouse)*
8	**prêt/prête** [pʀɛ/pʀɛt]	Manon, on part dans 5 minutes. Tu es ~[1]?	fertig/bereit
	une **piscine** [ynpisin]	→ [I] [SP] piscina	ein Schwimmbad, ein Schwimmbecken
	avant [avɑ̃]	≠ après	vor *(zeitlich)*/vorher
	la **poste** [lapɔst]		die Post
9	une **cave** [ynkav]	M. Carbonne descend à la ~.	ein Keller
	marcher [maʀʃe]	Mince, la radio ne ~[2] plus.	gehen/laufen *(hier)* funktionieren
	retrouver qc [ʀətʀuve]	trouver	etw. wieder finden
	le **moral** [ləmɔʀal]		die Stimmung/innere Verfassung

J'ai retrouvé le moral: Ich habe wieder neuen Mut geschöpft.

	au bord de qc [obɔʀdə]	Les filles sont allées en vélo ~ la Garonne.	am Rande/Ufer von etw.
	la **Garonne** [lagaʀɔn]		die Garonne *(Fluss, der durch Toulouse fließt)*
	tomber [tɔ̃be]		fallen
	une **visite** [ynvizit]	visiter qc	ein Besuch
	mille [mil]	kein Plural-s [!]	tausend
	un **chanteur**/une **chanteuse** [ɛ̃ʃɑ̃tœʀ/ynʃɑ̃tøz]	chanter, une chanson 	ein Sänger/eine Sängerin
	Zebda [zɛbda]		Zebda *(frz. Musikgruppe)*
10	un **canal** [ɛ̃kanal]	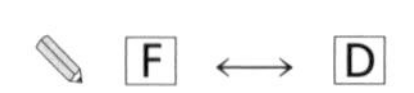 [F] ⟷ [D]	ein Kanal
	le **canal du Midi** [ləkanaldymidi]		der Canal du Midi

Der **Canal du Midi** ist eine Wasserstraße, die von der Stadt Sète bis nach Bordeaux führt und das Mittelmeer und den Atlantischen Ozean verbindet. Früher waren die Frachtkähne, die *péniches*, ein wichtiges Transportmittel. Heute dient der Kanal dem Tourismus.

[1] prête – [2] marche

un **bateau**/des **bateaux** [ɛ̃bato/debato]	Les ~[1] vont sur l'eau. 	ein Boot, Schiff
un **concert** [ɛ̃kõsɛʀ]		ein Konzert
le **jazz** [lədʒaz]		der Jazz *(Musikstil)*
une **salle** [ynsal]	F **une** ~ ⟷ D **ein** Saal	ein Saal
la **salle Nougaro** [lasalnugaʀo]		die Salle Nougaro *(Konzertsaal in Toulouse)*

Pratique

2 **prendre des notes** [pʀɑ̃dʀdenɔt]	Prenez un bloc et un crayon et ~[2] s'il vous plaît.	Notizen machen
en ville [ɑ̃vil]		in der Stadt/in die Stadt
les Nouvelles Galeries [lenuvɛlgalʀi]		die Nouvelles Galeries *(Kaufhaus in Toulouse)*
3 **Beurk!** *(fam.)* [bœʀk]		Igitt! *(ugs.)*
dernier/dernière [dɛʀnje/dɛʀnjɛʀ]		letzter/letzte/letztes
un **cassoulet** [ɛ̃kasulɛ]		ein Cassoulet *(südwestfranzösisches Eintopfgericht)*
commencer à faire qc [komɑ̃se]	→ commencer qc	anfangen etw. zu tun
4 un **poème** [ɛ̃pɔɛm]	Trouvez une rime à «j'aime». – ~.	ein Gedicht
sourd/sourde [suʀ/suʀd]	Qn qui n'entend pas bien est ~.	taub
5 un **reportage** [ɛ̃ʀəpɔʀtaʒ]	F **un** ~ ⟷ D eine ~	eine Reportage
6 **tard** [taʀ]	un retard, être en retard	spät
Casino [kazino]		Casino *(frz. Supermarkt-Kette)*
7 un **sandwich** [ɛ̃sɑ̃dwitʃ]	F ⟷ D	ein Sandwich
le **français** [ləfʀɑ̃sɛ]		das Französische
9 **ci-dessus** [sidəsy]		(weiter) oben

ci-dessus verweist auf einer geschriebenen Seite auf etwas, das weiter oben steht.

10 un **correspondant**/ une **correspondante** *(fam.: un/une corres)* [ɛ̃kɔʀɛspõdɑ̃/ynkɔʀɛspõdɑ̃t]		ein Brieffreund/eine Brieffreundin; ein Austauschpartner/eine Austauschpartnerin
11 un **nombre** [ɛ̃nõbʀ]	1, 2, 3 sont ~[3].	eine Zahl
12 un **déménageur** [ɛ̃demenaʒœʀ]	déménager, le déménagement	ein Möbelpacker
un **camion** [ɛ̃kamjõ]	Les déménageurs arrivent avec ~. 	ein Lastwagen

[1] bateaux – [2] prenez des notes – [3] des nombres

Révision

Les moyens de transport* – die Verkehrsmittel

aller à Paris en	**bus** (m.) **métro** (m.) **vélo** (m.) **voiture** (f.) **taxi** (m.) **train** (m.) **TGV** (m.) **bateau** (m.) **avion** (m.)	mit	dem Bus der U-Bahn dem Fahrrad dem Auto fahren dem Taxi dem Zug dem TGV dem Boot dem Flugzeug	nach Paris fahren
prendre	**le bus, le métro, le vélo ...**		den Bus, die U-Bahn, das Fahrrad, ...	nehmen

*Wörter, die hier zur Vervollständigung zusätzlich erwähnt werden.
Sie werden in den folgenden Lektionen nicht als Lernwortschatz vorausgesetzt.

En France

Toulouse

Toulouse ist die Hauptstadt der Region *Midi-Pyrénées* und des *Départements Haute-Garonne*. Wenn man die Vororte dazuzählt, hat Toulouse über 760 000 Einwohner. Viele Häuser in Toulouse sind aus rotem Backstein gebaut, deshalb wird die Stadt oft als *ville rose* bezeichnet.

Toulouse hat eine schöne und sehr lebendige Innenstadt, ist aber auch ein großes Handels-, Verkehrs- und Industriezentrum. Bekannt ist die Stadt vor allem für die Herstellung von Luft- und Raumfahrtausrüstung.

En Europe

Airbus

In Toulouse ist der Hauptsitz von *Airbus Industrie*, einem europäischen Unternehmen der Luftfahrtindustrie. Die einzelnen Teile des neuen Superflugzeugs A380 werden in Spanien, Frankreich, England und Deutschland hergestellt und anschließend in Toulouse zusammengebaut. Das fertige Flugzeug fliegt dann nach Hamburg, wo die letzten Arbeiten vorgenommen werden.

LEÇON 3

TIPP Lerne die Vokabeln konzentriert für **10 Minuten**.
Mache dann etwas anderes.
Lerne später noch einmal für 10 Minuten.

Entrée Vivre à Toulouse

vivre [vivʀ]	la vie	leben

> **vivre**: je vis, tu vis, il vit, nous vivons, vous vivez, ils vivent; j'ai **vécu**

une **personne** [ynpɛʀsɔn]		eine Person
un **match** [ɛ̃matʃ]	E I SP match	ein Wettkampf/ein Spiel
le **rugby** [ləʀygbi]		das Rugby *(Ballspiel)*
un **stade** [ɛ̃stad]	E stadium I stadio SP estadio	ein (Sport)Stadion
Blagnac [blaɲak]		Blagnac *(Vorort von Toulouse)*
le **B.S.C.R.** [ləbeɛsseɛʀ]	= **B**lagnac **S**porting **C**lub de **R**ugby	der B.S.C.R. *(Rugby-Verein)*
une **équipe** [ynekip]	Thomas joue dans ~ de foot.	eine Mannschaft/ein Team
Mermoz [mɛʀmoz]		Jean Mermoz *(frz. Pilot, 1901-1936)*
Fabien [fabjɛ̃]		Fabien *(männl. Vorname)*
Nicolas [nikɔla]		Nicolas *(männl. Vorname)*
un **fan**/une **fan** [ɛ̃fan/ynfan]	F ⟷ D	ein Fan
saluer qn [salɥe]	= dire bonjour à qn	jdn. grüßen/begrüßen

Texte A Bienvenue à Blagnac!

1 les **Pyrénées** *(f.)* [lepiʀene]		die Pyrenäen *(Gebirge zwischen Frankreich und Spanien)*
un **garage** [ɛ̃gaʀaʒ]	F **un** ⟷ D **eine**	eine Garage/eine Autowerkstatt
le **coup de foudre** [ləkudfudʀ]		Liebe auf den ersten Blick *(wörtl. „der Blitzschlag")*
avoir le coup de foudre pour qn/qc		sich auf den ersten Blick in jdn. verlieben
une **réparation** [ynʀepaʀasjõ]	Ma voiture ne marche plus. Il y a beaucoup de ~[1] à faire.	eine Reparatur
Gentilli [ʒɑ̃tiji]		Gentilli *(Familienname)*
un **Italien**/une **Italienne** [ɛ̃nitaljɛ̃/ynitaljɛn]	l'Italie *(f.)*	ein Italiener/eine Italienerin

> **un Italien/une Italienne:** die Einwohner eines Landes oder einer Stadt schreibt man immer mit großem Anfangsbuchstaben: *les Parisiens, les Allemands, les Français* usw.

[1] réparations

2 **qui** [ki]	Voici une fille ~ est dans ma classe.	der, die, das *(Relativpronomen, Subjekt)*
refaire qc [ʀəfɛʀ]	→ faire qc	etw. erneuern/neu machen/noch einmal machen
la **peinture** [lapɛ̃tyʀ]		die Farbe *(zum Anmalen)*
une **sortie** [ynsɔʀti]	sortir	ein Ausgang
cool *(fam.)* [kul]		cool *(ugs.)*
reconnaître qc [ʀəkɔnɛtʀ]	M. Carbonne ne ~[1] plus la maison.	etw. wieder erkennen
plaire à qn [plɛʀ]	Les couleurs ne lui ~[2] pas.	jdm. gefallen
	plaire kommt meistens in der 3. Person vor: ton idée me plaît / tes idées me plaisent	
connaître qc [kɔnɛtʀ]		etw. kennen
	connaître: je connais, tu connais, il connaît, nous connaissons, vous connaissez, ils connaissent; j'ai **connu**	
ne connaître rien à qc	Manon dit: Mon père ~[3] couleurs.	nichts von etw. verstehen
la **mode** [lamɔd]	F	die Mode
une **surprise** [ynsyʀpʀiz]	E surprise I sorpresa SP sorpresa	eine Überraschung
la **SEMVAT** [lasɛmvat]		die SEMVAT *(Toulouser Nahverkehrsbetrieb)*
que [kə]	C'est une fille ~ j'aime bien.	den, die, das *(Relativpronomen, Objekt)*
partout [paʀtu]		überall
un **conducteur**/une **conductrice** [ɛ̃kɔ̃dyktœʀ/ynkɔ̃dyktʀis]	Mme Carbonne est ~[4] de bus.	ein Fahrer/eine Fahrerin
passer [pase]	Le bus ~[5] devant le collège.	vorbeigehen/-fahren/-kommen
	le passé ist das, was vorbeigegangen ist: die Vergangenheit.	
Guillaumet [gijomɛ]		Henri Guillaumet *(frz. Pilot, 1902–1940)*
un **tour** [ɛ̃tuʀ]	On fait ~ en ville?	eine Tour/ein Rundgang
gratuit/gratuite [gʀatɥi/gʀatɥit]	Quand on ne doit pas payer pour qc, c'est ~.	kostenlos/gratis
3 **où** [u]	Voilà la ville ~ j'habite.	wo *(Relativpronomen)*
imiter qc [imite]		etw. nachahmen
sûr/sûre [syʀ/syʀ]		sicher
Samira [samiʀa]		Samira *(weibl. Vorname)*

[1] reconnaît – [2] plaisent – [3] ne connaît rien aux
[4] conductrice – [5] passe

	tout à l'heure [tutalœʀ]	J'ai vu Luc ~. ; Je vais voir Luc ~.	vorhin/eben; gleich/nachher
4	**Odyssud** *(f.)* [ɔdisyd]		Odyssud *(Name einer Mediathek in Toulouse)*
	une **médiathèque** [ynmedjatɛk]	F ⟷ D	eine Mediathek *(Ort, an dem man verschiedene Medien wie z. B. Bücher, CD-ROM, Video oder Internet benutzen kann.)*
	à côté [akote]		daneben/nebenan
	à côté de [akotedə]	Il y a une médiathèque ~[1] collège.	neben
	un **arrêt** [ɛ̃naʀɛ]	arrêter	ein Halt/eine Haltestelle
	revoir qn [ʀəvwaʀ]	→ Au revoir!	jdn. wieder sehen

revoir wird konjugiert wie **voir**: je **revois**, nous **revoyons**; j'ai **revu**

	amoureux/amoureuse [amuʀø/amuʀøz]	Emma aime bien Fabien. Est-ce qu' elle est ~[2] de lui?	verliebt

Pratique A

2	**Guyenne** [gɥijɛn]		*(hier)* Name einer Bushaltestelle
	Aérospatiale [aeʀɔspasjal]		Aérospatiale *(europ. Unternehmen der Luft- und Raumfahrttechnik)*
3	un **directeur**/une **directrice** [ɛ̃diʀɛktœʀ/yndiʀɛktʀis]	F ⟷ D	ein Direktor/eine Direktorin
	Hambourg [ɑ̃buʀ]		Hamburg
	un/une **pilote** [ɛ̃pilɔt/ynpilɔt]		ein Pilot/eine Pilotin
	Saint-Exupéry [sɛ̃tɛgzypeʀi]		Antoine de Saint-Exupéry *(frz. Pilot und Schriftsteller, 1900-1944)*
	un **vol** [ɛ̃vɔl]	un avion, un pilote	ein Flug
	l'**Atlantique** *(m.)* [latlɑ̃tik]		der Atlantik
5	une **devinette** [yndəvinɛt]	Je vous pose ~. Qui trouve la solution?	ein Rätsel
8	un **sentiment** [ɛ̃sɑ̃timɑ̃]	Etre triste ou content, c'est ~ !	ein Gefühl
9	**entre** [ɑ̃tʀ]	On mange le soir ~ 6 et 7 heures.	zwischen
	jeune [ʒœn]		jung
	un/une **jeune** [ɛ̃ʒœn/ynʒœn]	= une personne jeune	ein Jugendlicher/eine Jugendliche
	Carcassonne [kaʀkasɔn]		Carcassonne *(Stadt in Südwestfrankreich)*

[1] à côté du – [2] amoureuse

Texte B Le premier rendez-vous

1 **penser à qn** [pɑ̃se]	Fabien ~[1] Emma.	an jdn. denken
mignon/mignonne [miɲɔ̃/miɲɔn]	Il la trouve ~[2].	süß/niedlich
parler de qc [paʀle]		über etw. sprechen
2 un **programme** [ɛ̃pʀɔgʀam]	F ⟷ D	ein Programm
avoir mal [avwaʀmal]	J' ~[3] à la tête.	Schmerzen haben
pauvre [povʀ]		arm
Oh, la pauvre! [olapovʀ]		Ach, die Arme!
ce, cet, cette, ces [sə/sɛt/se]	Tu connais ~[4] fille?	diese(r), dieses *(Demonstrativbegleiter)*

ce soir/ce matin/cet après-midi: Im Zusammenhang mit Tageszeiten bedeutet **ce** „heute“: heute Abend/heute Morgen/heute Nachmittag.

un **ballon** [ɛ̃balɔ̃]	On joue au rugby? – D'accord, tu as ~?	ein Ball
tant mieux [tɑ̃mjø]		umso besser
nouveau/nouvel/nouvelle [nuvo/nuvɛl]	→ un nouveau 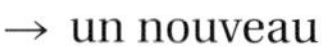	neu
un **album** [ɛ̃nalbɔm]	F ⟷ D	ein Album, *(hier)* eine CD
faire les magasins *(fam.)* [fɛʀlemagazɛ̃]		die Geschäfte abklappern *(ugs.)*
la **rue St-Rome** [laʀysɛ̃ʀɔm]		die Rue St-Rome *(Einkaufsstraße in Toulouse)*
Audrey Tautou [odʀɛtotu]		Audrey Tautou *(frz. Schauspielerin)*
un **DVD** [ɛ̃devede]		eine DVD
beau/bel/belle [bo/bɛl]	Amour nouveau, toujours ~[5]! *(frz. Sprichwort)*	schön
Ça te dit? [satədi]	Samedi, on fait les magasins, ~?	Hast du Lust dazu?/Sagt dir das zu?
par exemple [paʀɛgzɑ̃pl]	! E example ⟷ F -e-	zum Beispiel
Rex [ʀɛks]		Rex *(Name eines Kinos)*
3 **vieux/vieil/vieille** [vjø/vjɛj]	≠ jeune	alt
quel, quels, quelle, quelles [kɛl]	~[6] problèmes ont Emma et son frère à l'école ?	welcher, welche, welches *(Fragebegleiter)*
un **trimestre** [ɛ̃tʀimɛstʀ]	le collège	ein Trimester

Trimester: Das frz. Schuljahr ist in drei Trimester unterteilt. Am Ende jedes Trimesters gibt es ein Zeugnis.

important/importante [ɛ̃pɔʀtɑ̃/ɛ̃pɔʀtɑ̃t]	Valentin trouve que les copains, c'est important.	wichtig

[1] pense à – [2] mignonne – [3] ai mal – [4] cette
[5] beau – [6] Quels

bien sûr [bjɛ̃syʀ]		sicherlich/Na klar!
l'**avenir** *(m.)* [lavniʀ]	→ venir	die Zukunft
l'**amour** *(m.)* [lamuʀ]	amoureux/amoureuse, aimer	die Liebe
Tu es un amour! *(fam.)*		Du bist ein Schatz! *(ugs.)*

Pratique B

2	**Sonia** [sɔnja]		Sonia *(weibl. Vorname)*
	Christelle [kʀistɛl]		Christelle *(weibl. Vorname)*
	pratique [pʀatik]	☺	praktisch
6	un **bureau des objets trouvés** [ɛ̃byʀodezɔbʒɛtʀuve]		ein Fundbüro
	Saint-Cyprien [sɛ̃sipʀijɛ̃]		Saint Cyprien *(Ferienort an der frz. Mittelmeerküste)*
7	**Marie** [maʀi]		Marie *(weibl. Vorname)*
	Chloé [kloe]		Chloé *(weibl. Vorname)*
	Franck [fʀɑ̃k]		Franck *(männl. Vorname)*

Révisions

Sortir – Ausgehen

sortir avec qn	Emma sort avec Fabien.	Emma geht mit Fabien aus.
avoir rendez-vous avec qn	Ils ont rendez-vous.	Sie haben eine Verabredung.
parler de qc	Ils parlent de sport.	Sie reden über Sport.
faire un tour en ville	D'abord, ils font un tour en ville.	Zuerst drehen sie eine Runde in der Stadt.
faire les magasins	Ils font les magasins.	Sie klappern die Geschäfte ab.
aller au cinéma	Puis, ils vont au cinéma.	Dann gehen sie ins Kino.
aller danser	Après, ils vont danser.	Danach gehen sie tanzen.
aller au café	A la fin, ils vont au café.	Am Ende gehen sie ins Café.

ce/cet/cette/ces

m./Sg.		**ce**	texte.		diesen	Text.
m./Sg.		**cet**	exemple.		dieses	Beispiel.
f./Sg.	J'aime bien	**cette**	histoire.	Ich mag	diese	Geschichte.
m./Pl.		**ces**	textes.		diese	Texte.
f./Pl.		**ces**	histoires.		diese	Geschichten.

quel/quelle/quels/quelles

m./Sg.	**Quel**	texte		Welchen	Text	
f./Sg.	**Quelle**	histoire	est-ce que tu aimes?	Welche	Geschichte	magst du?
m./Pl.	**Quels**	textes		Welche	Texte	
f./Pl.	**Quelles**	histoires		Welche	Geschichten	

LEÇON 4

TIPP Bilde mit den Vokabeln **Sätze** oder einen **Reim**, z. B. *Le soir, je fais mes devoirs.*

Entrée — La classe fait du cinéma.

le/la **4e** *(= le/la quatrième)* [lə/lakatʀijɛm]		der/die/das vierte
Dakar [dakaʀ]		Dakar
le **Sénégal** [ləsenegal]		der Senegal

Senegal: Staat in Westafrika, Hauptstadt Dakar.
Die ehemalige frz. Kolonie ist seit 1958 unabhängig.
Französisch spielt in Politik, Wirtschaft und Schule eine wichtige Rolle. Die afrikanische Sprache *Wolof* wird von 80 % der Bevölkerung gesprochen.

un **pays** [ɛ̃pei]	I paese, SP país	ein Land
montrer qc à qn [mõtʀe]	Tu me ~[1] la vidéo de ta classe?	jdm. etw. zeigen
Chapuis [ʃapɥi]		Chapuis *(Familienname)*
Marco [maʀko]		Marco *(männl. Vorname)*
malade [malad]	Papa est au lit, il est ~.	krank

Texte — Une journée de Cécile

1	la **rue des Corbières** [laʀydekɔʀbjɛʀ]		die Rue des Corbières
2	**présenter qc à qn** [pʀezɑ̃te]	Je vous ~[2] mes amis Emma et Marco.	jdm. etw. vorstellen
	tout, toute [tu/tut]	J'ai travaillé pendant ~[3] la journée.	ganz *(+ Nomen)*
	tous, toutes [tu/tut]	Mon oncle a ~[4] les CD de Jacques Brel.	alle *(+ Nomen)*
	être en train de faire qc [ɛtʀɑ̃tʀɛ̃dəfɛʀ]		gerade etw. tun
	un **petit-déjeuner** [ɛ̃pətideʒœne]	Je suis en train de prendre mon ~.	ein Frühstück
	finir qc [finiʀ]	la fin, enfin	etw. beenden

finir: je finis, tu finis, il finit, nous finissons, vous finissez, ils finissent; j'ai fini

3	**venir de faire qc** [vəniʀdəfɛʀ]	Emma ~[5] finir son travail.	gerade etw. getan haben
	rater qc [ʀate]	Oh, là, là, on va encore ~ le bus!	etw. verpassen
	chaque [ʃak]		jeder/jede/jedes + *Nomen*

[1] montres — [2] présente — [3] toute — [4] tous
[5] vient de

réussir à faire qc [ReysiR]	Tu peux m'aider? Je ne ~[1] faire cet exercice.	gelingen etw. zu tun/etw. fertig bringen

> **réussir** wird konjugiert wie **finir**: je réussis, nous réussissons; j'ai réussi

tout le monde [tulmõd]	F ~ **est** là? ⟷ D **Sind** alle da?	alle/jeder/alle Welt
4 les **maths** *(f.pl.) (fam.)*	le collège F **les ____s** ⟷ D Mathe	Mathe *(ugs.)*
la **permanence** [lapɛRmanɑ̃s]	Le prof est malade: les élèves vont en ~.	beaufsichtigte Freistunde
une **salle de permanence** [ynsaldəpɛRmanɑ̃s]		Aufenthaltsraum
rire [RiR]	Je ~[2] parce que je trouve ça drôle.	lachen

> **rire**: je ris, tu ris, il rit, nous rions, vous riez, ils rient; j'ai **ri**

un **pion** [ɛ̃pjõ]		eine Aufsichtsperson
une **nuit** [ynnɥi]	≠ un jour	eine Nacht
réfléchir [Refleʃir]	Tu rêves? – Non, je ne rêve pas, je ~[3].	nachdenken/überlegen

> **réfléchir** wird konjugiert wie **finir**: je réfléchis, nous réfléchissons; j'ai réfléchi

5 un **cours** [ɛ̃kuR]		eine Unterrichtsstunde
en cours [ɑ̃kuR]		im Unterricht
une **science** [ynsiɑ̃s]		eine Wissenschaft
la **terre** [latɛR]	I terra, SP tierra	die Erde
SVT [ɛsvete]	= *les sciences de la vie et de la terre (f.)*	Biologie/Naturkunde
Adeline [adlin]		Adeline *(weibl. Vorname)*
la **Martinique** [lamaRtinik]		Martinique

> In **Martinique** wird auch Französisch gesprochen. Die Insel der kleinen Antillen liegt zwischen dem Karibischen Meer und dem Atlantik. Sie ist eine ehemalige frz. Kolonie und gehört heute noch zu Frankreich.

un **exposé** [ɛ̃nɛkspoze]		ein Referat
une **araignée** [ynaReɲe]		eine Spinne
gros/grosse [gRo/gRos]		dick
dangereux/dangereuse [dɑ̃ʒRø/dɑ̃ʒRøz]	Cette araignée n'est pas ~[4].	gefährlich
en avoir marre de qc *(fam.)* [ɑ̃navwaRmaR]	Tu n'as plus envie de jouer? – Non, j'~[5].	von etwas die Nase voll haben *(ugs.)*

[1] réussis pas à – [2] ris – [3] réfléchis
[4] dangereuse – [5] en ai marre

	une **bêtise** [ynbɛtiz]	bête	eine Dummheit
6	une **nouille** [ynnuj]	manger et boire	eine Nudel
	un **gratin** [ɛ̃gʀatɛ̃]	Tu aimes **le** ~ de nouilles?	ein Auflauf
	les **choux de Bruxelles** *(m., pl.)*		der Rosenkohl
	détester qc [detɛste]	Je ~[1] **les** nouilles. = Je n'aime pas du tout **les** nouilles.	etw. verabscheuen/überhaupt nicht mögen
	sauf [sof]	J'aime tout, ~ **les** choux.	außer
	un **dessert** [ɛ̃desɛʀ]		ein Nachtisch
	un **chou à la crème** [ɛ̃ʃualakʀɛm]		ein Windbeutel
7	la **récréation** *(fam.: la récré)* [laʀekʀeasjɔ̃]	Après trois heures de cours, c'est la ~.	die Pause
	la **géographie** *(fam.: la géo)* [laʒeɔgʀafi]	F [ʒeɔ...] ⟷ D **Geo...**	die Geographie/die Erdkunde
	l'**Afrique** *(f.)* [lafʀik]		Afrika
	Jérémie [ʒeʀemi]		Jérémie *(männl. Vorname)*
	une **souris** [ynsuʀi]		eine Maus
	avoir horreur de qc [avwaʀɔʀœʀ]	Tu ~[2] souris? Moi, je les aime bien!	etw. verabscheuen/nicht ausstehen können
8	**continuer à faire qc** [kɔ̃tinɥe]	Qui veut ~ lire le texte?	etw. weitermachen/fortfahren etw. zu tun
	choisir qc [ʃwaziʀ]	Au restaurant: Vous avez ~[3]?	etw. wählen/aussuchen

choisir wird konjugiert wie **finir**: je choisis, nous choisi**ss**ons; j'ai choisi

	applaudir qn [aplodiʀ]		jdm. Beifall klatschen

applaudir wird konjugiert wie **finir**: j'applaudis, nous applaudi**ss**ons; j'ai applaudi

	Martin [maʀtɛ̃]		Martin *(Familienname)*

Pratique

2	le/la **même** [lə/lamɛm]	J'en ai marre, c'est toujours la ~ chose!	der/die/dasselbe
	par semaine [paʀsəmɛn]	Je fais du sport une fois ~.	pro Woche/wöchentlich
	Amicalement. [amikalmɑ̃]	l'ami(e)	Herzliche Grüße! *(Grußformel in einem persönlichen Brief)*
3	un **personnage** [ɛ̃pɛʀsɔnaʒ]	Astérix est un ~. Nous, nous sommes des personnes.	eine Figur/eine Persönlichkeit
4	**par e-mail** [paʀimɛl]		per E-Mail

[1] déteste – [2] as horreur des – [3] choisi

	un **Français**/une **Française**	→ un Italien/une Italienne	ein Franzose/eine Französin

le français (kleingeschrieben): das Französische
le Français (großgeschrieben): der Franzose

5	**indiquer qc à qn** [ɛ̃dike]		jdm. etw. anzeigen/jdm. eine Angabe machen
6	**quelqu'un** [kɛlkɛ̃]	Abkürzung: *qn*	jemand
	autre chose [otʀəʃoz]	C'est ~. = Ce n'est pas la même chose.	etw. anderes
	demander à qn de faire qc [dəmɑ̃de]		jdn. darum bitten etwas zu tun
7	**juste** [ʒyst]	Ce n'est pas ~!	gerecht
	dur/dure [dyʀ]	La vie est ~[1].	hart
8	le **matériel** [ləmateʀiɛl]	A la papeterie, on peut acheter du ~ d'école.	das Material/die Ausrüstung
	suivant/suivante [sɥivɑ̃/sɥivɑ̃t]	La page qui vient après est la page ~[2].	folgender/folgende/folgendes
9	un **proverbe** [ɛ̃pʀɔvɛʀb]	un verbe	ein Sprichwort
	intéressant/intéressante [ɛ̃teʀɛsɑ̃/ɛ̃teʀɛsɑ̃t]	[ɛ̃] → Valent**in**	interessant
	sûrement [syʀmɑ̃]	→ sûr/sûre	sicher/sicherlich *(Adv.)*
	la **chasse** [laʃas]	«Qui va à la ~ perd sa place!»	die Jagd
10	une **réaction** [ynʀeaksjɔ̃]		eine Reaktion
11	**Léopold Sédar Senghor** [leɔpɔlsedaʀsɛ̃gɔʀ]		Léopold Sédar Senghor *(1906–2001; senegalesischer Politiker und Dichter)*
	une **libération** [ynlibeʀasjɔ̃]		eine Befreiung
	un **objet** [ɛ̃nɔbʒɛ]	→ l'objet direct/indirect	ein Gegenstand; Betreff *(Angabe des Themas in einem offiziellen Brief)*
	Mesdames, Messieurs, … [medammesjø]		Sehr geehrte Damen und Herren, …

Mesdames, Messieurs, (…): Anrede in einem offiziellen Brief.
Nach der Anrede steht ein Komma. Trotzdem beginnt der erste Satz des Briefes im Französischen mit einem Großbuchstaben.

	une **cassette** [ynkasɛt]		eine Kassette
	le **wolof** [ləvɔlɔf]		das Wolof *(westafrikanische Sprache)*
	un **parc national** [ɛ̃paʀknasjɔnal]		ein Nationalpark
	cordial/cordiale [kɔʀdjal]		herzlich
	Salutations cordiales. [salytasjɔ̃kɔʀdjal]	→ cordialement	Mit herzlichen Grüßen *(Grußformel)*

[1] dure – [2] suivante

12	un **article** [ɛ̃naʀtikl]	☺	ein Artikel
	toujours [tuʒuʀ]		immer noch
	adorer faire qc [adɔʀe]	= aimer beaucoup faire qc	etw. sehr gern tun
13	un **roman** [ɛ̃ʀɔmɑ̃]		ein Roman

Révisions

Verben mit indirektem Objekt

demander qc à qn	jdn. nach etw. fragen	**montrer** qc à qn	jdm. etwas zeigen
dire qc à qn	jdm. etwas sagen	**parler** à qn	mit jdm. sprechen
donner qc à qn	jdm. etwas geben	**plaire** à qn	jdm. gefallen
écrire qc à qn	jdm. etwas schreiben	**présenter** qc à qn	jdm. etwas vorstellen
envoyer qc à qn	jdm. etwas schicken	**répondre** à qn	jdm. etwas antworten
expliquer qc à qn	jdm. etwas erklären	**téléphoner** à qn	jdn. anrufen
indiquer qc à qn	jdm. etwas anzeigen	**faire peur** à qn*	jdm. Angst machen

*Wörter, die hier zur Vervollständigung zusätzlich erwähnt werden.

Sich über etwas beklagen

Ce n'est pas juste!	Das ist ungerecht!
Ce n'est pas vrai!	Das ist nicht wahr! / Das darf doch wohl nicht wahr sein!
Je rêve!	Ich träume (wohl)!
C'est dur!	Das ist hart!
C'est difficile!	Das ist schwierig.
Ça ne va pas être facile.	Das wird nicht leicht sein.
Quelle vie de chien!	Was für ein Hundeleben!
J'en ai assez!	Ich habe genug davon.
J'en ai marre! *(fam.)*	Ich hab' die Nase voll davon! *(ugs.)*
C'est trop!	Das ist zuviel!

LEÇON 5

TIPP Lerne Vokabeln in **Vokabelnetzen**.
Lege die Vokabelnetze so groß an, dass du sie später durch neue Wörter erweitern kannst.

Entrée La cuisine française

une **banane** [ynbanan]	manger et boire	eine Banane
le **beurre** [ləbœʀ]		die Butter
le **chocolat** [ləʃɔkɔla]	F **le** ⟷ D **die**	die Schokolade

la **crème chantilly** [lakʀɛmʃɑ̃tiji]		die Schlagsahne
la **farine** [lafaʀin]	[I] farina, [SP] harina	das Mehl
le **lait** [lәlɛ]	[F] **le** ⟷ [D] **die**	die Milch
un **œuf**/des **œufs** [ɛ̃nœf/dezø]		ein Ei
une **orange** [ynɔʀɑ̃ʒ]		eine Orange
une **salade** [ynsalad]	[F] **une** ⟷ [D] **ein**	ein Salat
le **sel** [lәsɛl]	A table: Tu me donnes ~, s'il te plaît?	das Salz
le **poivre** [lәpwavʀ]		der Pfeffer
le **sucre** [lәsykʀ]		der Zucker/das Zuckerstück
une **tomate** [yntɔmat]	On met du poivre dans la salade de ~?	eine Tomate
une **recette** [ynʀәsɛt]		ein Rezept
faire les courses [fɛʀlekuʀs]	Je vais ~. Le magasin ouvre à 4 h.	einkaufen

les courses: Papa fait les courses.
la cour: Mon frère joue dans la cour.
le cours: Moi, j'ai un cours de français.

ranger [ʀɑ̃ʒe]	Et qui ~[1] la cuisine? – Ben, c'est toi!	aufräumen

ranger wird konjugiert wie **manger**: je range, nous rangeons; j'ai rangé

Texte Un gâteau et un cadeau

1	**Magalie** [magali]		Magalie *(weibl. Vorname)*
	être né(e) [ɛtʀәne]	Ma mère ~[2] à Berlin.	geboren werden
	difficile [difisil]	≠ facile	schwierig
	faire peur à qn [fɛʀpœʀ]	Tu es grand mais tu ne me ~[3]!	jdm. Angst machen
	réfléchir à qc [ʀefleʃiʀ]		über etw. nachdenken
	un **menu** [ɛ̃mәny]	Les enfants réfléchissent au ~.	ein Menü
	une **entrée** [ynɑ̃tʀe]	On commence le repas avec ~.	*(hier)* eine Vorspeise
	un **plat principal** [ɛ̃plapʀɛ̃sipal]	Après l'entrée, il y a ~.	ein Hauptgericht
	un **canard** [ɛ̃kanaʀ]		eine Ente
	une **pomme** [ynpɔm]		ein Apfel
	une **pomme de terre** [ynpɔmdәtɛʀ]		eine Kartoffel
	ensuite [ɑ̃sɥit]	= puis	dann/danach

1 range — 2 est née — 3 fais pas peur

le **fromage** [ləfʀɔmaʒ]	I formaggio	der Käse

Le fromage: In Frankreich gibt es hunderte verschiedene Käsesorten. Oft wird Käse als Nachtisch gegessen.

une **boisson** [ynbwasõ]	boire: je bois, nous buvons	ein Getränk
l' **eau minérale** *(f.)* [lomineʀal]	les boissons	das Mineralwasser
un **jus** [ɛ̃ʒy]		ein Saft
le **jus d'orange** [ləʒydɔʀɑ̃ʒ]		der Orangensaft
le **vin** [ləvɛ̃]		der Wein
préférer qc [pʀefeʀe]	Qu'est-ce que tu ~[1]? **Le** jus de pomme ou **le** jus d'orange?	etw. vorziehen/lieber mögen
préférer faire qc	Moi, je ~[2] boire de l'eau minérale.	etw. lieber tun

préférer: je préf**è**re, tu préf**è**res, il préf**è**re, nous préférons, vous préférez, ils préf**è**rent; j'ai préféré

annoncer qc [anõse]	une annonce	etw. ankündigen

annoncer wird konjugiert wie **commencer**: j'annonce, nous annonçons; j'ai annoncé

2 un **marché** [ɛ̃maʀʃe]		ein Markt
un **fruit** [ɛ̃fʀɥi]		eine Frucht/Obstsorte
un **légume** [ɛ̃legym]	Le chou est ~.	ein Gemüse
un **marchand**/une **marchande** [ɛ̃maʀʃɑ̃/ynmaʀʃɑ̃d]	le marché	ein Händler
falloir [falwaʀ]		brauchen/müssen
il faut qc [ilfo]	Pour finir un bon repas, ~ un bon dessert.	man braucht etw.
il faut qc à qn	Il nous faut une bonne recette.	jd. braucht etw.
il faut faire qc	Il faut demander à maman.	man muss etw. tun
délicieux/délicieuse [delisjø/delisjøz]	La marchande: Les tomates sont ~[3].	köstlich
j'**en** prends deux kilos [ʒɑ̃pʀɑ̃døkilo]	Bon alors ~.	Ich nehme (davon) zwei Kilo.
un **kilo** [ɛ̃kilo]		ein Kilo
des **herbes de Provence** [dezɛʀbdəpʀɔvɑ̃s]		Kräuter der Provence

Die **Provence** ist eine Gegend im Süden Frankreichs. Die Kräuter der Provence sind eine Mischung aus Rosmarin, Thymian, Majoran, Bohnenkraut und Salbei.

combien de [kõbjɛ̃də]		wie viel(e)
pendant ce temps [pɑ̃dɑ̃sətɑ̃]		währenddessen, während dieser Zeit
3 un **saladier** [ɛ̃saladje]	On met la salade dans ~.	eine Salatschüssel

[1] préfères – [2] préfère – [3] délicieuses

ajouter qc [aʒute]	Il n'y a pas assez de sel. J'en ~[1] un peu.	etw. hinzufügen
comme [kɔm]	(am Satzanfang) = parce que	da/weil
goûter qc [gute]	C'est délicieux, tu veux ~?	etw. probieren/kosten
une **catastrophe** [ynkatastʀɔf]		eine Katastrophe
appeler qn [apəle]	= téléphoner à qn	jdn. (an)rufen

appeler: j'appe**ll**e, tu appe**ll**es, il appe**ll**e, nous appelons, vous appelez, ils appe**ll**ent; j'ai appelé

en vacances [ɑ̃vakɑ̃s]	Malika est ~ chez ses grands-parents.	in den Ferien
ne … personne [nə…pɛʀsɔn]	→ une personne	niemand
une **boulangerie** [ynbulɑ̃ʒʀi]		eine Bäckerei
le **pain** [ləpɛ̃]	On achète ~ dans une boulangerie.	das Brot
une **baguette** [ynbagɛt]		ein Baguette
4 un **grand-père** [ɛ̃gʀɑ̃pɛʀ]	→ grand-mère	ein Großvater
une **bougie** [ynbuʒi]	Il faut des ~ sur un gâteau d'anniversaire.	eine Kerze
manquer [mɑ̃ke]		fehlen
il manque qc [ilmɑ̃k]	~ du sucre. J'en ajoute un peu.	es fehlt etw.
la **santé** [la sɑ̃te]		die Gesundheit
A ta santé! [atasɑ̃te]		Auf dein Wohl!/Prost!

Wenn man jdn. siezt oder mehrere Personen anspricht, sagt man *A votre santé!* Manchmal benutzt man auch nur die Kurzform: *Santé!*

avoir soif [avwaʀswaf]	→ avoir faim	Durst haben

Pratique

1 un **intrus** [ɛ̃nɛ̃tʀy]		ein Eindringling
une **glace** [ynglas]	~ est un bon dessert.	ein Eis
le **magret de canard** [ləmagʀɛdəkanaʀ]		die Entenbrust
2 **répéter qc** [ʀepete]	Vous parlez trop vite. ~[2], s'il vous plaît.	etw. wiederholen

répéter: je rép**è**te, tu rép**è**tes, il rép**è**te, nous rép**é**tons, vous rép**é**tez, ils rép**è**tent; j'ai répété

un **SMS** [ɛɛsɛmɛs]		eine SMS
3 un **gramme** [ɛ̃gʀam]	☺	ein Gramm
6 **A tes souhaits!** [ateswɛ]	Atchoum! – ~	Gesundheit!

Wenn man jdn. siezt oder mehrere Personen anspricht, sagt man *A vos souhaits!*

Bon appétit! [bɔnapeti]		Guten Appetit!
7 une **brasserie** [ynbʀasʀi]	On va manger dans ~?	eine Gaststätte

[1] ajoute – [2] Répétez

une **tarte aux pommes** [yntaʀtopɔm]	→ [D] Torte	ein Apfelkuchen

Une tarte ist immer ein flacher runder Obstkuchen mit dünnem Boden.

11	un **roi** [ɛ̃ʀwa]		ein König
	Henri IV [ɑ̃ʀikatʀ]	Les Français aiment beaucoup le roi ~.	Heinrich IV *(1553-1610; König von Frankreich)*

Henri IV beendete während seiner Regierungszeit (1589–1610) die Religionskriege zwischen Protestanten und Katholiken. Bei vielen Franzosen war er sehr beliebt wegen seiner Nähe zum einfachen Volk. Von ihm stammt der Satz: „Ich will, dass jeder Bauer sonntags sein Huhn im Topf hat.“ (*«Je veux que le dimanche chaque paysan ait sa poule au pot.»*).

	le/la **deuxième** [døzjɛm]	C'est la première fois? – Non, c'est la ~ fois.	der, die, das zweite
12	un **pique-nique** [ɛ̃piknik]	✎ [F] ⟷ [D]	ein Picknick
13	**travailler sur qc** [tʀavaillesyʀ]	Ce soir, nous ~[1] un exposé en allemand.	etw. erarbeiten, an etw. arbeiten

Révisions

Combien de ...?

Je voudrais	**un paquet de**	sucre.	Ich hätte gerne	ein Päckchen	Zucker.
	une bouteille de	coca.		eine Flasche	Cola.
	un kilo de	pommes.		ein Kilo	Äpfel.
	250 grammes de	nouilles.		250 Gramm	Nudeln.
Nous avons	**trop de**	nouilles.	Wir haben	zu viele	Nudeln.
	beaucoup de	fromage.		viel	Käse.
	assez de	café.		genug	Kaffee.
	peu de	fruits.		wenig	Früchte.
Nous n'avons	**pas de**	farine.		kein	Mehl.

A table

– Tu prends du café?	Nimmst du Kaffee?
– Non, merci, je n'en prends pas. Je n'aime pas le café.	Nein danke, ich nehme keinen. Ich mag keinen Kaffee.
– Mmh, elle est délicieuse, la tarte aux pommes. Tu en veux encore?	Mmh, der Apfelkuchen ist lecker. Möchtest du noch welchen?
– Oui, je veux bien. J'adore la tarte aux pommes.	Ja, gerne! Ich liebe Apfelkuchen.

[1] travaillons sur

LEÇON 6

TIPP Lerne Vokabeln **regelmäßig,** z. B. jeden Tag von 18.00 Uhr bis 18.10 Uhr oder 10 Minuten vor dem Einschlafen.

Entrée Communiquer

communiquer *(avec qn)* [kɔmynike]	[E] communicate, [SP] comunicar	*(mit jdn.)* kommunizieren, Nachrichten austauschen
la **fête de la musique** [lafɛtdəlamyzik]		die «Fête de la musique»

Die **Fête de la musique** findet jedes Jahr am 21. Juni statt. Es ist ein Straßenfest, bei dem in ganz Frankreich Hobby-Musiker unter freiem Himmel ihr Können unter Beweis stellen.

folle [fɔl]	weibliche Form des Adjektivs *fou*	verrückt
seul/seule [sœl]	Il n'a pas d'amis. Il est ~[1].	allein
Grégory [gʀegɔʀi]		Gregory *(männl. Vorname)*
apporter qc à qn [apɔʀte]	porter qc	jdn. etw. (mit)bringen

Texte Rendez-vous manqué

1	**manqué/manquée** [mɑ̃ke]	manquer	verpasst/fehlgeschlagen
	une **chaîne de télévision** [ynʃɛndətelevizjɔ̃]	la télévision	ein Fernsehsender
	installer qc [ɛ̃stale]	Qui peut ~ l'ordinateur?	etw. aufstellen, installieren
	une **scène** [ynsɛn]		*(hier)* eine Bühne
	un **écran** [ɛ̃nekʀɑ̃]	la télévision	ein Bildschirm, eine Leinwand
	une **barbe** [ynbaʀb]	[I] barba, [SP] barba	ein Bart
	Quelle barbe! *(fam.)* [kɛlbaʀb]		Wie langweilig! *(ugs.)*
	un **avis** [ɛ̃navi]		eine Meinung
	à mon avis [amɔnavi]	~, ce film est très bon.	meiner Meinung nach
	un **supermarché** [ɛ̃sypɛʀmaʀʃe]	→ un marché	ein Supermarkt
2	**croire qc** [kʀwaʀ]	Vous ~[2] que Cécile a une chance?	etw. glauben

croire: je crois, tu crois, il croit, nous croyons, vous croyez, ils croient; j'ai **cru**

	gagner qc [gaɲe]	Au foot: Quelle équipe va ~ le match?	etw. gewinnen
3	le/la **troisième** [tʀwazjɛm]	→ le/la deuxième	der/die/das dritte
	un **message** [ɛ̃mɛsaʒ]	[E] message, [I] messàggio, [SP] mensaje	eine Mitteilung, eine Nachricht

[1] seul – [2] croyez

7 un **prix** [ɛ̃pʀi]	→ Grand Prix	ein Preis
8 **tu parles** *(fam.)* [typaʀl]		Von wegen! *(ugs.)*
pour une fois que [puʀynfwakə]		wenn … (schon) einmal
couper qc [kupe]		etw. schneiden *(hier)* unterbrechen (die Verbindung)
9 **fatigué/fatiguée** [fatige]	Tu es ~? Tu n'as pas assez dormi?	müde
une **foule** [ynfoul]	= beaucoup de gens	eine (Menschen)Menge
jusque [ʒysk]	On a cours ~[1] à 17 heures.	bis
un **musicien**/une **musicienne** [ɛ̃myzisjɛ̃/ynmyzisjɛn]	la musique	ein Musiker/eine Musikerin

Pratique

2 un **poète** [ɛ̃pɔɛt]	un poème	ein Dichter/eine Dichterin
3 une **ambiance** [ynɑ̃bjɑ̃s]	Dans notre classe, il y a une bonne ~.	eine Stimmung/Atmosphäre
préféré/préférée [pʀefeʀe]	Quel est ton groupe ~[2]?	bevorzugt/Lieblings-
4 le **tennis** [lətenis]	Tu joues au ~?	Tennis
6 **copier qc** [kɔpje]	D kopieren	etw. kopieren, abschreiben
l'**argent** *(m.)* [laʀʒɑ̃]	Je n'ai plus d'~.	das Geld
gagner qc [gaɲe]	Il faut travailler pour ~ de l'argent.	*(hier)* etw. verdienen
8 un **mètre** [ɛ̃mɛtʀ]	un kilomètre	ein Meter
9 **La Dépêche du Midi** [ladepɛʃdymidi]	~ est un journal.	La Dépêche du Midi *(frz. Tageszeitung)*
France Télécom [fʀɑ̃stelekɔm]		France Télécom *(frz. Telekommunikationsunternehmen)*
Météo France [meteofʀɑ̃s]		Météo France *(frz. Wetterdienst)*
10 les **dieux** *(m.)* [ledjø]	Plural von *dieu*	die Götter
un **test** [ɛ̃tɛst]	le collège	ein Test
une **différence** [yndifeʀɑ̃s]	Quelle est la ~ entre une chanson et un poème?	ein Unterschied
11 un **fils** [ɛ̃fis]	Les Carbonne ont deux filles et ~.	ein Sohn

Révisions

La date de naissance – das Geburtsdatum

– **Quand est-ce que tu es né(e)?**	– Wann bist/wurdest du geboren?
– **Je suis né(e) le 4 mai 1996.**	– Ich bin/wurde am 4. Mai 1996 geboren.
Je suis né(e) en 1996.	Ich bin/wurde 1996 geboren.

Bei Jahreszahlen gibt es zwei Möglichkeiten: 1996 – **dix-neuf cent** quatre-vingt-seize / **mille neuf cent** quatre-vingt-seize

[1] jusqu' – [2] préféré

Donner son avis – seine Meinung äußern

Je suis d'avis que …		Ich bin der Meinung, dass …
A mon avis …		Meiner Meinung nach …
Je	**trouve** **crois** **pense** **que …**	Ich finde, glaube, dass … denke,
Je (ne) **suis** (pas)	**d'accord.** **pour.** **contre.** **de ton avis.**	Ich bin (nicht) einverstanden. dafür. dagegen. deiner Meinung.

LEÇON 7

TIPP Verbinde in deinem Kopf die Vokabel – wenn immer es möglich ist – mit einem **Bild**. Das hilft dir sie zu behalten.

Entrée Aventures dans les Pyrénées

une **aventure** [ynavɑ̃tyʀ]	E adventure, I avventura, SP aventura	ein Abenteuer
Midi-Pyrénées [midipiʀene]		Midi-Pyrénées *(Region in Südfrankreich)*
Montauban [mɔ̃tobɑ̃]		Montauban *(Stadt in der Region Midi-Pyrénées)*
Argelès-Gazost [aʀʒəlɛsgazɔst]		Argelès-Gazost *(Ferienort in den Pyrenäen)*
un **ours** [ɛ̃nuʀs]	mit [s] la nature	ein Bär
Toulouse-Lautrec [tuluzlotʀɛk]		Henri de Toulouse-Lautrec *(frz. Maler, 1864–1901)*
le **sud** [ləsyd]	Nord, Ouest, Est, Sud	der Süden
au sud de [osyddə]		südlich von
un **dictionnaire** [ɛ̃diksjɔnɛʀ]	Tu ne connais pas ce mot? Regarde dans ~!	ein Wörterbuch
Qu'est-ce qui … ? [kɛski]	~ t'intéresse? Les livres? Le sport?	Was … ? *(Fragepronomen, Subjekt ist eine Sache)*
Annie [ani]		Annie *(weibl. Vorname)*
la **mer** [lamɛʀ]	Nous passons nos vacances au bord de ~.	das Meer
la **Suisse** [lasɥis]	En Suisse, on parle quatre langues.	die Schweiz
Qui est-ce qui … ?	~ peut nous aider? – Nathalie Marcou.	Wer … ? *(Fragepronomen, Subjekt ist eine Person)*
un **terrain de camping** [ɛ̃tɛʀɛ̃dəkɑ̃piŋ]		ein Campingplatz
Qui est-ce que … ? [kiɛskə]	~ tu cherches? – Je cherche Nathalie.	Wen … ? *(Fragepronomen, Objekt ist eine Person)*

contacter qn [kõtakte]		mit jdm. in Verbindung treten
Marcou [maʀku]		Marcou *(Familienname)*
un **office de tourisme** [ɛ̃nɔfisdətuʀisme]		ein Fremdenverkehrsamt
une **arobase** [ynaʀɔbaz]	= @	„at“ *(Zeichen in E-Mails)*
De rien. [dərjɛ̃]	Merci beaucoup! – ~	Bitte!/Gern geschehen.

Texte A Un long week-end à la montagne

1	**à la montagne** [alamõtaɲ]	→ la montagne	in den Bergen
	le **vent** [ləvɑ̃]	E wind, I vento, SP viento	der Wind
	une **forêt** [ynfoʀɛ]	Ils ont coupé beaucoup d'arbres dans la ~.	ein Wald
2	une **halte** [yn alt]	Je ne peux plus marcher, faisons une ~.	ein Halt/eine Rast
	un **chalet** [ɛ̃ʃalɛ]		eine (Berg)Hütte
	avoir besoin de qc [avwaʀbəswɛ̃]	J'ai faim. J'~[1] quelque chose à manger.	etw. brauchen
	un **vêtement** [ɛ̃vɛtmɑ̃]	Une chemise, un pantalon, ce sont des ~[2].	ein Kleidungsstück
	la **pluie** [laplɥi]	→ il pleut	der Regen
	un **vêtement de pluie** [ɛ̃vɛtmɑ̃dəplɥi]		eine Regenkleidung
	une **trace** [yntʀas]	Tu vois ces ~[3]? C'est un ours? – Non, c'est un chien.	eine Spur
	pleurer [plœʀe]	Pourquoi est-ce que tu ~[4]? Tu es triste?	weinen
	qc arrive à qn [aʀiv]	Qu'est-ce qui t'arrive? = Was hast du?	etw. geschieht/passiert jdm.
3	**c'est … qui**	Emma a peur? Non, ~ Zoé ~ a peur.	*(Mit dieser Wendung kannst du ein Subjekt hervorheben.)*
	un/une **guide** [gid]	E guide, I guida, SP guía	ein Führer/eine Führerin
	dire qc **dans sa barbe** [dɑ̃sabaʀb]		etw. undeutlich sagen
	Chloro'fil [klɔʀɔfil]		Chloro'fil *(Freizeitpark)*
	c'est … que	Tu cherches Luc? – Non, ~ Marc ~ je cherche.	*(Mit dieser Wendung kannst du ein Objekt oder ein Adverb hervorheben.)*

Pratique A

4	**mettre qc en relief** [mɛtʀɑ̃ʀəljɛf]		etw. hervorheben
5	**décrire qc** [dekʀiʀ]	écrire	etw. beschreiben
6	un **feu**/des **feux** [ɛ̃fø/defø]	Le ~ est rouge: il faut attendre.	ein Feuer; *(hier)* Ampel
	un **carrefour** [ɛ̃kaʀfuʀ]		eine Kreuzung
	faire **demi-tour** [dəmituʀ]	→ faire un tour	wenden/umdrehen
	un **point** [ɛ̃pwɛ̃]	E point, I punto, SP punto	ein Punkt

[1] ai besoin de – [2] vêtements – [3] traces
[4] pleures

Texte B Aventures

1 se **trouver** [sətʀuve]		sich befinden
la **chlorophylle** [laklɔʀɔfil]		das Chlorophyll/Blattgrün
une **feuille** [ynfœj]	Au printemps, ~[1] des arbres sont vertes.	ein Blatt
un **fil** [ɛ̃fil]	mit [l]	ein Faden/eine Schnur
y [i]	→ il **y** a	dort/dorthin
découvrir qc [dekuvʀiʀ]	une découverte	etw. entdecken

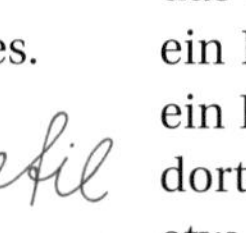

découvrir wird konjugiert wie **ouvrir**:
je découvre, nous découvrons; j'ai **découvert**

se promener [səpʀɔmne]	Le dimanche, on ~[2] dans la forêt.	spazieren gehen

se promener: je **me** promène, tu **te** promènes, il **se** promène, nous **nous** promenons, vous **vous** promenez, ils **se** promènent; je me **suis** promené.

un **pont** [ɛ̃pɔ̃]		eine Brücke
Tarzan [taʀzɑ̃]		Tarzan
s'amuser [samyze]	On ~[3] comme des fous.	sich vergnügen/amüsieren
un **fou**/une **folle** [ɛ̃fu/ynfɔl]	fou/folle *(Adj.)*	ein Verrückter/eine Verrückte
un **pied** [ɛ̃pje]		ein Fuß
2 **se disputer** (avec qn) [sədispyte]	Ne vous ~ pas. Ça m'énerve.	sich streiten (mit jdm.)
un **parcours** [ɛ̃paʀkuʀ]	courir, les courses	eine Strecke; ein Durchgang
s'éloigner [selwaɲe]	loin	sich entfernen
jaloux/jalouse (de qn) [ʒalu/ʒaluz]	Emma rigole avec Victor. Fabien est ~.	eifersüchtig (auf jdn.)
3 **construire qc** [kɔ̃stʀɥiʀ]	Qui est-ce qui a ~[4] cette maison?	etw. bauen

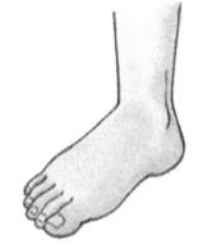

construire: je construis, tu construis, il construit, nous construisons, vous construisez, ils construisent; j'ai construit

Jane [dʒɛn]		Jane *(Tarzans Frau)*
4 **se cacher** [səkaʃe]	chercher, trouver, découvrir	sich verstecken
sans faire qc [sɑ̃fɛʀ]	Il est parti ~[5] dire un mot.	ohne etw. zu tun
se passer [səpase]	Où ~[6] cette histoire?	geschehen/sich ereignen
une **jambe** [ynʒɑ̃b]		ein Bein
Aïe! [ai]		Aua!
un **trou** [ɛ̃tʀu]	Au secours! Je suis tombé dans ~!	ein Loch
une **ambulance** [ynɑ̃bylɑ̃s]	E ambulance, I ambulanza, SP ambulancia	ein Krankenwagen

[1] les feuilles – [2] se promène – [3] s'amuse
[4] construit – [5] sans – [6] se passe

conduire qn [kõdɥiʀ]	un conducteur/une conductrice	jdn. fahren; jdn. führen

conduire wird konjugiert wie **construire**:
je conduis, nous conduisons; j'ai conduit

un **hôpital** [ɛ̃nɔpital]		ein Krankenhaus
5 **Lourdes** [luʀd]		Lourdes *(Stadt in den Pyrenäen, Wallfahrtsort)*
un **accident** [ɛ̃naksidɑ̃]	Dans le journal: Grave ~ d'avion!	ein Unfall
cassé/cassée [kase]		gebrochen/zerbrochen
le **plâtre** [ləplatʀ]		der Gips; Gipsverband
une **béquille** [ynbekij]		eine Krücke
si [si]		wenn, falls
une **douleur** [yndulœʀ]	Tu as des ~[1]? – Oui, j'ai mal à la jambe.	ein Schmerz
C'est de sa faute. [sɛdəsafot]	→ une faute	Das ist seine/ihre Schuld.
se lever [səlәve]	Le vent ~.	aufstehen; *(hier)* sich erheben, (Wind) aufkommen

se lever: je me lève, tu te lèves, il se lève, nous nous levons,
vous vous levez, ils se lèvent; je me suis levé

le **tonnerre** [lətɔnɛʀ]	le temps	der Donner
un **éclair** [ɛ̃neklɛʀ]		ein Blitz
un **orage** [ɛ̃nɔʀaʒ]	Tu vois les nuages noirs? On va avoir ~.	ein Gewitter
la **panique** [lapanik]		die Panik

Pratique B

2 **prochain/prochaine** [pʀɔʃɛ̃/pʀɔʃɛn]	Samedi ~, on va au cinéma.	nächster/nächste/nächstes

Vor dem Nomen: On descend à la **prochaine station.**
Nach dem Nomen: La **semaine prochaine/lundi prochain**

4 la **grippe** [lagʀip]		die Grippe
une **ordonnance** [ynɔʀdɔnɑ̃s]	~ *(médecin)* ⟷ une recette *(cuisine)*	ein Rezept *(vom Arzt)*
le **ventre** [ləvɑ̃tʀ]		der Bauch
un **bras** [ɛ̃bʀa]		ein Arm
la **gorge** [lagɔʀʒ]	→ avoir un chat dans ~	die Kehle/der Hals
un **docteur** [ɛ̃dɔktœʀ]		ein Doktor/Arzt
6 l'**écoute** *(f.)* [lekut]	écouter	das (Zu)Hören
l'**Espagne** *(f.)* [lɛspaɲ]	espagnol/espagnole	Spanien
un/une **journaliste** [ʒuʀnalist]	~ écrit des articles pour des journaux.	ein Journalist/eine Jounalistin

[1] douleurs

Révision

Partir en vacances

faire un voyage / une excursion*	eine Reise / einen Ausflug machen
passer ses vacances/son week-end	**seine Ferien/sein Wochende verbringen**
à la montagne	im Gebirge
à la campagne	auf dem Land
au bord* de la mer/d'un lac*	am Meer/an einem See
à la plage	am Strand
en France	in Frankreich
passer la nuit	**übernachten**
dans une auberge de jeunesse	in einer Jugendherberge
dans un hôtel*	in einem Hotel
dans un chalet	in einer (Berg-)Hütte
dans un appartement	in einer Wohnung
sur un terrain de camping	auf einem Campingplatz

Le corps* [ləkɔʀ] – **der Körper**

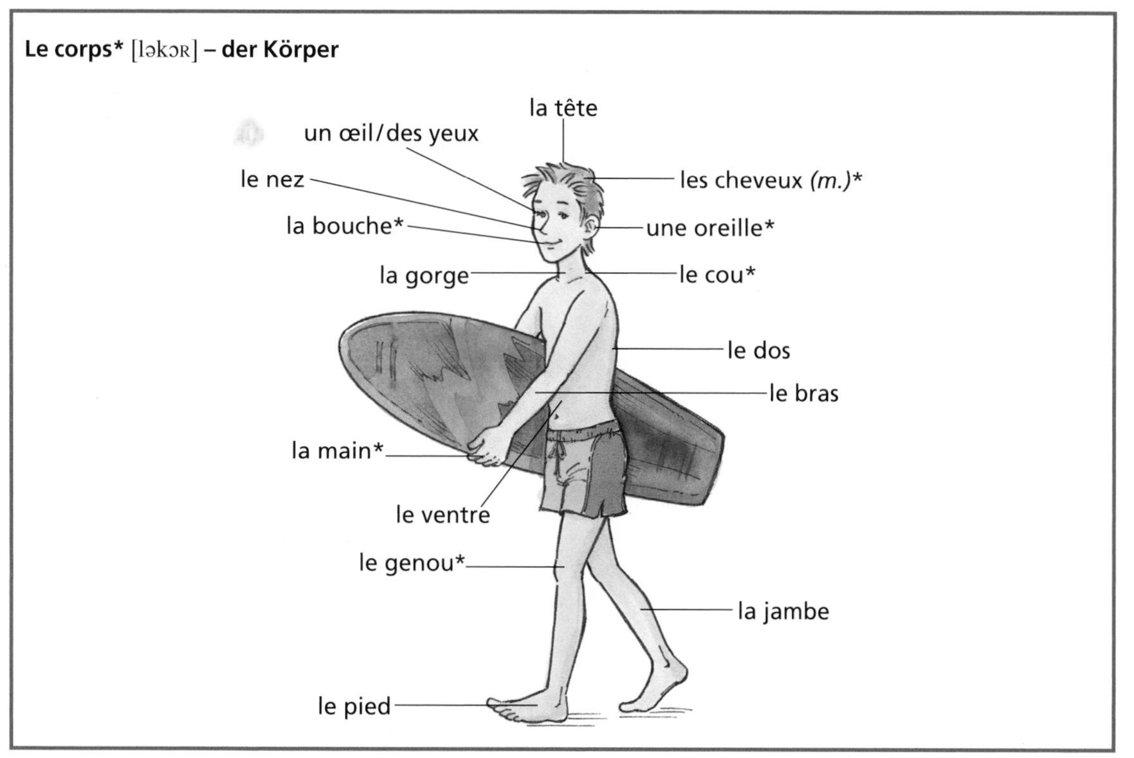

*Wörter, die hier zur Vervollständigung zusätzlich erwähnt werden.

[LEÇON 8]

TIPP Bringe **Bewegung** hinein:
Gehe beim Vokabellernen auf und ab!

Entrée Lire, écouter, sortir

Philibert [filibɛʀ]		Philibert *(Familienname)*
Renaud [ʀəno]	~ est un chanteur.	Renaud *(frz. Sänger, geb. 1952)*
sur scène [syʀsɛn]	→ une scène	auf der Bühne

Texte A Il était une fois Zen Zila

1	**Zen Zila** [zɛnzila]		Zen Zila *(frz. Musikgruppe)*
	devenir [dəvəniʀ]	venir	werden
		devenir wird konjugiert wie **venir**: je dev**iens**, nous dev**enons**; je suis dev**enu**	
	tomber malade [tõbemalad]	! tomber ⟷ devenir	krank werden
	en face (de) [ãfas]	La papeterie est ~[1] square.	gegenüber (von)
	mince [mɛ̃s]	≠ gros/grosse	dünn
	plus [ply(s)]	Il travaille ~ que son frère.	mehr
	plus mince que [plymɛ̃skə]		dünner als
	les **lunettes** *(f.pl.)* [lelynet]	(immer im Plural!)	die Brille
	moins [mwɛ̃]	→ 2 heures **moins** le quart	weniger
	moins grand que [mwɛ̃gʀãkə]		weniger groß/kleiner als
	cacher qc [kaʃe]	≠ découvrir qc/trouver qc	etw. verstecken
	un **cheveu**/des **cheveux** [ʃvø]		ein Haar/Haare
		avoir les cheveux noirs: schwarze Haare haben	
	un **bonnet** [ɛ̃bɔnɛ]		eine Mütze
	l'**air** *(m.)* [lɛʀ]	Tu as ~ fatigué, tu n'as pas assez dormi?	die Luft; *(hier)* das Aussehen
	un **œil**/des **yeux** [ɛ̃nœj/dezjø]		ein Auge/Augen
		avoir les yeux bleus: blaue Augen haben	
	un **drôle de nom** [ɛ̃dʀoldənõ]	→ drôle	ein komischer Name
	le **meilleur**/la **meilleure** [mɛjœʀ]	Qui est ton ~[2] ami?	der/die/das beste …
2	**s'intéresser à qc** [sɛ̃teʀɛse]	Tu ~[3] la musique?	sich für etw. interessieren
	aussi fan que [osifankə]	*fan (inv.)* ist hier unveränderliches *Adjektiv*	ebenso begeistert wie
3	**Roch Voisine** [ʀɔkvwazin]		Roch Voisine *(kanad. Sänger, geb. 1963)*

[1] en face du – [2] meilleur – [3] t'intéresses à

un **siècle** [ɛ̃sjɛkl]	100 ans, c'est ~.	ein Jahrhundert
4 **curieux/curieuse** [kyʀjø/kyʀjøz]	C'est une histoire ~[1].	neugierig; *(hier)* merkwürdig
fermer qc [fɛʀme]	≠ ouvrir	etw. schließen

Pratique A

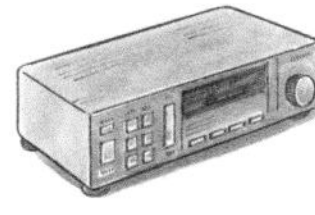

2 **heureux/heureuse** [øʀø/øʀøz]	= très content(e)	glücklich
3 la **techno** [latɛkno]	= la musique techno	der Techno *(Musikstil)*
Wahid [waid]		Wahid *(männl. Vorname)*
5 **Pascal** [paskal]		Pascal *(männl. Vorname)*
Cestor [sɛstɔʀ]		Cestor *(Familienname)*
France-Inter [fʀɑ̃sɛ̃tɛʀ]		France-Inter *(frz. Rundfunksender)*
passer [pase]	Je connais cette chanson. Elle **est**~[2] à la radio.	*(hier)* laufen/spielen (im Radio)
de temps en temps [dətɑ̃zɑ̃tɑ̃]	= pas souvent	von Zeit zu Zeit/manchmal
deviner qc [dəvine]	une devinette	etw. erraten

Texte B Zen Zila au collège

1 **proposer qc** [pʀɔpoze]	→ poser	etw. vorschlagen
un **principal**/une **principale** [pʀɛ̃sipal]	le collège	ein Schuldirektor/eine Schuldirektorin
Laurent [lɔʀɑ̃]		Laurent *(männl. Vorname)*
un **guitariste**/une **guitariste** [gitaʀist]	Une ~ est une musicienne qui joue de la guitare.	ein Gitarrist/eine Gitarristin
2 **Azouz Begag** [azuzbəgag]		Azouz Begag *(frz. Schriftsteller, geb. 1957)*
l'**arabe** *(m.)* [laʀab]	Tu parles ~?	das Arabische
un **tremblement de terre** [ɛ̃tʀɑ̃mbləmɑ̃dətɛʀ]	→ la terre	ein Erdbeben
mélanger qc [melɑ̃ʒe]	= mettre des choses ensemble	etw. mischen

mélanger wird konjugiert wie **manger**:
je mélange, nous melangeons; j'ai mélangé

le **pop** [ləpɔp]		der Pop
Lyon [ljõ]		Lyon *(frz. Großstadt)*

Lyon ist die Hauptstadt des Départements Rhône und der Region Rhône-Alpes und ist mit ca. 445 000 Einwohnern die drittgrößte Stadt Frankreichs (nach Paris und Marseille). Im Großraum Lyon leben und arbeiten über 1 Mio. Menschen.

[1] curieuse – [2] passée

3 l'**Algérie** *(f.)* [lalʒeʀi]		Algerien

Algerien: Das nordafrikanische Land war früher eine frz. Kolonie und wurde 1962 nach einem langen Krieg unabhängig. Französisch ist neben dem Arabischen die wichtigste Sprache. Viele Algerier wanderten nach Frankreich aus und suchten dort Arbeit.

avancer [avɑ̃se]	Ça va, les devoirs? – Non, nous n'~[1] pas du tout.	vorankommen

avancer wird konjugiert wie **commencer**: j'avance, nous avançons

un **séjour** [ɛ̃seʒuʀ]		ein Aufenthalt
une **carte de séjour** [ynkaʀtdəseʒuʀ]	Pour pouvoir vivre en France, le père de Wahid a eu besoin d' ~.	eine Aufenthaltserlaubnis *(hier: Musikgruppe)*
Rachid Taha [ʀaʃidtaa]		Rachid Taha *(Sänger)*
une **origine** [ynɔʀiʒin]	D'où est-ce que tu viens? Quelles sont tes ~[2]?	ein Ursprung/eine Herkunft
un **adolescent**/une **adolescente** *(fam.: un/une ado)* [ɛ̃nadɔlɛsɑ̃/ynadɔlɛsɑ̃t]	= un jeune/une jeune	ein Jugendlicher/eine Jugendliche
pendant que [pɑ̃dɑ̃kə]	→ pendant le travail	während *(Konjunktion)*
garder qc [gaʀde]		etw. behalten
timide [timid]	Il a peur de parler, c'est un garçon ~.	schüchtern
il y a deux semaines [ilja]		(jetzt) vor zwei Wochen

il y a deux heures: (jetzt) vor zwei Stunden
avant deux heures: vor 2 Uhr.

4 un **chapeau** [ɛ̃ʃapo]		ein Hut
Chapeau! *(fam.)*		Hut ab!/Alle Achtung! *(ugs.)*

Pratique B

2 Est-ce que vous **seriez** d'accord? [səʀje]	*vous seriez* = Form von *être*	Wären Sie einverstanden?
3 un **paysan**/une **paysanne** [ɛ̃peizɑ̃/ynpeizan]	Mon grand-père vient de la campagne. Il était ~.	ein Bauer/eine Bäuerin
dehors [dəɔʀ]		draußen
5 une **action** [ynaksjɔ̃]	E	eine Handlung
unique [ynik]	→ un = eins	einzig *(hier)* einzeln
7 **Kevin** [kɛvin]		Kevin *(männl. Vorname)*
Okapi [ɔkapi]		Okapi *(hier)* Name einer Zeitschrift

[1] avançons – [2] origines

Socrate [sɔkʀat]		Sokrates *(hier)* Name eines Hundes
9 **court/courte** [kuʀ/kuʀt]	≠ long	kurz
blond/blonde [blɔ̃/blɔ̃d]	! Elle a **les** cheveux ~[1].	blond
châtain [ʃatɛ̃]		kastanienbraun
un **jean** [ɛ̃dʒin]	~ est un pantalon.	eine Jeans/ein Paar Jeans
un **t-shirt** [ɛ̃tiʃœʀt]		ein T-Shirt
un **caractère** [ɛ̃kaʀaktɛʀ]	F ⟷ D	ein Charakter

Révisions

Des questions pour faire une interview

Qu'est-ce que vous pensez de …?	Was denken Sie über …?
Quand est-ce que vous avez commencé à …?	Wann haben Sie angefangen zu …?
Depuis quand est-ce que vous faites …?	Seit wann machen Sie …?
Où est-ce que vous jouez la prochaine fois?	Wo spielen Sie das nächste Mal?
Comment est-ce que vous trouvez …?	Wie finden Sie …?
Combien de lettres est-ce que …?	Wie viele Briefe …?
Pourquoi est-ce que les gens pensent que …?	Warum denken die Leute, dass …?
Quel sport est-ce que vous préférez?	Welchen Sport mögen Sie lieber?
Quels sont vos projets* pour l'avenir?	Welche Pläne haben Sie für die Zukunft?
Dans **quelle** ville est-ce que vous habitez?	In welcher Stadt wohnen Sie?
Quelles langues est-ce que vous parlez?	Welche Sprachen sprechen Sie?

*Wörter, die hier zur Vervollständigung zusätzlich erwähnt werden.

[LEÇON 9]

TIPP **Wiederhole** auch die Vokabeln aus früheren Lektionen!

Entrée Voyages en zigzag

un **voyage** [ɛ̃vwajaʒ]	Nous faisons ~ en train.	eine Reise
en zigzag [ɑ̃zigzag]		im Zickzack
Berne [bɛʀn]		Bern *(Hauptstadt der Schweiz)*
Locarno [lɔkaʀno]		Locarno *(Stadt in der Schweiz)*

[1] blonds

le **Lac Majeur** [ləlakmaʒœʀ]	F lac, E lake, I lago, SP lago	der Lago Maggiore *(See an der schweiz.-ital. Grenze)*
une **statue** [ynstaty]		eine Statue
Rodolphe Toepffer [ʀɔdɔlftœpfɛʀ]		Rodolphe Toepffer *(schweiz. Schriftsteller und Zeichner, 1799–1846)*
un **festival** [ɛ̃fɛstival]		Festspiele/ein Festival
Montreux [mɔ̃tʀø]		Montreux *(Stadt in der Schweiz)*
Lucerne [lysɛʀn]		Luzern *(Stadt in der Schweiz)*
le **bois** [ləbwa]		das Holz
en bois [ɑ̃bwa]	Mon oncle a construit une maison ~.	aus Holz
une **station de ski** [ynstasjɔ̃dəski]	On va à la montagne, dans ~.	ein Skiort
Saint-Moritz [sɛ̃mɔʀits]		Sankt Moritz *(Skiort in der Schweiz)*
suisse [sɥis]	Voilà du fromage ~. 	schweizerisch
un **Suisse**/une **Suisse** [sɥis]		ein Schweizer/eine Schweizerin
Bâle [bal]		Basel *(Stadt in der Schweiz)*
romanche [ʀɔmɑ̃ʃ]		rätoromanisch
le **romanche** [ləʀɔmɑ̃ʃ]		das Rätoromanische *(Sprache in der Schweiz)*
le **canton des Grisons** [ləkɑ̃tɔ̃degʀizɔ̃]		Graubünden *(Kanton in der Schweiz)*
Laura [loʀa]		Laura *(weibl. Vorname)*
célèbre [selɛbʀ]	Montreux est ~ pour son festival.	berühmt
inventer qc [ɛ̃vɑ̃te]	≈ imaginer qc, découvrir qc, trouver qc	etw. erfinden
fabriquer qc [fabʀike]		etw. herstellen
une **montre** [ynmɔ̃tʀ]		eine Armbanduhr
une **oreille** [ynɔʀɛj]	On voit avec les yeux, on entend avec les ~[1].	ein Ohr

Texte — Où allons-nous cet été ?

1 **j'aimerais** (faire qc) [ʒɛmʀɛ]	~ bien, mais je ne peux pas.	ich würde gerne (etw. tun)
Biarritz [bjaʀits]		Biarritz *(frz. Stadt am Atlantik, im Baskenland)*
Charlemagne [ʃaʀləmaɲ]		Karl der Große *(742-814, Begründer des abendländischen Kaisertums)*
l'**Europe** *(f.)* [løʀɔp]		Europa
les **Sarrasins** [lesaʀasɛ̃]		die Sarazenen *(mittelalterl. Name für die Araber)*

[1] oreilles

2 **La barbe!** *(fam.)* [labaʀb]	→ Quelle barbe!	Jetzt reicht's!/Das nervt! *(ugs.)*
avoir raison [avwaʀʀɛzõ]	C'est vrai. Vous ~[1].	Recht haben
attaquer qn [atake]	E attack, I attaccare, SP atacar	jdn. angreifen
Roland [ʀɔlɑ̃]		Roland *(Neffe Karls d. Großen)*
un **neveu** [ɛ̃nəvø]	un oncle, une tante	ein Neffe
Roncevaux [ʀõsvo]		Roncevaux *(Ort in den span. Pyrenäen)*
une **étape** [ynetap]	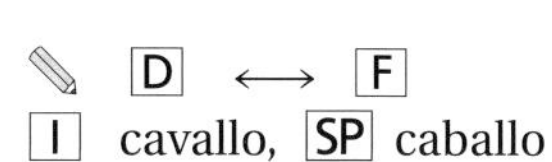 D ⟷ F	eine Etappe
3 un **cheval**/des **chevaux** [ɛ̃ʃəval/deʃəvo]	I cavallo, SP caballo	ein Pferd/Pferde
heureusement [øʀøzmɑ̃]	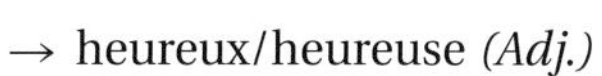 → heureux/heureuse *(Adj.)*	glücklicherweise *(Adv.)*
malheureusement [maløʀøzmɑ̃]	→ malheureux/malheureuse *(Adj.)*	unglücklicherweise *(Adv.)*
un **Franc** [ɛ̃fʀɑ̃]		ein Franke
tuer qn [tɥe]	Les Sarrasins ont ~[2] Roland.	jdn. töten/umbringen
4 **venir voir qn** [vəniʀvwaʀ]	Dimanche, mamie va ~ nous ~.	jdn. besuchen (kommen)
il faut que [ilfokə]	(+ *Subjonctif)*	man muss/es ist nötig, dass
Il faut que **tu viennes** nous voir. [tyvjɛn]	→ tu viens	Du musst uns besuchen (kommen).
se marier avec qn [səmaʀje]		jdn. heiraten
avec qui [avɛkki]	Voilà le garçon ~ j'ai joué au foot.	mit dem/mit der *(bei Personen)*
Nous **aimerions** que vous **veniez.** [ɛməʀjõ; vənje]	→ nous aimons, vous venez	Wir möchten gerne, dass ihr kommt.
un **mariage** [ɛ̃maʀjaʒ]	Adrien nous invite à son ~.	eine Hochzeit
c'est pourquoi [sɛpuʀkwa]	→ pourquoi	deshalb
un **plaisir** [ɛ̃plɛziʀ]	plaire	ein Vergnügen/eine Freude
espérer [ɛspeʀe]	J'~[3] que mon père sera d'accord.	hoffen

espérer: j'esp**è**re, tu esp**è**res, il esp**è**re, nous esp**é**rons, vous esp**é**rez, ils esp**è**rent; j'ai espéré

Dis-le-moi. [diləmwa]		Sage es mir.
réserver qc [ʀezɛʀve]	Il faut ~ une table au restaurant.	etw. reservieren
un **hôtel** [ɛ̃notɛl]		ein Hotel
vous verrez [vuvɛʀe]	2. Pers. Pl. *futur simple* von *voir*	ihr werdet sehen/Sie werden sehen
vous adorerez [vuzadɔʀəʀe]	2. Pers. Pl. *futur simple* von *adorer*	ihr werdet sehr mögen/Sie werden sehr mögen
5 une **église** [ynegliz]		eine Kirche
exactement [ɛgzaktəmɑ̃]	→ exact/exacte *(Adj.)*	genau *(Adv.)*
une **seconde** [ynsəgõd]	Une minute a 60 ~[4].	eine Sekunde
un **chiffre** [ɛ̃ʃifʀ]	F **un** ~ ⟷ D eine Ziffer	eine Ziffer/Zahl
un **porte-bonheur**/des **porte-bonheurs** [ɛ̃pɔʀtbɔnœʀ]	→ (ap)porter qc	ein Glücksbringer

[1] avez raison – [2] tué – [3] espère – [4] secondes

le **loto** [ləloto]	Génial, j'ai gagné 5.000 € au ~!	das Lotto
6 **Guazzatti** [gwadzati]		Guazzatti *(Familienname)*
un **marié**/une **mariée** [maʀje]	le mariage, se marier	ein Bräutigam/eine Braut
remercier qn [ʀəmɛʀsje]	Je ~[1], Monsieur.	sich bei jdn. bedanken
Pit [pit]		Pit *(Kurzform von Peter)*
un **pâtissier**/une **pâtissière** [ɛ̃patisje/ynpatisjɛʀ]	~ fait des tartes et des gâteaux.	ein Konditor/eine Konditorin
Luxembourg [lykzɑ̃buʀ]		Luxemburg

Im Fürstentum **Luxemburg** spricht man Französisch und Deutsch. Die Landessprache Luxemburgisch (*letzebürgesch*) ist ein deutscher Dialekt.

Geneviève [ʒənvjɛv]		Geneviève *(weibl. Vorname)*
Il faut que **je vous dise** une chose. [ʒəvudiz]	→ je dis	Ich muss euch/Ihnen etwas sagen.
7 une **plage** [ynplaʒ]	Au bord de la mer, il y a la ~.	ein Strand
finalement [finalmɑ̃]	la fin, finir, enfin	schließlich/zum Schluss
fêter qc [fɛte]	Cette année, on va ~ Noël à Paris.	etw. feiern
un **gag** [ɛ̃gag]		ein Gag *(witziger Einfall)*

Pratique

2 **Zurich** [zyʀik]		Zürich *(Stadt in der Schweiz)*
un **mark** [ɛ̃maʀk]		eine Mark *(frühere deutsche Währung)*
un **dollar** [ɛ̃dɔlaʀ]		ein Dollar
3 **Ratisbonne** [ʀatisbɔn]		Regensburg
5 le **luxembourgeois** [ləlyksɑ̃buʀʒwa]		das Luxemburgische *(deutscher Dialekt)*
le **flamand** [ləflamɑ̃]		das Flämische *(niederländische Sprache)*
huitante [ɥitɑ̃t]	= quatre-vingts	achtzig *(Belgien und Schweiz)*
7 **tôt** [to]	≠ tard	früh *(Adv.)*
8 **Vercingétorix** [vɛʀsɛ̃ʒetɔʀiks]		Vercingetorix *(Anführer der Gallier)*
Jules César [ʒylsezaʀ]		Julius Cäsar *(röm. Feldherr und Politiker; 101 – 44 v. Chr.)*
Alésia [alezja]		Alesia *(gallische Festung im Burgund)*
la **Bourgogne** [laburgɔɲ]	Nous avons passé nos vancances en ~.	das Burgund *(Region in Frankreich)*

[1] vous remercie

	un **Romain**/une **Romaine** [ɛ̃ʀɔmɛ̃/ynʀɔmɛn]		ein Römer/eine Römerin
	ils ont battu [ilzɔ̃baty]	unregelm. Verb *battre qn*	sie haben geschlagen/besiegt
	un **Gaulois**/une **Gauloise** [ɛ̃golwa/yngɔlwaz]		ein Gallier/eine Gallierin
	Jésus-Christ [ʒezykʀi]		Jesus Christus

av. J.-C. [avɑ̃ʒise]: Abkürzung für *«avant Jésus-Christ»;*
deutsch: v. Chr. (vor Christus)

	une **armée** [ynaʀme]		eine Armee/ein Heer
	gaulois/gauloise [golwa/golwaz]		gallisch
	romain/romaine [ʀɔmɛ̃/ʀɔmɛn]	L'armée gauloise a battu l'armée ~[1].	römisch
	capituler [kapityle]		sich ergeben/kapitulieren
	la **Gaule** [lagol]		Gallien
	un **endroit** [ɛ̃nɑ̃dʀwa]	Où? A quel ~?	ein Ort/eine Stelle
9	**Tenez!** [tәne]	→ Tiens!	Na sowas! *(wenn man jdn. siezt)*
	La vache! *(fam.)* [lavaʃ]		Donnerwetter! *(ugs.)*
	possible [pɔsibl]	J'ai gagné au loto! – Ce n'est pas ~!	möglich
	égal/égale [egal]	☺	gleich; *(hier)* gleichgültig
	qn **se fout** de qc *(fam.)* [sәfu]	Je m'en fous.	etw. ist jdm. schnuppe *(ugs.)*
10	**Jean de la Fontaine** [ʒɑ̃dәlafɔ̃tɛn]		Jean de la Fontaine *(frz. Dichter, 1621-1695)*
	un **corbeau** [ɛ̃kɔʀbo]	~ est un oiseau tout noir.	ein Rabe
	un **renard** [ɛ̃ʀәnaʀ]	Le ~ vit dans la forêt.	ein Fuchs

Révision

Wendungen mit dem *Subjonctif*

Nach Ausdrücken wie **il faut que** und **j'aimerais que** stehen die Verben in einer besonderen Form, die man *Subjonctif* [sybʒɔ̃ktif] nennt. In diesem Band lernst du einzelne *Subjonctif*-Formen kennen.

Il faut que …	Il faut que *tu viennes.*	Du musst kommen.
	Il faut que *je réserve*.	Ich muss reservieren.
	Il faut que *je* vous *dise* une chose.	Ich muss Ihnen/euch etwas sagen.
J'aimerais que …	J'aimerais que *tu viennes.*	Ich hätte gerne, dass du kommst.
Nous aimerions que …	Nous aimerions que *vous veniez.*	Wir hätten gerne, dass Sie kommen / ihr kommt.

[1] romaine

LISTE DES MOTS

- Die *Liste des mots* führt die Wörter aus *Découvertes* Band 1 und Band 2 auf. Nicht enthalten ist der Wortschatz aus den ⟨*Album*⟩-Teilen des 1. Bandes. Die Wörter aus den ⟨*Album*⟩-Teilen erscheinen nur in dem Band, in dem sie vorkommen.
- Die Zahlen verweisen auf das erstmalige Vorkommen der Wörter, z. B.
  une **forme I 3B,** 3 eine Form = Band **1**, Leçon **3**, Lektionsteil **B**, Übung **3**.
  A = Lektionsteil A; **B** = Lektionsteil B; **E** = Lektionsteil *Entrée;* **Z** = Lektionsteil ⟨*Album*⟩.
  Steht hinter der Lektionszahl kein Buchstabe, so wird das betreffende Wort im Textteil der Lektion eingeführt, z. B. **facile I** 4 leicht = Band 1, Leçon 4, Text.
- Das Zeichen ⟨ ⟩ bedeutet, dass das Wort in den folgenden Lektionen nicht als bekannt vorausgesetzt wird.
- Grammatische Basiswörter wie z. B. die Subjektpronomen *je, tu, …* usw. sowie die auf den Seiten selbst erklärten Wörter werden in der folgenden Liste nicht aufgeführt.

A

à [a] in **I 1**
à Paris [apaʀi] in Paris **I 1**
au club de dessin [oklœbdədesɛ̃] in der Zeichen-AG **I 4E**
à deux [adø] zu zweit **I 4, 6**
de … à von … bis **I 5E**
à six heures [asizœʀ] um 6 Uhr **I 5**
C'est à qui? [sɛtaki] Wer ist an der Reihe? **I 8, 8**
C'est à moi. [sɛtamwa] Ich bin an der Reihe. **I 8, 8**
un **accent** [ɛ̃naksɑ̃] ein Akzent/Tonfall **II 2**
un **accident** [ɛ̃naksidɑ̃] ein Unfall **II 7B**
accompagner qn [akõpaɲe] jdn. begleiten **I 8E**
acheter qc [aʃte] etw. kaufen **I 8**
un **acteur**/une **actrice** [ɛ̃naktœʀ/ynaktʀis] ein Schauspieler/eine Schauspielerin **I 5, 14**
une **action** [ynaksjõ] eine Handlung ⟨**II 8B,** 5⟩
une **activité** [ynaktivite] eine Tätigkeit *(hier)* eine Freizeitbeschäftigung **I 4E**
un **adolescent**/une **adolescente** *(fam.: un/une ado)* [ɛ̃nadɔlɛsɑ̃/ynadɔlɛsɑ̃t] ein Jugendlicher/eine Jugendliche ⟨**II 8B**⟩
adorer faire qc [adɔʀe] etw. sehr gern tun **II 4, 12**
adorer qc [adɔʀe] etw. sehr gern mögen **II 1;** ⟨**I 9A**⟩
vous adorerez [vuzadɔʀəʀe] ihr werdet sehr mögen ⟨**II 9**⟩
une **adresse** [ynadʀɛs] eine Adresse **I 3A**
une **affaire** [ynafɛʀ] eine Sache/eine Angelegenheit **I 8**
une **affiche** [ynafiʃ] ein Plakat **I 2**
l'**âge** *(m.)* [laʒ] das Alter **I 4**
Tu as quel âge? [tyakɛlaʒ] Wie alt bist du? **I 4**
Ah, bon? [abõ] Ach ja?/Wirklich? **I 3A**
aider qn [ede] jdm. helfen **I 6A**
aimer qc [eme] etw. lieben/mögen **I 2**
aimer faire qc [emefɛʀ] etw. gerne tun **I 6B**
j'aimerais (faire qc) [ʒɛmʀɛ] ich würde gerne (etw. tun) ⟨**II 9**⟩
l'**air** *(m.)* [lɛʀ] die Luft; *(hier)* das Aussehen ⟨**II 8A**⟩
ajouter qc [aʒute] etw. hinzufügen **II 5**
à la maison [alamɛzõ] zu Hause **I 4E**
un **album** [ɛ̃nalbɔm] ein Album *(hier)* eine CD **II 3B**
un **Algérien**/une **Algérienne** [ɛ̃nalʒeʀjɛ̃/ynalʒeʀjɛn] ein Algerier/eine Algerierin ⟨**II 1Z**⟩
allemand [almɑ̃] deutsch; Deutsch *(als Unterrichtsfach)* **I 1**
en allemand [ɑ̃nalmɑ̃] auf Deutsch **I 1**
aller [ale] gehen/fahren **I 5E**
aller faire qc [alefɛʀ] etw. tun werden **I 6E**
On y va! [õniva] Gehen wir!/Auf geht's! **I 6B**
aller chercher qc [aleʃɛʀʃe] etw. holen **I 6B**
Comment allez-vous? [komɑ̃talevu] Wie geht es Ihnen? **I 8E**
Ça va? [sava] Wie geht's? **I 1**
Allô? [alo] Hallo? *(am Telefon)* **I 3A**
alors [alɔʀ] nun/jetzt/dann **I 4**
Ça alors! [saalɔʀ] Na sowas! ⟨**I 9A,** 3⟩
alors que [alɔʀkə] als/während ⟨**II 8Z**⟩
une **ambiance** [ynɑ̃bjɑ̃s] eine Stimmung/Atmosphäre **II 6, 3**
une **ambulance** [ynɑ̃bylɑ̃s] ein Krankenwagen **II 7B**
un **ami**/une **amie** [ɛ̃nami/ynami] ein Freund/eine Freundin **I 5**
un faux ami [ɛ̃fozami] ein falscher Freund **I 8, 3**
Amicalement. [amikalmɑ̃] Herzliche Grüße! *(Grußformel in einem persönlichen Brief)* **II 4, 2**
l'**amour** *(m.)* [lamuʀ] die Liebe **II 3B**
Tu es un amour! *(fam.)* Du bist ein Schatz! *(ugs.)* **II 3B**
amoureux/amoureuse [amuʀø/amuʀøz] verliebt **II 3A**
s'amuser [samyze] sich vergnügen/amüsieren **II 7B**
un **an** [ɛ̃nɑ̃] ein Jahr **I 4**
avoir douze ans [avwaʀduzɑ̃] zwölf Jahre alt sein **I 4**
en anglais [ɑ̃nɑ̃glɛ] auf Englisch **I 8**
un **animal**/des **animaux** [ɛ̃nanimal/dezanimo] ein Tier/Tiere **I 4, 8**
une **année** [ynane] ein Jahr **I 8**
un **anniversaire** [ɛ̃naniveʀsɛʀ] ein Geburtstag **I 7E**
Bon anniversaire! [bɔnaniveʀsɛʀ] Alles Gute zum Geburtstag! **I 7**
une **annonce** [ynanõs] eine Anzeige/Annonce **I 3E**
annoncer qc [anõse] etw. ankündigen **II 5**
août *(m.)* [ut] August **I 7, 6**
un **appareil** [ɛ̃napaʀɛj] ein Apparat, ein Gerät **I 8E**
un appareil photo [ɛ̃napaʀɛjfoto] ein Fotoapparat **I 8**
un **appartement** [ɛ̃napaʀtəmɑ̃] eine Wohnung **I 3E**
appeler qn [apəle] jdn. (an)rufen **II 5**
je m'appelle [ʒəmapɛl] ich heiße **I 1E**
Emma appelle Thomas [apɛl] *(hier)* ruft … an **I 5**
applaudir qn [aplodiʀ] jdm. Beifall klatschen **II 4**
apporter qc à qn [apɔʀte] jdn. etw. mitbringen **II 6E**
apprendre qc par cœur [apʀɑ̃dʀ] etw. auswendig lernen **I 6B, 10**
après [apʀɛ] nach/danach **I 5**
un **après-midi** [ɛ̃napʀɛmidi] ein Nachmittag **I 4**

à propos [apʀɔpo] übrigens **I 2E**
à propos de [apʀɔpodə] bezüglich, in Bezug auf **I 2E**
un **aquarium** [ɛ̃nakvaʀjɔm] ein Aquarium **II 1E**
arabe [aʀab] arabisch **⟨I 9A⟩**
l'**arabe** [laʀab] das Arabische **⟨II 8B⟩**
une **araignée** [ynaʀeɲe] eine Spinne **II 4**
un **arbre** [ɛ̃naʀbʀ] ein Baum **I 2**
l'**argent** *(m.)* [laʀʒɑ̃] das Geld **⟨I 9A⟩; II 6,** 6
un **argument** [ɛ̃naʀgymɑ̃] ein Argument **II 1,** 1
une **armée** [ynaʀme] eine Armee/ ein Heer **⟨II 9,** 8**⟩**
une **arobase** [ynaʀɔbaz] „at" *(Zeichen in E-Mail-Adressen)* **II 7E**
un **arrêt** [ɛ̃naʀɛ] ein Halt/eine Haltestelle **II 3A**
arrêter qn [aʀɛte] jdn. anhalten/festnehmen **I 5**
Arrêtez! [aʀɛte] Hört auf! **I 8**
arrêter (de faire qc) [aʀɛte] aufhören (etw. zu tun) **II 1,** 5
arriver [aʀive] (an)kommen **I 4**
qc arrive à qn [aʀiv] etw. geschieht/passiert jdm. **II 7A**
un **arrondissement** [ɛ̃naʀɔ̃dismɑ̃] ein Stadtbezirk **⟨II 1Z⟩**
l' **art** [laʀ] die Kunst **⟨II 5Z⟩**
un **article** [ɛ̃naʀtikl] ein Artikel **II 4,** 12
assez (de) [asedə] genug/genügend **I 8**
une **assiette** [ynasjɛt] ein Teller **I 3B**
attacher qc [ataʃe] etw. (fest)binden **I 4**
attaquer qn [atake] jdn. angreifen **⟨II 9⟩**
attendre qn [atɑ̃dʀ] auf jdn. warten/jdn. erwarten **I 8**
Attention! [atɑ̃sjɔ̃] Achtung!/Vorsicht! **I 4**
l'attention [latɑ̃sjɔ̃] die Aufmerksamkeit **I 4**
faire attention [fɛʀatɑ̃sjɔ̃] aufpassen/Acht geben **I 5**
attraper qn [atʀape] jdn. (ein)fangen/erwischen **I 5**
une **auberge de jeunesse** [ynobɛʀʒdəʒœnɛs] eine Jugendherberge **I 8E**
aujourd'hui [oʒuʀdɥi] heute **I 4**
aussi [osi] auch **I 2E**
aussi fan **que** [osifankə] ebenso begeistert wie **⟨II 8⟩**
l'**automne** *(m.)* [lotɔn] der Herbst **I 7,** 6
en automne [ɑ̃notɔn] im Herbst **I 7,** 6
un/une **autre** [ɛ̃/ynotʀ] ein anderer/eine andere **I 6B**
autre chose [otʀəʃoz] etw. anderes **II 4,** 6
avancer [avɑ̃se] vorankommen **⟨II 8B⟩**
avant [avɑ̃] vor *(zeitlich)*/vorher **II 2**
avec [avɛk] mit **I 1**
l'**avenir** *(m.)* [lavniʀ] die Zukunft **II 3B**
une **aventure** [ynavɑ̃tyʀ] ein Abenteuer **⟨I 9B,** 2**⟩; II 7E**
un **avion** [ɛ̃navjɔ̃] ein Flugzeug **II 1**
un **avis** [ɛ̃navi] eine Meinung **II 6**
à mon avis [amɔnavi] meiner Meinung nach **II 6**
avoir [avwaʀ] haben **I 4**
avoir douze ans [avwaʀduzɑ̃] zwölf Jahre alt sein **I 4**
avril *(m.)* [avʀil] April **I 7,** 6

B

une **baguette** [ynbagɛt] ein Baguette **II 5**
un **ballon** [ɛ̃balɔ̃] ein Ball **II 3B**
un **bambou** [ɛ̃bɑ̃bu] ein Bambus *(hier)* Name eines Elefanten **⟨II 9Z⟩**
une **banane** [ynbanan] eine Banane **II 5E**
un **banc** [ɛ̃bɑ̃] eine (Sitz)Bank **I 2**
la **banlieue** [labɑ̃ljø] der Vorort **I 3A**
une **barbe** [ynbaʀb] ein Bart **II 6**
La barbe! *(fam.)* [labaʀb] Jetzt reicht's!/Das nervt! *(ugs.)* **⟨II 9⟩**
Quelle barbe! *(fam.)* [kɛlbaʀb] Wie langweilig! *(ugs.)* **II 6**
en **bas** [ɑ̃ba] unten/nach unten **I 4**
un **bateau**/des **bateaux** [ɛ̃bato/debato] ein Boot, Schiff **⟨I 9E⟩; II 2**
ils ont **battu** [ilzɔ̃baty] sie haben geschlagen/besiegt **⟨II 9,** 8**⟩**
une **BD**/des **BD** *(= une* **b***ande* **d***essinée)* [ynbede] ein Comic(-Heft)/Comics **I 5**
beau/bel/belle [bo/bɛl] schön **II 3B**
il fait beau [ilfɛbo] es ist schönes Wetter **II 1**
beaucoup [boku] viel/sehr **I 7**
beaucoup de [bokudə] viel(e) *(bei Mengen)* **I 7**
beaucoup de monde [bokudmɔ̃d] viele Leute **I 7**
belge [bɛlʒ] belgisch **I 8,** 5
un/une **Belge** [ɛ̃/ynbɛlʒ] ein Belgier/eine Belgierin **I 8,** 5
Ben [bɛ̃] nun ja **I 2**
une **béquille** [ynbekij] eine Krücke **II 7B**
avoir **besoin** de qc [avwaʀbəswɛ̃] etw. brauchen **II 7A**
bête [bɛt] dumm **I 7**
une **bêtise** [ynbɛtiz] eine Dummheit **II 4**
Beurk! *(fam.)* [bœʀk] Igitt! *(ugs.)* **II 2,** 3
le **beurre** [ləbœʀ] die Butter **II 5E**
une **bibliothèque** [ynbiblijɔtɛk] eine Bibliothek **I 6B,** 7
bien [bjɛ̃] *(hier)* wohl *(bei einer Nachfrage)* **I 6B**
bien *(Adv.)* [bjɛ̃] gut **I 2,** 3
Ça va bien. [savabjɛ̃] Es geht (mir) gut. **I 1**
bien sûr [bjɛ̃syʀ] sicherlich/Na klar! **II 3B**
A **bientôt!** [abjɛ̃to] Bis bald! **I 8E**
Bienvenue! [bjɛ̃vny] Willkommen! **I 1**
un **bijou**/des **bijoux** [ɛ̃biʒu/debiʒu] ein Schmuckstück/Schmuck **⟨I 9A⟩**
bilingue [bilɛ̃g] zweisprachig **I 8**
un **billet** [ɛ̃bijɛ] eine Fahrkarte **I 7**
une **bise** *(fam.)* [ynbiz] ein Kuss *(ugs.)* **I 8**
faire la bise à qn *(fam.)* [fɛʀlabiz] jdn. mit Wangenkuss begrüßen/verabschieden *(ugs.)* **I 8**
un **bisou** [bizu] ein Küsschen **⟨I 9B⟩**
bizarre [bizaʀ] komisch/merkwürdig **I 1**
blanc/blanche [blɑ̃/blɑ̃ʃ] weiß **I 7**
bleu/bleue [blø] blau **I 7**
un **bloc à dessin** [ɛ̃blɔkadesɛ̃] ein Zeichenblock **I 2**
blond/blonde [blɔ̃/blɔ̃d] blond **⟨II 8B,** 9**⟩**
Bof! [bɔf] Na ja!/Ach! *(ugs.)* **I 1,** 3
boire qc [bwaʀ] etw. trinken **I 7**
boire à qc auf etw. trinken/anstoßen **I 7**
le **bois** [ləbwa] das Holz **⟨II 9E⟩**
en bois [ɑ̃bwa] aus Holz **⟨II 9E⟩**
une **boisson** [ynbwasɔ̃] ein Getränk **II 5**
bon/bonne [bɔ̃/bɔn] gut **I 7**
la bonne forme [labɔnfɔʀm] die richtige Form **I 3A,** 3
le bon ordre [ləbɔnɔʀdʀ] die richtige Reihenfolge **I 4,** 1

Bon appétit! [bɔnapeti] Guten Appetit! **II 5**, 6
Bonjour! [bõʒuʀ] Guten Tag! **I 1E**
un **bonnet** [ɛ̃bɔnɛ] eine Mütze **⟨II 8A⟩**
Bonsoir. [bõswaʀ] Guten Abend. **I 8E**
au **bord** de qc [obɔʀdə] am Rande/Ufer von etw. **⟨I 9A⟩; II 2**
un **bouchon** [ɛ̃buʃõ] *(hier)* ein Verkehrsstau **I 5**
bouger [buʒe] sich bewegen **I 6A**
une **bougie** [ynbuʒi] eine Kerze **II 5**
une **boulangerie** [ynbulɑ̃ʒʀi] eine Bäckerei **II 5**
une **boule** [ynbul] eine Kugel **I 7**
un **boulevard** [ɛ̃bulvaʀ] ein Boulevard **II 1**, 2
bousculer qn [buskyle] jdn. anrempeln **I 5**
une **bouteille** [ynbutɛj] eine Flasche **I 2**
un **bras** [ɛ̃bʀa] ein Arm **II 7B**, 4
une **brasserie** [ynbʀasʀi] eine Gaststätte **II 5**, 7
Bravo! [bʀavo] Bravo! **I 6B**
breton/bretonne [bʀətõ/bʀətɔn] bretonisch **⟨I 9A⟩**
un **bureau des objets trouvés** [ɛ̃byʀodezɔbʒɛtʀuve] ein Fundbüro **II 3B**, 6
un **bus** [ɛ̃bys] ein Bus **I 5**

C

ça [sa] das **I 2**
Ça alors! [saalɔʀ] Na sowas! **⟨I 9A**, 3**⟩**
Ça va? [sava] Wie geht's? **I 1**
Ça va bien. [savabjɛ̃] Es geht (mir) gut. **I 1**
se cacher [səkaʃe] sich verstecken **II 7B**
cacher qc [kaʃe] etw. verstecken **⟨II 8A⟩**
un **cadeau**/des **cadeaux** [ɛ̃kado] ein Geschenk/Geschenke **I 7**
un **café** [ɛ̃kafe] ein Café **II 1**, 2
le **café** [ləkafe] der Kaffee **II 1**, 2
un **cahier** [ɛ̃kaje] ein Heft **I 2**, 3
une **caisse** [ynkɛs] eine Kasse **I 5**
un **calendrier** [ɛ̃kalɑ̃dʀije] ein Kalender **I 8**
une **caméra** [ynkameʀa] eine (Film-)Kamera **I 6B**
un **camion** [ɛ̃kamjõ] ein Lastwagen **II 2**, 12
la **campagne** [lakɑ̃paɲ] das Land *(im Gegensatz zur Stadt)* **I 7E**
un **camping-car** [ɛ̃kɑ̃piŋkaʀ] ein Wohnmobil **II 1**
un **canal** [ɛ̃kanal] ein Kanal **II 2**
un **canard** [ɛ̃kanaʀ] eine Ente **II 5**
une **cantine** [ynkɑ̃tin] eine Kantine **I 5E**
une **capitale** [ynkapital] eine Hauptstadt **II 1**
capituler [kapityle] sich ergeben/kapitulieren **⟨II 9**, 8**⟩**
car [kaʀ] denn **I 7**, 7
un **caractère** [ɛ̃kaʀaktɛʀ] ein Charakter **⟨II 8B**, 9**⟩**
un **carrefour** [ɛ̃kaʀfuʀ] eine Kreuzung **II 7A**, 6
une **carte** [ynkaʀt] eine (Spiel)Karte **I 6A**, 2
une carte postale [ynkaʀtpɔstal] eine Postkarte **⟨I 9A⟩**
une carte de séjour [ynkaʀtdəseʒuʀ] eine Aufenthaltserlaubnis *(hier: Musikgruppe)* **⟨II 8B⟩**
un **carton** [ɛ̃kaʀtõ] ein Karton **I 2**
un **casque** [ɛ̃kask] ein Sturz-/Schutzhelm **I 4**
cassé/cassée [kase] gebrochen/zerbrochen **II 7B**
une **cassette** [ynkasɛt] eine Kassette **II 4**, 11
un **cassoulet** [ɛ̃kasulɛ] ein Cassoulet *(südwestfranzösisches Eintopfgericht)* **II 2**, 3
une **catastrophe** [ynkatastʀɔf] eine Katastrophe **II 5**
une **cathédrale** [ynkatedʀal] eine Kathedrale **⟨I 9B⟩**
une **cave** [ynkav] ein Keller **II 2**
un **CD**/des **CD** [ɛ̃sede] eine CD/CDs **I 4**, 11
un **CDI** [ɛ̃sedei] ein CDI *(eine Mediathek)* **I 6A**, 3
ce, cet, cette, ces [sə/sɛt/se] diese(r), dieses *(Demonstrativbegleiter)* **⟨I 9B⟩; II 3B**
célèbre [selɛbʀ] berühmt **⟨II 9E⟩**
un **centime** [ɛ̃sɑ̃tim] ein Cent **I 8**
une **chaîne de télévision** [ynʃɛndətelevizjõ] ein Fernsehsender **II 6**
une **chaise** [ynʃɛz] ein Stuhl **⟨I 9B⟩**
un **chalet** [ɛ̃ʃalɛ] eine (Berg)Hütte **⟨I 9E⟩; II 7A**
une **chambre** [ynʃɑ̃bʀ] ein Schlafzimmer **I 3E**
le **champagne** [ləʃɑ̃paɲ] der Champagner **I 7**
la **chance** [laʃɑ̃s] das Glück/die Chance **I 5E**
changer [ʃɑ̃ʒe] wechseln; *(hier)* umsteigen **I 7**
changer de train [ʃɑ̃ʒedətʀɛ̃] den Zug wechseln **I 7**
une **chanson** [ynʃɑ̃sõ] ein Lied **I 7**
chanter [ʃɑ̃te] singen **I 7**
un **chanteur**/une **chanteuse** [ɛ̃ʃɑ̃tœʀ/ynʃɑ̃tøz] ein Sänger/eine Sängerin **⟨II 1Z⟩; II 2**
un **chapeau** [ɛ̃ʃapo] ein Hut **⟨II 8B⟩**
chaque [ʃak] jeder/jede/jedes + *Nomen* **⟨I 9B⟩; ⟨II 2Z⟩; II 4**
la **chasse** [laʃas] die Jagd **II 4**, 9
un **chat** [ɛ̃ʃa] eine Katze **I 1**
avoir un chat dans la gorge [avwaʀɛ̃ʃadɑ̃lagɔʀʒ] einen Frosch im Hals haben *(Redensart)*/einen rauen Hals haben **I 6B**
châtain [ʃatɛ̃] kastanienbraun **⟨II 8B**, 9**⟩**
chaud/chaude [ʃo/ʃod] warm, heiß **⟨I 9A⟩; II 1**
il fait chaud [ilfɛʃo] es ist warm/heiß **⟨I 9A⟩; II 1**
un **chemin** [ɛ̃ʃəmɛ̃] ein Weg **I 5**, 12
une **chemise** [ynʃəmiz] ein Hemd **I 7**
un **chèque** [ɛ̃ʃɛk] ein Scheck **⟨I 9A⟩**
faire un chèque [fɛʀɛ̃ʃɛk] einen Scheck ausstellen **⟨I 9A⟩**
cher/chère [ʃɛʀ] lieb/teuer **I 8E**
chercher qc [ʃɛʀʃe] etw. suchen **I 2E**
aller chercher qc [aleʃɛʀʃe] etw. holen **I 6B**
chéri/chérie [ʃeʀi] Liebling **⟨I 9A**, 2**⟩; II 1E**
un **cheval**/des **chevaux** [ɛ̃ʃəval/deʃəvo] ein Pferd/Pferde **⟨II 9⟩**
un **cheveu**/des **cheveux** [ʃvø] ein Haar/Haare **⟨II 8A⟩**
avoir les cheveux noirs [avwaʀleʃvønwaʀ] schwarze Haare haben **⟨II 8A⟩**
chez [ʃe] bei **I 5E**
un **chien** [ɛ̃ʃjɛ̃] ein Hund **I 1**
un **chiffre** [ɛ̃ʃifʀ] eine Ziffer/Zahl **⟨II 9⟩**
chinois/chinoise [ʃinwa/ʃinwaz] chinesisch **⟨II 1Z⟩**
la **chlorophylle** [laklɔʀɔfil] das Chlorophyll/Blattgrün **II 7B**
le **chocolat** [ləʃɔkɔla] die Schokolade **II 5E**
choisir qc [ʃwaziʀ] etw. wählen/aussuchen **II 4**

une **chose** [ynʃoz] eine Sache **I 7**
quelque chose [kɛlkəʃoz] etwas **I 5**
les **choux de Bruxelles** *(m., pl.)* der Rosenkohl **II 4**
un **chou à la crème** [ɛ̃ʃualakʀɛm] ein Windbeutel **II 4**
Chut! [ʃyt] Pst! **I 1**
ci-dessus [sidəsy] (weiter) oben **II 2, 9**
un **cinéma** [ɛ̃sinema] ein Kino **I 5E**
une **classe** [ynklas] eine Klasse **I 1, 3**
en classe [ɑ̃klas] im Unterricht ⟨**I 6A, 9**⟩
la classe de 5e *(= cinquième)* [la klasdəsɛ̃kjɛm] die fünfte Klasse **I 8E**
classer qc [klase] etw. einordnen **II 1, 6**
cliquer [klike] klicken ⟨**II 4Z**⟩
un **club** [ɛ̃klœb] ein Klub; *(hier) eine Freizeitgruppe/AG* **I 4E**
un **coca** [ɛ̃koka] eine Cola **I 8, 13**
une **colère** [ynkɔlɛʀ] ein Zorn/eine Wut **I 3B**
être en colère [ɛtʀɑ̃kɔlɛʀ] wütend sein **I 3B**
un **collège** [ɛ̃kɔlɛʒ] ein «Collège» *(weiterführende Schule für alle 11- bis 15-Jährigen)* **I 1**
coller qc [kɔle] etw. (an)kleben **I 2**
une **colonie de vacances** [ynkɔlɔnidvakɑ̃s] ein Ferienlager ⟨**I 9E**⟩
combien (de) [kɔ̃bjɛ̃] wie viel **I 8**
comme [kɔm] als **I 6E**
comme [kɔm] wie *(beim Vergleich)* **I 8E**
comme [kɔm] da/weil **II 5**
comme ça [kɔmsa] so/auf diese Weise **II 1E**
commencer qc [komɑ̃se] etw. anfangen **I 8**
commencer à faire qc [komɑ̃se] anfangen etw. zu tun ⟨**II 1Z**⟩; **II 2, 3**
comment [kɔmɑ̃] wie **I 1**
communiquer *(avec qn)* [kɔmynike] *(mit jdn.)* kommunizieren, Nachrichten austauschen **II 6E**
comprendre qc [kɔ̃pʀɑ̃dʀ] etw. verstehen **I 8**
compter qc [kɔ̃te] etw. zählen **I 4, 2**
un **concert** [ɛ̃kɔ̃sɛʀ] ein Konzert ⟨**I 9B**⟩; **II 2**
un **conducteur**/une **conductrice** [ɛ̃kɔ̃dyktœʀ/ynkɔ̃dyktʀis] ein Fahrer/eine Fahrerin **II 3A**
conduire qn [kɔ̃dɥiʀ] jdn. fahren; jdn. führen **II 7B**
connaître qc [kɔnɛtʀ] etw. kennen **II 3A**
Vous connaissez ... ? [vukɔnɛse] Kennen Sie ... ? ⟨**II 1Z**⟩
construire qc [kɔ̃stʀɥiʀ] etw. bauen **II 7B**
contacter qn [kɔ̃takte] mit jdm. in Verbindung treten **II 7E**
content/contente [kɔ̃tɑ̃/kɔ̃tɑ̃t] zufrieden/glücklich **I 7**
être content/contente de faire qc [ɛtʀəkɔ̃tɑ̃/kɔ̃tɑ̃t] zufrieden sein/sich freuen etwas zu tun **I 8E**
continuer [kɔ̃tinɥe] weitermachen/fortfahren **I 8**
continuer à faire qc [kɔ̃tinɥe] etw. weitermachen/fortfahren etw. zu tun **II 4**
le **contraire** (de) [ləkɔ̃tʀɛʀ] das Gegenteil (von) **I 8, 14**
contre [kɔ̃tʀ] gegen **I 3A, 3**
un **copain** *(fam.)* [ɛ̃kɔpɛ̃] ein Freund *(ugs.)* **I 3E**
copier qc [kɔpje] etw. kopieren, abschreiben **II 6, 6**
une **copine** *(fam.)* [ynkɔpin] eine Freundin *(ugs.)* **I 3E**
un **coq** [ɛ̃kɔk] ein Hahn **I 7E**
un **coquillage** [ɛ̃kɔkijaʒ] eine Muschel ⟨**I 9E**⟩
un **corbeau** [ɛ̃kɔʀbo] ein Rabe ⟨**II 9, 10**⟩
une **corde** [ynkɔʀd] ein Seil **I 4**
cordial/cordiale [kɔʀdjal] herzlich **II 4, 11**
Cordialement [kɔʀdjalmɑ̃] Herzliche Grüße *(Grußformel in einem persönlichen Brief)* **I 8E**
correct [kɔʀɛkt] richtig/korrekt **I 8**
un **correspondant**/une **correspondante** *(fam: un/une corres)* [ɛ̃kɔʀɛspɔ̃dɑ̃/ynkɔʀɛspɔ̃dɑ̃t] ein Brieffreund/eine Brieffreundin ⟨**I 9A, 7**⟩; **II 2, 10**
à côté [akote] daneben/nebenan ⟨**I 9A**⟩; **II 3A**
à côté de [akotedə] neben ⟨**I 9A**⟩
une **couleur** [ynkulœʀ] eine Farbe **I 7, 13**
le **coup de foudre** [ləkudfudʀ] Liebe auf den ersten Blick *(wörtl. „der Blitzschlag")* **II 3A**
un **coup de téléphone** [ɛ̃kudətelefɔn] ein (Telefon)anruf **I 8E**
couper qc [kupe] etw. schneiden **I 6B**
une **cour** [ynkuʀ] ein Hof **I 2**
courir [kuʀiʀ] laufen/rennen **II 2**
un **cours** [ɛ̃kuʀ] eine Unterrichtsstunde **II 4**
en cours [ɑ̃kuʀ] im Unterricht **II 4**
faire les **courses** [fɛʀlekuʀs] einkaufen **II 5E**
court/courte [kuʀ/kuʀt] kurz ⟨**II 8B, 9**⟩
un **cousin**/une **cousine** [ɛ̃kuzɛ̃/ynkuzin] ein Cousin/eine Cousine **I 5E**
coûter [kute] kosten ⟨**II 7Z**⟩
un **crayon** [ɛ̃kʀɛjɔ̃] ein Bleistift **I 2**
la **crème chantilly** [lakʀɛmʃɑ̃tiji] die Schlagsahne **II 5E**
une **crêpe** [ynkʀɛp] eine Crêpe *(Pfannkuchen)* ⟨**I 9A, 4**⟩; **II 2E**
une **crêperie** [ynkʀɛpʀi] eine Crêperie ⟨**I 9B**⟩
crier [kʀije] schreien **I 4**
croire qc [kʀwaʀ] etw. glauben **II 6**
une **croquette** [ynkʀɔkɛt] eine Krokette *(hier) Trockenfutter für Katzen* **I 6A**
une **cuisine** [ynkɥizin] eine Küche **I 3E**
un **cuisinier** [ɛ̃kɥizinje] ein Koch **I 5E**
curieux/curieuse [kyʀjø/kyʀjøz] neugierig; *(hier)* merkwürdig ⟨**II 8A**⟩
un/une **cycliste** [ɛ̃siklist/ynsiklist] ein Radfahrer/eine Radfahrerin ⟨**I 9A**⟩

D

d'abord [dabɔʀ] zuerst **I 3E**
d'accord [dakɔʀ] einverstanden/o.k. **I 2E**
Tu es d'accord? [tyɛdakɔʀ] Bist du einverstanden? **I 2**
une **dame** [yndam] eine Dame **I 5**
dangereux/dangereuse [dɑ̃ʒʀø/dɑ̃ʒʀøz] gefährlich **II 4**
dans [dɑ̃] in **I 2E**
dans trois mois [dɑ̃tʀwamwa] in drei Monaten **I 3A**
dans la rue [dɑ̃laʀy] auf der Straße **I 5**
la **danse** [ladɑ̃s] das Tanzen/der Tanz **I 4**
danser [dɑ̃se] tanzen **II 2E**
un **danseur**/une **danseuse** [ɛ̃dɑ̃sœʀ/yndɑ̃søz] ein Tänzer/eine Tänzerin ⟨**I 9A**⟩
une **date** [yndat] ein Datum **I 8, 12**
de/d' [də] von/aus **I 1**
débuter [debyte] anfangen, Anfänger sein **I 4**
décembre *(m.)* [desɑ̃bʀ] Dezember **I 7, 6**

une **découverte** [yndekuvERt] eine Entdeckung ⟨I 9E⟩; **II 1E**
découvrir qc [dekuvRiR] etw. entdecken **II 7B**
décrire qc [dekRiR] etw. beschreiben **II 7A**, 5
un **degré** [ɛ̃dəgRe] ein Grad **II 1**
il fait trente degrés [ilfɛtRɑ̃tdəgRe] es sind 30 Grad **II 1**
dehors [dəɔR] draußen ⟨**II 8B**, 3⟩
déjà [deʒa] schon **I 3B**
délicieux/délicieuse [delisjø/delisjøz] köstlich **II 5**
demain [dəmɛ̃] morgen **I 6A**
demander qc à qn [dəmɑ̃de] jdn. etwas fragen **I 6A**
demander à qn de faire qc [dəmɑ̃de] jdn. darum bitten etwas zu tun **II 4**, 6
demander à qn si [dəmɑ̃de] jdn. fragen, ob **I 8**
un **déménagement** [ɛ̃demenaʒmɑ̃] ein Umzug/Wohnungswechsel **II 2**
déménager [demenaʒe] umziehen **II 1**
un **déménageur** [ɛ̃demenaʒœR] ein Möbelpacker **II 2**, 12
une **demi-heure** [yndəmijœR] eine halbe Stunde ⟨**I 9A**⟩
faire **demi-tour** [dəmituR] wenden/umdrehen **II 7A**, 6
le **départ** [lədepaR] die Abfahrt/der Aufbruch **I 8**
depuis [dəpɥi] seit **I 8**, 2
dernier/dernière [dɛRnje/dɛRnjɛR] letzter/letzte/letztes **II 2**, 3
derrière [dɛRjɛR] hinter **I 2**
descendre [desɑ̃dR] hinuntergehen/aussteigen **II 2E**
désirer qc [deziRe] etw. wünschen **I 8**
qn est **désolé(e).** [dezɔle] es tut jdm. leid **II 2**
un **dessert** [ɛ̃desɛR] ein Nachtisch **II 4**
un **dessin** [ɛ̃desɛ̃] eine Zeichnung **I 2**
un **dessinateur** [ɛ̃desinatœR] ein Zeichner **I 6E**
dessiner qc [desine] etw. zeichnen **I 2**
détester qc [detɛste] etw. verabscheuen/überhaupt nicht mögen **II 4**
le/la **deuxième** [døzjɛm] der, die, das zweite **II 5**, 11
devant [dəvɑ̃] vor *(örtlich)* **I 2**
devenir [dəvəniR] werden ⟨**II 8A**⟩
deviner qc [dəvine] etw. erraten ⟨**II 8A**, 8⟩
une **devinette** [yndevinɛt] ein Rätsel **II 3A**, 5

un **devoir** [ɛ̃dəvwaR] eine (Haus)Aufgabe ⟨**I 6A**, 9⟩; **I 7**, 15; *(hier)* eine Klassenarbeit ⟨**II 4Z**⟩
devoir faire qc [devwaR] etw. tun müssen **II 2**
un **dialogue** [ɛ̃djalɔg] ein Dialog **I 1**, 3
un **dictionnaire** [ɛ̃diksjɔnɛR] ein Wörterbuch ⟨**I 9B**⟩; **II 7E**
dieu *(m.)* [djø] Gott **I 6A**
Mon Dieu ! [mõdjø] Mein Gott! **I 6A**
une **différence** [yndifeRɑ̃s] ein Unterschied **II 6**, 10
différent/différente [difeRɑ̃/difeRɑ̃t] anders **I 7**, 15
difficile [difisil] schwierig **II 5**
dimanche *(m.)* [dimɑ̃ʃ] Sonntag/am Sonntag **I 6E**
dire qc à qn [diR] jdm. etw. sagen **I 8**
Dis-le-moi. [diləmwa] Sage es mir. ⟨**II 9**⟩
dire à qn que ... [diR] jdm. sagen, dass ... **I 8**
dire qc dans sa barbe [dɑ̃sabaRb] etw. undeutlich sagen **II 7A**
un **directeur**/une **directrice** [ɛ̃diRɛktœR/yndiRɛktRis] ein Direktor/eine Direktorin **II 3A**, 3
une **direction** [yndiRɛksjõ] eine Richtung ⟨**II 2Z**⟩
discuter [diskyte] sich unterhalten/diskutieren **I 3A**
se disputer (avec qn) [sədispyte] sich streiten (mit jdm.) **II 7B**
un **docteur** [ɛ̃dɔktœR] ein Doktor/Arzt **II 7B**, 4
donner qc à qn [dɔne] jdm. etw. geben **I 6A**
dormir [dɔRmiR] schlafen ⟨**I 9A**⟩; **II 1**
le **dos** [lədo] der Rücken **II 1E**
une **douleur** [yndulœR] ein Schmerz **II 7B**
à droite [adRwat] (nach) rechts **I 5**
drôle [dRol] lustig **I 8**
un **drôle de nom** [ɛ̃dRoldənõ] ein komischer Name ⟨**II 8A**⟩
dur/dure [dyR] hart **II 4**, 7
un **DVD** [ɛ̃devede] eine DVD **II 3B**

E

l'**eau** *(f.)* [lo] das Wasser **I 7**
l' **eau minérale** *(f.)* [lomineRal] das Mineralwasser **II 5**
un **éclair** [ɛ̃neklɛR] ein Blitz **II 7B**
une **école** [ynekɔl] eine Schule **I 4E**

l'**écoute** *(f.)* [lekut] das (Zu)Hören **II 7B**, 6
écouter qn [ekute] jdm. zuhören **I 3B**
un **écran** [ɛ̃nekRɑ̃] ein Bildschirm, eine Leinwand **II 6**
écrire qc [ekRiR] etw. schreiben **I 7**
égal/égale [egal] gleich; *(hier)* gleichgültig ⟨**II 9**, 9⟩
une **église** [ynegliz] eine Kirche ⟨**II 9**⟩
un **éléphant** [ɛ̃nelefɑ̃] ein Elefant ⟨**II 9Z**⟩
un **élève**/une **élève** [ɛ̃nelɛv/ynelɛv] ein Schüler/eine Schülerin **I 4**
s'éloigner [selwaɲe] sich entfernen **II 7B**
un **e-mail** [ɛ̃nimɛl] eine E-Mail **I 4**, 8
embrasser qn [ɑ̃bRase] jdn. küssen/umarmen ⟨**I 9A**⟩; **II 1E**
emporter qc [ɑ̃pɔRte] etw. mitnehmen ⟨**I 9B**⟩
en [ɑ̃] *(verschiedene Bedeutungen)* **I 1**
en allemand [ɑ̃nalmɑ̃] auf Deutsch **I 1**
en sport [ɑ̃spɔR] in Sport *(Sport als Schulfach)* **I 4**
en plus [ɑ̃plys] außerdem **I 4**
en roller [ɑ̃Rɔlœr] auf Rollschuhen **I 4**, 12
en classe [ɑ̃klas] im Unterricht ⟨**I 6A**, 9⟩
en voiture [ɑ̃vwatyR] mit dem Auto **I 7**
en été [ɑ̃nete] im Sommer **I 7**, 6
en ville [ɑ̃vil] in der Stadt ⟨**I 9E**⟩
en France [ɑ̃fRɑ̃s] in Frankreich **II 1**
en cinq heures [ɑ̃sɛ̃kœR] in(nerhalb von) fünf Stunden **II 2**
J'en prends deux kilos. [ʒɑ̃pRɑ̃døkilo] Ich nehme (davon) zwei Kilo. **II 5**
encore [ɑ̃kɔR] noch/schon wieder **I 4**, 11
un **endroit** [ɛ̃nɑ̃dRwa] ein Ort/eine Stelle ⟨**II 1Z**⟩; ⟨**II 2Z**⟩; ⟨**II 9**, 8⟩
énerver qn [enɛRve] jdn. aufregen **II 2**
en face (de) [ɑ̃fas] gegenüber (von) ⟨**II 8A**⟩
un **enfant** [ɛ̃nɑ̃fɑ̃] ein Kind **I 3A**, 3
enfin [ɑ̃fɛ̃] schließlich/endlich **I 5**
ensemble [ɑ̃sɑ̃bl] zusammen **I 1**
ensuite [ɑ̃sɥit] dann/danach **II 5**
entendre qc [ɑ̃tɑ̃dR] etw. hören **I 8**
entre [ɑ̃tR] zwischen ⟨**I 9A**⟩; **II 3A**, 9
une **entrée** [ynɑ̃tRe] ein Eingang **I 1E**; *(hier)* eine Vorspeise **II 5**
entrer [ɑ̃tRe] eintreten/betreten/hereinkommen **I 2**

avoir **envie** [avwaʀɑ̃vi] Lust haben **I 4**
avoir envie de faire qc [avwaʀɑ̃vi] Lust haben etw. zu tun **I 6B**
envoyer qc à qn [ɑ̃vwaje] jdm. etw. schicken **II 2**
une **équipe** [ynekip] eine Mannschaft/ein Team **II 3E**
l'**escalade** *(f.)* [lɛskalad] das Klettern **I 4E**
un mur d'escalade [ɛ̃myʀdɛskalad] eine Kletterwand **I 4**
un **escalier** [ɛ̃nɛskalje] eine Treppe **II 2**
espagnol/espagnole [ɛspaɲɔl] spanisch **I 7E**
espérer [ɛspeʀe] hoffen **⟨II 9⟩**
est-ce que [ɛskə] *Frageformel* **I 5**
et [e] und **I 1E**
un **étage** [ɛ̃netaʒ] ein Stockwerk/eine Etage **I 3E**
une **étagère** [ynetaʒɛʀ] ein Regal **I 2**
une **étape** [ynetap] eine Etappe **⟨II 9⟩**
l'**été** *(m.)* [lete] der Sommer **I 7, 6**
une **étoile** [ynetwal] ein Stern **II 1E**
être [ɛtʀ] sein **I 3A**
Christian est de Berlin. [kʀistjɑ̃nɛdəbɛʀlɛ̃] Christian ist aus Berlin. **I 1**
je suis [ʒəsɥi] ich bin **I 1E**
tu es [tyɛ] du bist **I 1**
euh [ø] äh … *(Ausdruck des Zögerns)* **I 1**
un **euro**/des **euros** [ɛ̃nøʀo/dezøʀo] ein Euro/Euros **I 7, 8**
éviter qc [evite] etw. vermeiden **I 7, 17**
exactement [ɛgzaktəmɑ̃] genau *(Adv.)* **⟨II 9⟩**
un **exemple** [ɛ̃nɛgzɑ̃pl] ein Beispiel **I 1, 1**
un **exercice** [ɛ̃nɛgzɛʀsis] eine Übung **I 4**
expliquer qc à qn [ɛksplike] jdm. etw. erklären **I 8**
un **exposé** [ɛ̃nɛkspoze] ein Referat **II 4**

F

une **fable** [ynfabl] eine Fabel **⟨II 9Z⟩**
fabriquer qc [fabʀike] etw. herstellen **⟨II 9E⟩**
facile [fasil] leicht **I 4**
avoir **faim** *(f.)* [avwaʀfɛ̃] Hunger haben **I 8**
faire qc [fɛʀ] etw. machen **I 4E**
faire du sport [fɛʀdyspɔʀ] Sport treiben **I 4E**
faire attention [fɛʀatɑ̃sjõ] aufpassen/Acht geben **I 5**
il fait chaud [ilfɛʃo] es ist warm/heiß **⟨I 9A⟩; II 1**
il fait beau [ilfɛbo] es ist schönes Wetter **II 1**
il fait trente degrés [ilfɛtʀɑ̃tdəgʀe] es sind 30 Grad **II 1**
faire la tête *(fam.)* [fɛʀlatɛt] schmollen/sauer sein *(ugs.)* **II 2**
falloir [falwaʀ] brauchen/müssen **II 5**
il faut qc [ilfo] man braucht etw. **II 5**
il faut qc à qn [ilfo] jd. braucht etw. **II 5**
il faut faire qc [ilfo] man muss etw. tun **II 5**
il faut que [ilfo] man muss/es ist nötig, dass **⟨II 9⟩**
une **famille** [ynfamij] eine Familie **I 3A**
un **fan**/une **fan** [ɛ̃fan/ynfan] ein Fan **II 3E**
aussi **fan** que *(inv.)* [osifankə] ebenso begeistert wie **⟨II 8⟩**
la **farine** [lafaʀin] das Mehl **II 5E**
fatigué/fatiguée [fatige] müde **II 6**
une **faute** [ynfot] ein Fehler **I 7, 17**
C'est de sa **faute.** [sɛdəsafot] Das ist seine/ihre Schuld. **II 7B**
faux [fo] falsch **I 2, 1**
une **femme** [ynfam] eine Frau/Ehefrau **I 3B**
fermer qc [fɛʀme] etw. schließen **⟨II 8A⟩**
un **festival** [ɛ̃fɛstival] Festspiele/ein Festival **⟨II 9E⟩**
une **fête** [ynfɛt] ein Fest **I 4, 11**
fêter qc [fɛte] etw. feiern **⟨II 9⟩**
un **feu**/des **feux** [ɛ̃fø/defø] ein Feuer; *(hier)* Ampel **II 7A, 6**
un feu d'artifice [ɛ̃fødaʀtifis] ein Feuerwerk **⟨I 9B⟩**
une **feuille** [ynfœj] ein Blatt **II 7B**
février *(m.)* [fevʀije] Februar **I 7, 6**
un **fil** [ɛ̃fil] ein Faden/eine Schnur **II 7B**
une **fille** [ynfij] ein Mädchen **I 1**
un **film** [ɛ̃film] ein Film **I 5, 13**
un **fils** [ɛ̃fis] ein Sohn **II 6, 11**
la **fin** [lafɛ̃] das Ende/der Schluss **II 1, 7**
à la fin [alafɛ̃] schließlich, am Ende **II 1, 7**
finalement [finalmɑ̃] schließlich/zum Schluss **⟨II 9⟩**
finir qc [finiʀ] etw. beenden **II 4**
le **flamand** [ləflamɑ̃] das Flämische *(niederländische Sprache)* **⟨II 9, 5⟩**
une **flûte** [ynflyt] eine Flöte **I 3B**
une **fois** [ynfwa] einmal **I 4, 11**
36 fois *(fam.)* [tʀɑ̃tsifwa] zig Mal *(ugs.)* **I 6B**
pour une fois que [puʀynfwakə] wenn … (schon) einmal **II 6**
le **foot** [ləfut] der Fußball *(als Sportart)* **I 4E**
jouer au foot [ʒweofut] Fußball spielen **I 4**
une **forêt** [ynfoʀɛ] ein Wald **II 7A**
une **forme** [ynfɔʀm] eine Form **I 3A, 3**
la bonne forme [labɔnfɔʀm] die richtige Form **I 3A, 3**
un **fou**/une **folle** [ɛ̃fu/ynfɔl] ein Verrückter/eine Verrückte **II 7B**
fou/fol/folle [fu] verrückt **I 6B**
une **foule** [ynfoul] eine (Menschen)-Menge **II 6**
qn **se fout** de qc *(fam.)* [səfu] etw. ist jdm. schnuppe *(ugs.)* **⟨II 9, 9⟩**
un **Franc** [ɛ̃fʀɑ̃] ein Franke **⟨II 9⟩**
le **français** [ləfʀɑ̃sɛ] das Französische **⟨I 9A⟩; II 2, 7**
un Français/une Française [ɛ̃fʀɑ̃sɛ/ynfʀɑ̃sɛz] ein Franzose/eine Französin **II 4, 4**
français/française [fʀɑ̃sɛ/fʀɑ̃sɛz] französisch **I 7E**
un **frère** [ɛ̃fʀɛʀ] ein Bruder **I 3A, 4**
des **frites** *(f., pl.)* [defʀit] Pommes frites **I 8**
froid/froide [fʀwa/fʀwad] kalt **II 1**
j'ai froid [ʒefʀwa] mir ist kalt **II 1**
le **fromage** [ləfʀɔmaʒ] der Käse **II 5**
un **fruit** [ɛ̃fʀɥi] eine Frucht/Obstsorte **II 5**

G

un **gag** [ɛ̃gag] ein Gag *(witziger Einfall)* **⟨II 9⟩**
gagner qc [gaɲe] etw. gewinnen **II 6;** *(hier)* etw. verdienen **II 6, 6**
un **garage** [ɛ̃gaʀaʒ] eine Garage/eine Autowerkstatt **II 3A**
un **garçon** [ɛ̃gaʀsõ] ein Junge **I 1**
garder qc [gaʀde] etw. behalten **⟨II 8B⟩**
une **gare** [yngaʀ] ein Bahnhof **I 7**
un **gâteau**/des **gâteaux** [ɛ̃gato/degato] ein Kuchen/Kuchen **I 7**
à **gauche** [agoʃ] (nach) links **I 5**
un **Gaulois**/une **Gauloise** [ɛ̃golwa/yngolwaz] ein Gallier/eine Gallierin **⟨II 9, 8⟩**

gaulois/gauloise [golwa/golwaz] gallisch ⟨**II 9, 8**⟩
génial *(fam.)* [ʒenjal] genial/super/toll *(ugs.)* **I 6B**
les **gens** *(m., pl.)* [leʒɑ̃] die Leute **II 1, 7**
la **géographie** *(fam.: la géo)* [laʒeɔgʀafi] die Geographie/die Erdkunde **II 4**
une **glace** [ynglas] ein Eis **II 5, 1**
une **gomme** [yngɔm] ein Radiergummi **I 2**
la **gorge** [lagɔʀʒ] die Kehle **II 7B, 4**
goûter qc [gute] etw. probieren/kosten **II 5**
un **gramme** [ɛ̃gʀam] ein Gramm **II 5, 3**
grand/grande [gʀɑ̃/gʀɑ̃d] groß **I 7E**
une **grand-mère** [yngʀɑ̃mɛʀ] eine Großmutter **I 7**
un **grand-père** [ɛ̃gʀɑ̃pɛʀ] ein Großvater ⟨**I 9A**⟩; **II 5**
des **grands-parents** *(m.)* [degʀɑ̃paʀɑ̃] Großeltern **I 7**
un **gratin** [ɛ̃gʀatɛ̃] ein Auflauf **II 4**
gratuit/gratuite [gʀatɥi/gʀatɥit] kostenlos/gratis **II 3A**
Ce n'est pas **grave.** [sənɛpagʀav] Das ist nicht schlimm. **I 4**
grimper [gʀɛ̃pe] klettern **I 4**
une **grippe** [yngʀip] eine Grippe **II 7B, 4**
gris/grise [gʀi/gʀiz] grau **I 7, 4**
gros/grosse [gʀo/gʀos] dick **II 4**
un **groupe** [ɛ̃gʀup] eine Gruppe **I 4**
un/une **guide** [gid] ein Führer/eine Führerin **II 7A**
une **guitare** [yngitaʀ] eine Gitarre **I 3A**
une guitare électrique [yngitaʀelɛktʀik] eine elektrische Gitarre **I 3A**
un **guitariste**/une **guitariste** [gitaʀist] ein Gitarrist/eine Gitarristin ⟨**II 8B**⟩
un **gymnase** [ɛ̃ʒimnaz] eine Turnhalle **I 4**

H

habiter [abite] wohnen **I 3E**
la **halte** [laalt] der Halt/die Rast **II 7A**
en **haut** [ɑ̃o] oben/nach oben **I 4**
Hein? *(fam.)* [ɛ̃] Wie? *(ugs.)* **I 2**
…, hein? [ɛ̃] … ja?/… nicht wahr? **I 4**
des **herbes** de Provence [dezɛʀbdəpʀɔvɑ̃s] Kräuter der Provence **II 5**
une **heure** [ynœʀ] eine Stunde **I 5**
Il est quelle heure? [ilɛkɛlœʀ] Wie viel Uhr ist es? **I 5, 11**
A quelle heure? [akɛlœʀ] Um wie viel Uhr? **I 5, 11**
Vous avez l'heure? [vuzavelœʀ] Wie viel Uhr ist es? **I 5**
à six heures [asizœʀ] um sechs Uhr **I 5**
heureusement [øʀøzmɑ̃] glücklicherweise *(Adv.)* ⟨**II 9**⟩
heureux/heureuse [øʀø/øʀøz] glücklich ⟨**II 8A, 2**⟩
hier [jɛʀ] gestern **II 1E**
une **histoire** [ynistwaʀ] eine Geschichte **I 3B**
l'**hiver** *(m.)* [livɛʀ] der Winter **I 7, 6**
un **homme** [ɛ̃nɔm] ein Mann **I 5**
un **hôpital** [ɛ̃nɔpital] ein Krankenhaus **II 7B**
un **horaire** [ɛ̃nɔʀɛʀ] ein Fahrplan/ein Stundenplan **I 7, 8**
C'est l'**horreur!** [sɛlɔʀœʀ] Es ist schrecklich/grässlich! **I 3A, 6**
avoir horreur de qc [avwaʀɔʀœʀ] etw. verabscheuen/nicht ausstehen können **II 4**
un **hôtel** [ɛ̃notɛl] ein Hotel **I 5, 12**
un **hôtel de ville** [ɛ̃notɛldəvil] ein Rathaus **I 5, 12**
huitante [ɥitɑ̃t] achtzig *(Belgien und Schweiz)* ⟨**II 9, 5**⟩

I

ici [isi] hier **I 2**
une **idée** [ynide] eine Idee **I 3A**
des **idées noires** *(f., pl.)* [dezidenwaʀ] düstere Gedanken **II 2**
il y a [ilja] es gibt/es ist/es sind **I 3E**
il y a deux semaines [ilja] (jetzt) vor zwei Wochen ⟨**II 8B**⟩
une **image** [ynimaʒ] ein Bild **I 5, 15**
imaginer qc [imaʒine] sich etw.(aus)-denken **II 1, 1**
imiter qc [imite] etw. nachahmen **II 3A**
important/importante [ɛ̃pɔʀtɑ̃/ɛ̃pɔʀtɑ̃t] wichtig **II 3B**
indiquer qc à qn [ɛ̃dike] jdm. etw. anzeigen/jdm. eine Angabe machen **II 4, 5**
une **information** [ynɛ̃fɔʀmasjɔ̃] eine Information **I 8E**
installer qc [ɛ̃stale] etw. aufstellen, installieren **II 6**
intéressant/intéressante [ɛ̃teʀɛsɑ̃/ɛ̃teʀɛsɑ̃t] interessant **II 4, 9**
s'intéresser à qc [sɛ̃teʀɛse] sich für etw. interessieren ⟨**II 8A**⟩
intéresser qn [ɛ̃teʀɛse] jdn. interessieren **II 2**
Internet *(m.)* [ɛ̃tɛʀnɛt] Internet *(n.)* **I 3B**
sur Internet [syʀɛ̃tɛʀnɛt] im Internet **I 3B**
interroger qn [ɛ̃teʀɔʒe] jdn. befragen ⟨**II 8Z**⟩
une **interview** [ynɛ̃tɛʀvju] ein Interview **I 3A, 4**
un **intrus** [ɛ̃nɛ̃tʀy] ein Eindringling **II 5, 1**
inventer qc [ɛ̃vɑ̃te] etw. erfinden ⟨**II 9E**⟩
inviter qn à qc [ɛ̃vite] jdn. zu etw. einladen **I 6B, 4**
un **Italien**/une **Italienne** [ɛ̃nitaljɛ̃/ynitaljɛn] ein Italiener/eine Italienerin **II 3A**
italien/italienne [italjɛ̃/italjɛn] italienisch **II 1, 8**

J

jaloux/jalouse (de qn) [ʒalu/ʒaluz] eifersüchtig (auf jdn.) **II 7B**
une **jambe** [ynʒɑ̃b] ein Bein **II 7B**
janvier *(m.)* [ʒɑ̃vje] Januar **I 7, 6**
un **jardin** [ɛ̃ʒaʀdɛ̃] ein Garten **II 1**
jaune [ʒon] gelb **I 7, 4**
le **jazz** [lədʒaz] der Jazz *(Musikstil)* **II 2**
un **jean** [ɛ̃dʒin] eine Jeans/ein Paar Jeans ⟨**I 9A**⟩; ⟨**II 8B, 9**⟩
un **jeu** [ɛ̃ʒø] ein Spiel **I 1, 4**
un jeu vidéo/des jeux vidéo [ɛ̃ʒøvideo] ein Videospiel/Videospiele **I 4E**
jeudi *(m.)* [ʒødi] Donnerstag **I 7**
un/une **jeune** [ɛ̃ʒœn/ynʒœn] ein Jugendlicher/eine Jugendliche **II 3A, 9**
jeune [ʒœn] jung **II 3A, 9**
joli/jolie [ʒoli] hübsch **I 7**
jouer [ʒwe] spielen **I 3A**
jouer au foot [ʒweofut] Fußball spielen **I 4**
jouer aux cartes [ʒweokaʀt] Karten spielen **I 6A, 2**
jouer de [ʒwedə] spielen *(Instrument)* **I 7**
jouer à [ʒwea] spielen *(Spiel)* **I 7**
un **jour** [ɛ̃ʒuʀ] ein Tag **I 3A**

un **journal**/des **journaux** [ɛ̃ʒuʀnal/deʒuʀno] eine Zeitung/Zeitungen I 7

un/une **journaliste** [ʒuʀnalist] ein Journalist/eine Journalistin ⟨I 9B, 6⟩; ⟨II 4Z⟩; II 7B, 6

une **journée** [ynʒuʀne] ein Tag/ein Tagesablauf I 5, 4

juillet *(m.)* [ʒɥijɛ] Juli I 7, 6

juin *(m.)* [ʒɥɛ̃] Juni I 7, 6

un **jus** [ɛ̃ʒy] ein Saft II 5

le **jus d'orange** [ləʒydoʀɑ̃ʒ] der Orangensaft II 5

jusque [ʒysk] bis ⟨I 9A⟩; ⟨II 2Z⟩; II 6

juste [ʒyst] gerecht II 4, 7

K

un **kilo** [ɛ̃kilo] ein Kilo II 5

un **kilomètre** [ɛ̃kilɔmɛtʀ] ein Kilometer ⟨I 9A⟩; II 2

à cinq kilomètres de [asɛ̃kilɔmɛtʀdə] fünf Kilometer entfernt von ⟨I 9A⟩

L

là [la] da/dort I 2

là-bas [laba] dort(hin)/da(hin) II 1

le **lait** [ləlɛ] die Milch II 5E

une **langue** [ynlɑ̃g] eine Sprache I 8

la **lecture** [lalɛktyʀ] die Lektüre/das Lesen I 7, 16

un **légume** [ɛ̃legym] ein Gemüse II 5

le **lendemain** [ləlɑ̃dmɛ̃] am darauf folgenden Tag I 8

une **lettre** [ynlɛtʀ] ein Brief I 8E

se lever [səlǝve] aufstehen *(hier)* sich erheben, (Wind) aufkommen II 7B

lever qc [ləve] etw. heben ⟨II 9Z⟩

une **libération** [ynlibeʀasjɔ̃] eine Befreiung II 4, 11

une **librairie** [ynlibʀɛʀi] eine Buchhandlung I 5

une **ligne** [ynliɲ] eine (Verkehrs)Linie I 5

lire qc [liʀ] etw. lesen I 7

une **liste** [ynlist] eine Liste I 2, 12

un **lit** [ɛ̃li] ein Bett I 3A

un **livre** [ɛ̃livʀ] ein Buch I 5

un livre de cuisine [ɛ̃livʀdəkɥizin] ein Kochbuch I 5

loin [lwɛ̃] weit II 1

long/longue [lɔ̃/lɔ̃g] lang I 7

le **loto** [ləloto] das Lotto ⟨II 9⟩

lundi *(m.)* [lɛ̃di] Montag I 7, 6

les **lunettes** *(f.pl.)* [lelynet] die Brille ⟨II 8A⟩

le **luxembourgeois** [ləlyksɑ̃buʀʒwa] das Luxemburgische *(deutscher Dialekt)* ⟨II 9, 5⟩

M

une **machine** [ynmaʃin] eine Maschine I 6A, 5

madame ... [madam] Frau ... I 1

mademoiselle [madmwazɛl] Fräulein ... I 1, 3

un **magasin** [ɛ̃magazɛ̃] ein Geschäft/Laden I 2

faire les magasins *(fam.)* [fɛʀlemagazɛ̃] die Geschäfte abklappern *(ugs.)* II 3B

le **magret de canard** [ləmagʀɛdəkanaʀ] die Entenbrust II 5, 1

mai *(m.)* [mɛ] Mai I 7

le 15 mai [ləkɛ̃zmɛ] der 15. Mai I 7, 6

un **maillot de bain** [ɛ̃majodbɛ̃] ein Badeanzug/eine Badehose ⟨I 9A⟩

maintenant [mɛ̃tnɑ̃] jetzt I 2

mais [mɛ] aber I 1

une **maison** [ynmɛzɔ̃] ein Haus I 3E

avoir **mal** au ventre [avwaʀmalovɑ̃tʀ] Bauchweh haben ⟨I 9A⟩

avoir mal [avwaʀmal] Schmerzen haben II 3B

mal [mal] schlecht *(Adv.)* I 1, 3

Ça va mal. [savamal] Es geht schlecht. I 1, 3

malade [malad] krank II 4E

tomber malade [tɔ̃bemalad] krank werden ⟨II 8A⟩

malheureusement [maløʀøzmɑ̃] unglücklicherweise *(Adv.)* ⟨II 9⟩

un **Malien**, une **Malienne** [ɛmaljɛ̃/ynmaljɛn] ein Malier, eine Malierin ⟨II 1Z⟩

maman *(f.)* [mamɑ̃] Mama/Mutti I 3E

mamie *(f.) (fam.)* [mami] Oma *(ugs.)* I 7

manger qc [mɑ̃ʒe] etw. essen I 6A

manquer [mɑ̃ke] fehlen II 5

manqué/manquée [mɑ̃ke] verpasst/fehlgeschlagen II 6

un **marchand**/une **marchande** [ɛ̃maʀʃɑ̃/ynmaʀʃɑ̃d] ein Händler II 5

un **marché** [ɛ̃maʀʃe] ein Markt ⟨I 9A⟩; II 5

marcher [maʀʃe] gehen/laufen *(hier)* funktionieren II 2

mardi *(m.)* [maʀdi] Dienstag I 7, 6

un **mari** [ɛ̃maʀi] ein Ehemann I 3B

un **mariage** [ɛ̃maʀjaʒ] eine Hochzeit ⟨II 9⟩

un **marié**/une **mariée** [maʀje] ein Bräutigam/eine Braut ⟨II 9⟩

se marier avec qn [səmaʀje] jdn. heiraten ⟨II 9⟩

marocain/marocaine [maʀɔkɛ̃/maʀɔkɛn] marokkanisch ⟨I 9A⟩

marquer qc [maʀke] etw. markieren/anzeigen *(hier)* schreiben I 2

en avoir **marre** de qc *(fam.)* [ɑ̃navwaʀmaʀ] von etwas die Nase voll haben *(ugs.)* II 4

marron *(inv.)* [maʀɔ̃] (kastanien)-braun I 7, 4

mars *(m.)* [maʀs] März I 7, 6

un **match** [ɛ̃matʃ] ein Wettkampf/ein Spiel II 3E

le **matériel** [ləmateʀjɛl] das Material/die Ausrüstung II 4, 8

les **maths** *(f.pl.) (fam.)* [lemat] Mathe *(ugs.)* II 4

un **matin** [ɛ̃matɛ̃] ein Morgen ⟨I 9A⟩

le matin [ləmatɛ̃] morgens ⟨I 9A⟩; II 1E

un matin [ɛ̃matɛ̃] ein Morgen II 1E

mauvais/mauvaise [movɛ/movɛz] schlecht I 7

un **mécanicien**/une **mécanicienne** [ɛ̃mekanisjɛ̃/ynmekanisjɛn] ein Mechaniker/eine Mechanikerin II 1

un **médecin** [ɛ̃mɛdsɛ̃] ein Arzt/eine Ärztin I 6E

une **médiathèque** [ynmedjatɛk] eine Mediathek II 3A

le **meilleur**/la **meilleure** [mɛjœʀ] der/die/das beste ... ⟨II 8A⟩

mélanger qc [melɑ̃ʒe] etw. mischen ⟨II 8B⟩

le/la **même** [lə/lamɛm] der/die/dasselbe ⟨I 9B⟩; ⟨II 2Z⟩; II 4, 2

même [mɛm] sogar ⟨I 9A⟩; II 1E

même si [mɛmsi] auch wenn ⟨II 9Z⟩

un **menu** [ɛ̃məny] ein Menü II 5

la **mer** [lamɛʀ] das Meer ⟨I 9E⟩; ⟨II 2Z⟩; II 7E

Merci. [mɛʀsi] Danke. I 1

mercredi *(m.)* [mɛʀkʀədi] Mittwoch I 4

le mercredi après-midi [ləmɛʀkʀədiapʀɛmidi] mittwochnachmittags I 4

une **mère** [ynmɛʀ] eine Mutter I 6A, 5

Mesdames, Messieurs, ... [medammesjø] Sehr geehrte Damen und Herren, ... II 4, 11

un **message** [ɛ̃mɛsaʒ] eine Mitteilung, eine Nachricht **II 6**
la **météo** [lameteo] die Wettervorhersage **II 1,** 9
un **métier** [ɛ̃metje] ein Beruf **I 6E**
un **mètre** [ɛ̃mɛtʀ] ein Meter **II 6,** 8
le **métro** [ləmetʀo] die Metro/U-Bahn in Paris **I 5**
mettre qc [mɛtʀ] etw. legen/setzen/stellen; etw. anziehen ⟨**I 9B**⟩; **II 1**
mettre la table [mɛtʀlatabl] den Tisch decken **II 1**
mettre qc en relief [mɛtʀɑ̃ʀəljɛf] etw. hervorheben **II 7A,** 4
midi [midi] Mittag **I 5E**
à midi [amidi] um 12 Uhr mittags/mittags **I 5E**
mignon/mignonne [miɲɔ̃/miɲɔn] süß/niedlich **II 3B**
mille [mil] tausend ⟨**I 9B**⟩; **II 2**
mince [mɛ̃s] dünn ⟨**II 8A**⟩
minuit [minɥi] Mitternacht **I 5E**
une **minute** [ynminyt] eine Minute **II 2**
la **mode** [lamɔd] die Mode **II 3A**
moi [mwa] ich *(betont)* **I 1E**
C'est à moi. [sɛtamwa] Ich bin an der Reihe. **I 8,** 8
moins [mwɛ̃] weniger ⟨**II 8A**⟩
moins grand que [mwɛ̃gʀɑ̃kə] weniger groß/kleiner als ⟨**II 8A**⟩
un **mois** [ɛ̃mwa] ein Monat **I 3A**
un **monde** [ɛ̃mɔ̃d] eine Welt ⟨**II 1Z**⟩
beaucoup de monde [bokudmɔ̃d] viele Leute **I 7**
monsieur ... [məsjø] Herr ... **I 1**
une **montagne** [ynmɔ̃taɲ] ein Berg/ein Gebirge ⟨**I 9E**⟩; **II 1**
à la montagne [alamɔ̃taɲ] in den Bergen **II 7A**
monter [mɔ̃te] steigen/einsteigen **I 5**
une **montre** [ynmɔ̃tʀ] eine Armbanduhr ⟨**II 9E**⟩
montrer qc à qn [mɔ̃tʀe] jdm. etw. zeigen **II 4E**
le **moral** [ləmɔʀal] die Stimmung/innere Verfassung **II 2**
la **moralité** [lamɔʀalite] *(hier)* die Moral ⟨**II 9Z**⟩
un **mot** [ɛ̃mo] ein Wort **I 1,** 4
un mot-clé [ɛ̃mokle] ein Schlüsselwort **I 7,** 10
un **moyen de transport** [ɛ̃mwajɛ̃dətʀɑ̃spɔʀ] ein Verkehrsmittel ⟨**I 5,** 2⟩
un **mur** [ɛ̃myʀ] eine Mauer/eine Wand **I 4**
un mur d'escalade [ɛ̃myʀdɛskalad] eine Kletterwand **I 4**
un **musée** [ɛ̃myze] ein Museum **II 1**
un **musicien**/une **musicienne** [ɛmyzisjɛ̃/ynmyzisjɛn] ein Musiker/eine Musikerin ⟨**II 1Z**⟩; **II 6**
la **musique** [lamyzik] die Musik **I 3A**
la musique rock [lamyzikʀɔk] die Rockmusik **I 3A**

N

la **natation** [lanatasjɔ̃] das Schwimmen **I 4E**
la **nature** [lanatyʀ] die Natur **I 2**
ne ... pas [nə...pa] nicht **I 4**
ne ... plus [nə...ply] nicht mehr **I 6A**
ne ... rien [nə...ʀjɛ̃] nichts **I 6A**
ne ... jamais [nə...ʒamɛ] nie/niemals **I 6A**
ne ... pas de [nəpadə] kein/keine *(bei Mengen)* **I 7**
ne ... pas non plus [nə...panɔ̃ply] auch nicht **II 1**
ne ... pas encore [nə...pazɑ̃kɔʀ] noch nicht **II 1**
ne ... pas du tout [nə...padytu] überhaupt nicht **II 1**
ne ... que [nə...kə] nur **II 2**
ne ... personne [nə...pɛʀsɔn] niemand **II 5**
être né(e) [ɛtʀəne] geboren werden **II 5**
un **neveu** [ɛ̃nəvø] ein Neffe ⟨**II 9**⟩
noir/noire [nwaʀ] schwarz **I 7**
un **nom** [ɛ̃nɔ̃] ein Name **I 7,** 14
un **nombre** [ɛ̃nɔ̃bʀ] eine Zahl ⟨**I 9B,** 5⟩; **II 2,** 11
non [nɔ̃] nein **I 1**
une **note** [ynnɔt] eine Note **I 8**
prendre des notes [pʀɑ̃dʀdenɔt] Notizen machen **II 2,** 2
une **nouille** [ynnuj] eine Nudel **II 4**
un **nouveau** [ɛ̃nuvo] ein Neuer **I 1**
nouveau/nouvel/nouvelle [nuvo/nuvɛl] neu **II 3B**
une **nouvelle** [ynnuvɛl] eine Nachricht/Neuigkeit **II 2**
novembre *(m.)* [nɔvɑ̃bʀ] November **I 7,** 6
un **nuage** [ɛ̃nyaʒ] eine Wolke **II 1,** 9
une **nuit** [ynnɥi] eine Nacht **II 4**
qc est **nul/nulle** *(fam.)* [nyl] etw. ist blöd/etwas bringt's nicht *(ugs.)* **II 2**
un **numéro de téléphone** [ɛ̃nymeʀodətelefɔn] eine Telefonnummer **I 6B,** 4

O

un **objet** [ɛ̃nɔbʒɛ] ein Gegenstand; Betreff *(Angabe des Themas in einem offiziellen Brief)* **II 4,** 11
octobre *(m.)* [ɔktɔbʀ] Oktober **I 7,** 6
un **œil**/des **yeux** [ɛ̃nœj/dezjø] ein Auge/Augen ⟨**II 8A**⟩
avoir les yeux bleus [avwaʀlezjøblø] blaue Augen haben ⟨**II 8A**⟩
un **œuf**/des **œufs** [ɛ̃nœf/dezø] ein Ei **II 5E**
un **office de tourisme** [ɛ̃nɔfisdətuʀism] ein Fremdenverkehrsamt **II 7E**
un **oiseau**/des **oiseaux** [ɛ̃nwazo/dezwazo] ein Vogel/Vögel **I 7E**
un **oncle** [ɛ̃nɔ̃kl] ein Onkel **I 7**
On y va! [ɔ̃niva] Gehen wir!/Auf geht's! **I 6B**
un **orage** [ɛ̃nɔʀaʒ] ein Gewitter **II 7B**
une **orange** [ynɔʀɑ̃ʒ] eine Orange **II 5E**
orange *(inv.)* [ɔʀɑ̃ʒ] orange **I 7,** 4
un **ordinateur** [ɛ̃nɔʀdinatœʀ] ein Computer **I 3A**
une **ordonnance** [ynɔʀdɔnɑ̃s] ein Rezept *(vom Arzt)* **II 7B,** 4
un **ordre** [ɛ̃nɔʀdʀ] eine Reihenfolge **I 3A,** 4
le bon ordre [ləbɔnɔʀdʀ] die richtige Reihenfolge **I 4,** 1
une **oreille** [ynɔʀɛj] ein Ohr ⟨**II 9E**⟩
organiser qc [ɔʀganise] etw. organisieren **I 8E**
une **origine** [ynɔʀiʒin] ein Ursprung/eine Herkunft ⟨**II 8B**⟩
ou [u] oder **I 4**
où [u] wo **I 2**
où [u] wo *(Relativpronomen)* **II 3A**
oublier qc [ublije] etw. vergessen **I 6B**
Ouf! [uf] Uff! **II 4**
oui [wi] ja **I 1**
un **ours** [ɛ̃nuʀs] ein Bär **II 7E**
ouvrir qc [uvʀiʀ] etw. öffnen **I 7**

P

une **page** [ynpaʒ] eine Seite **I 2,** 12
le **pain** [ləpɛ̃] das Brot **II 5**
une **panique** [ynpanik] eine Panik **II 7B**
un **pantalon** [ɛ̃pɑ̃talɔ̃] eine Hose **I 7**
papa *(m.)* [papa] Papa/Vati **I 1**
une **papeterie** [ynpapɛtʀi] ein Schreibwarengeschäft **I 2**

papi *(m.) (fam.)* [papi] Opa *(ugs.)* **I 7**
un **papier** [ɛ̃papje] ein Papier **I 2**
un **paquet** [ɛ̃pakɛ] ein Paket **II 2**
par [paʀ] *(hier)* während/in **⟨II 9Z⟩**
par cœur [paʀkœʀ] auswendig **I 6B**
par semaine [paʀsəmɛn] pro Woche/ wöchentlich **⟨I 9A, 11⟩**
par exemple [paʀɛgzɑ̃pl] zum Beispiel **II 3B**
par semaine [paʀsəmɛn] pro Woche/ wöchentlich **II 4, 2**
par e-mail [paʀimel] per E-Mail **II 4, 4**
un **paradis** [ɛ̃paʀadi] ein Paradies **I 2**
un **parapluie** [ɛ̃paʀaplɥi] ein Regenschirm **II 1, 10**
un **parc** [ɛ̃paʀk] ein Park **II 1E**
parce que [paʀskə] weil **I 5E**
un **parc national** [ɛ̃paʀknasjɔnal] ein Nationalpark **II 4, 11**
un **parcours** [ɛ̃paʀkuʀ] eine Strecke; ein Durchgang **II 7B**
Pardon. [paʀdɔ̃] Verzeihung./Entschuldigung. **I 4, 12**
les **parents** *(m.)* [lepaʀɑ̃] die Eltern **I 3A**
un **parking** [ɛ̃paʀkiŋ] ein Parkplatz **⟨II 7Z⟩**
parler à qn [paʀle] mit jdm./zu jdm. sprechen **I 6A**
parler de qc [paʀle] über etw. sprechen **II 3B**
tu parles *(fam.)* [typaʀl] Von wegen! **II 6**
parler l'arabe [paʀlelaʀab] Arabisch sprechen **⟨I 9A⟩**
une **partie** [ynpaʀti] ein Teil **I 2, 7**
partir [paʀtiʀ] weggehen/abfahren **⟨I 9A⟩; II 1**
partout [paʀtu] überall **II 3A**
passer [pase] vorbeigehen/-fahren/-kommen **II 3A**
se passer [pase] geschehen/sich ereignen **II 7B**
passer [pase] *(hier)* laufen/spielen (im Radio) **⟨II 8A, 5⟩**
passer qc *(une journée)* [pase] *(hier)* etw. verbringen *(einen Tag)* **II 1**
passer ses vacances [pasesevakɑ̃s] seine/ihre Ferien verbringen **⟨I 9E⟩**
un **pâtissier**/une **pâtissière** [ɛ̃patisje/ ynpatisjɛʀ] ein Konditor/eine Konditorin **⟨II 9⟩**
pauvre [povʀ] arm **II 3B**

payer qc [peje] etw. bezahlen **I 8**
un **pays** [ɛ̃pei] ein Land **II 4E**
un **paysan**/une **paysanne** [ɛ̃peizɑ̃/ ynpeizan] ein Bauer/eine Bäuerin **⟨II 8B, 3⟩**
la **peinture** [lapɛ̃tyʀ] die Farbe *(zum Anmalen)* **II 3A**
une **pellicule** [ynpelikyl] ein Film **I 8**
pendant [pɑ̃dɑ̃] während **I 6B**
pendant ce temps [pɑ̃dɑ̃sətɑ̃] währenddessen, während dieser Zeit **II 5**
pendant que [pɑ̃dɑ̃kə] während *(Konjunktion)* **⟨II 8B⟩**
penser à qn [pɑ̃se] an jdn. denken **II 3B**
perdre qc [pɛʀdʀ] etw. verlieren **II 2**
un **père** [ɛ̃pɛʀ] ein Vater **I 4**
la **permanence** [lapɛʀmanɑ̃s] beaufsichtigte Freistunde **II 4**
un **personnage** [ɛ̃pɛʀsɔnaʒ] eine Figur/ eine Persönlichkeit **II 4, 3**
une **personne** [ynpɛʀsɔn] eine Person **⟨II 2Z⟩; II 3E**
petit/petite [pəti/pətit] klein **I 7E**
un **petit-déjeuner** [ɛ̃pətideʒœne] ein Frühstück **II 4**
peu [pø] wenig **I 7**
un peu de [ɛ̃pødə] ein wenig *(bei Mengen)* **I 7**
la **peur** [lapœʀ] die Angst **I 4**
avoir peur de faire qc [avwaʀpœʀ] Angst haben etw. zu tun **I 6B**
faire peur à qn [fɛʀpœʀ] jdm. Angst machen **II 5**
peut-être [pøtɛtʀ] vielleicht **I 8**
une **photo** [ynfoto] ein Foto **I 2E**
prendre une photo de qc [pʀɑ̃dʀynfoto] ein Foto von etw. machen **I 8**
prendre qc en photo [pʀɑ̃dʀɑ̃foto] etw. fotografieren **⟨I 9A, 11⟩**
une **phrase** [ynfʀaz] ein Satz **I 2, 10**
un **piano** [ɛ̃pjano] ein Klavier/ein Piano **I 4E**
une **pièce** [ynpjɛs] ein Zimmer **I 3E**
un **pied** [ɛ̃pje] ein Fuß **II 7B**
un/une **pilote** [ɛ̃pilɔt/ynpilɔt] ein Pilot/ eine Pilotin **II 3A, 3**
un **pion** [ɛ̃pjɔ̃] eine Aufsichtsperson **II 4**
un **pique-nique** [ɛ̃piknik] ein Picknick **II 5, 12**
pique-niquer [piknike] ein Picknick machen **⟨II 7Z⟩**
une **piscine** [ynpisin] ein Schwimmbad, ein Schwimmbecken **II 2**

une **place** [ynplas] ein Platz **I 2**
une **plage** [ynplaʒ] ein Strand **⟨I 9E⟩; ⟨II 9⟩**
plaire à qn [plɛʀ] jdm. gefallen **II 3A**
un **plaisir** [ɛ̃plɛziʀ] ein Vergnügen/eine Freude **⟨II 1Z⟩; ⟨II 9⟩**
un **plan** [ɛ̃plɑ̃] Plan *(hier)* Stadtplan **I 5**
un **planétarium** [ɛ̃planetaʀjɔm] ein Planetarium **II 1E**
une **planète** [ynplanɛt] ein Planet **⟨II 1Z⟩**
un **plat principal** [ɛ̃plapʀɛ̃sipal] ein Hauptgericht **II 5**
le **plâtre** [ləplatʀ] der Gips; Gipsverband **II 7B**
pleurer [plœʀe] weinen **II 7A**
pleuvoir [pløvwaʀ] regnen **II 1**
il pleut [ilplø] es regnet **II 1**
la **pluie** [laplɥi] der Regen **⟨I 9B⟩; II 7A**
plus [ply/plys] mehr **⟨II 8A⟩**
en plus [ɑ̃plys] außerdem/zusätzlich **I 4**
plus mince que [plymɛ̃skə] dünner als **⟨II 8A⟩**
plutôt [plyto] eher/vielmehr/ziemlich **⟨II 9Z⟩**
un **poème** [ɛ̃pɔɛm] ein Gedicht **II 2, 4**
un **poète** [ɛ̃pɔɛt] ein Dichter/eine Dichterin **⟨II 3Z⟩; II 6, 2**
un **point** [ɛ̃pwɛ̃] ein Punkt **II 7A, 6**
un **poisson** [ɛ̃pwasɔ̃] ein Fisch **II 1E**
le **poivre** [ləpwavʀ] der Pfeffer **II 5E**
la **police** [lapɔlis] die Polizei **I 4, 12**
un **policier** [ɛ̃pɔlisje] ein Polizist **I 4, 12**
un **politicien**/une **politicienne** [ɛ̃pɔlitisjɛ̃/ynpɔlitisjɛn] ein Politiker/ eine Politikerin **⟨II 1Z⟩**
une **pomme** [ynpɔm] ein Apfel **II 5**
une **pomme de terre** [ynpɔmdətɛʀ] eine Kartoffel **II 5**
un **pont** [ɛ̃pɔ̃] eine Brücke **II 7B**
le **pop** [ləpɔp] der Pop **⟨II 8B⟩**
un **portable** [ɛ̃pɔʀtabl] *(hier)* ein Mobiltelefon, ein Handy **I 5**
une **porte** [ynpɔʀt] eine Tür **I 2**
un **porte-bonheur**/des **porte-bonheurs** [ɛ̃pɔʀtbɔnœʀ] ein Glücksbringer **⟨II 9⟩**
un **porte-monnaie**/des **porte-monnaies** [ɛ̃pɔʀtmɔnɛ] ein Geldbeutel **I 5**
porter qc [pɔʀte] etw. tragen **I 7**
un **portrait** [ɛ̃pɔʀtʀɛ] ein Porträt/Abbild **I 7, 15**
poser qc [poze] etw. stellen/setzen/ legen **I 2**

possible [pɔsibl] möglich ⟨**II 9, 9**⟩
la **poste** [lapɔst] die Post **II 2**
une **poubelle** [ynpubɛl] ein Mülleimer **I 2**
une **poule** [ynpul] ein Huhn/eine Henne **I 7E**
pour [puʀ] für **I 2E**; wegen **I 3A**; nach **I 7**
  pour faire qc [puʀfɛʀ] um etw. zu tun **I 5**
  pour une fois que [puʀynfwakə] wenn ... (schon) einmal **II 6; II 6**
pourquoi [puʀkwa] warum **I 5E**
  c'est pourquoi [sɛpuʀkwa] deshalb ⟨**II 9**⟩
poursuivre [puʀsɥivʀ] *(hier)* fortfahren ⟨**II 8Z**⟩
pouvoir [puvwaʀ] können **I 6B**
  pouvoir faire qc etw. tun können **I 6B**
  tu pourrais [typuʀɛ] du könntest *(Form des Verbs «pouvoir»)* ⟨**I 9B**⟩
pratique [pʀatik] die Praxis/die Ausübung **I 1**
pratique [pʀatik] praktisch **II 3B, 2**
préféré/préférée [pʀefeʀe] bevorzugt/Lieblings- ⟨**II 1Z**⟩; **II 6, 3**
préférer qc [pʀefeʀe] etw. vorziehen/lieber mögen **II 5**
  préférer faire qc etw. lieber tun **II 5**
le **premier**, la **première** [ləpʀəmje/lapʀəmjɛʀ] der erste/die erste **I 7, 6**; *(hier)* als Erster/als Erste **II 2E**
prendre qc [pʀɑ̃dʀ] etw. nehmen **I 7**
un **prénom** [ɛ̃pʀenɔ̃] ein Vorname **I 1**
préparer qc [pʀepaʀe] etw. vorbereiten **I 4**
près de qc [pʀɛdə] nahe bei /neben etw. **I 8E**
présenter qc à qn [pʀezɑ̃te] jdm. etw. vorstellen **II 4**
presque [pʀɛsk] beinahe/fast ⟨**II 2Z**⟩
prêt/prête [pʀɛ/pʀɛt] fertig/bereit **II 2**
un **principal**/une **principale** [pʀɛ̃sipal] ein Schuldirektor/eine Schuldirektorin ⟨**II 8B**⟩
le **printemps** [ləpʀɛ̃tɑ̃] der Frühling **I 7**
  au printemps [opʀɛ̃tɑ̃] im Frühling **I 7**
un **prix** [ɛ̃pʀi] ein Preis **II 6**
un **problème** [ɛ̃pʀɔblɛm] ein Problem **I 3A**
  pas de problème [padpʀɔblɛm] kein Problem **I 6B**
prochain/prochaine [pʀɔʃɛ̃/pʀɔʃɛn] nächster/nächste/nächstes **II 7B, 2**
un **professeur** *(ugs.: un/une prof)* [ɛ̃pʀɔfɛsœʀ] ein Lehrer/eine Lehrerin **I 1**
  un professeur d'allemand [ɛ̃pʀɔfɛsœʀdalmɑ̃] ein Deutschlehrer/eine Deutschlehrerin **I 1**
profiter de qc [pʀɔfite] etw. (aus)nützen ⟨**II 1Z**⟩
un **programme** [ɛ̃pʀɔgʀam] ein Programm **II 3B**
un **projet** [ɛ̃pʀɔʒɛ] ein Projekt/ein Vorhaben **I 8E**
se promener [səpʀɔmne] spazieren gehen **II 7B**
proposer qc [pʀɔpoze] etw. vorschlagen ⟨**II 8B**⟩
un/une **propriétaire** [ɛ̃/ynpʀɔpʀijetɛʀ] ein Eigentümer/eine Eigentümerin **I 3A**
un **proverbe** [ɛ̃pʀɔvɛʀb] ein Sprichwort **II 4, 9**
une **publicité** *(fam.: une pub)* [ynpyblisite] eine Werbung/ein Werbespot **I 6A**
puis [pɥi] dann **I 4**
un **pull** *(fam.)* [ɛ̃pyl] ein Pulli *(ugs.)* ⟨**I 9A**⟩

Q

quand [kɑ̃] wann **I 5**
quand [kɑ̃] wenn, als *(zeitlich)* ⟨**I 6A, 10**⟩; ⟨**I 9A**⟩; **II 1**
un **quartier** [ɛ̃kaʀtje] ein Stadtviertel **I 2E**
que [kə] den, die, das *(Relativpronomen, Objekt)* **I 8; II 3A**
Que ... ? *(Fragepronomen)* [kə] Was ... ? **I 2**
  Qu'est-ce que c'est? [kɛskəsɛ] Was ist das? **I 2E**
  Qu'est-ce que ... ? [kɛskə] Was ... ? **I 5**
  Qu'est-ce qui ... ? [kɛski] Was ... ? *(Fragepronomen, Subjekt ist eine Sache)* **II 7E**
  Qu'est-ce qu'il y a? [kɛskilja] Was gibt es? **I 3A, 6**
que [kə] dass *(Konjunktion)* **I 8**
quel, quels, quelle, quelles [kɛl] welcher, welche, welches *(Fragebegleiter)* **II 3B**
  Il est quelle heure? [ilɛkɛlœʀ] Wie viel Uhr ist es? **I 5, 11**
  A quelle heure? [akɛlœʀ] Um wie viel Uhr? **I 5, 11**
  Quelle horreur! *(fam.)* [kɛlɔʀœʀ] Wie grässlich/schrecklich! *(ugs.)* **I 3A**
  Tu as quel âge? [tyakɛlaʒ] Wie alt bist du? **I 4**
  Quelle chance! [kɛlʃɑ̃s] Welch ein Glück! **I 5E**
  Quelle histoire! [kɛlistwaʀ] Was für eine Geschichte! **I 4**
quelque chose [kɛlkəʃoz] etwas **I 5**
quelqu'un [kɛlkɛ̃] jemand **II 4, 6**
une **question** [ynkɛstjɔ̃] eine Frage **I 1, 1**
qui [ki] der, die, das *(Relativpronomen, Subjekt)* **I 8**
Qui ... ? [ki] Wer ... ? **I 1**
  Qui est-ce? [kiɛs] Wer ist das? **I 1**
  C'est à qui? [sɛtaki] Wer ist an der Reihe? **I 8, 8**
  Qui est-ce qui ... ? [kiɛski] Wer ... ? *(Fragepronomen, Subjekt ist eine Person)* **II 7E**
  Qui est-ce que ... ? [kiɛskə] Wen ... ? *(Fragepronomen, Objekt ist eine Person)* **II 7E**
quitter qc [kite] etw. verlassen **I 2**
Quoi? [kwa] Was? **I 3E**

R

raconter qc [ʀakɔ̃te] etw. erzählen **I 3A**
la **radio** [laʀadjo] das Radio/der Rundfunk **I 6A**
avoir **raison** [avwaʀʀɛzɔ̃] Recht haben ⟨**II 9**⟩
le **raï** [ləʀai] der Raï *(Stilrichtung der algerischen Musik und Dichtung)* ⟨**II 1Z**⟩
ramasser qc [ʀamase] etw. aufheben/einsammeln **I 2**
ranger [ʀɑ̃ʒe] aufräumen **II 5E**
le **rap** [ləʀap] der Rap *(Musikstil)* **I 7, 15**
rapidement [ʀapidmɑ̃] schnell *(Adv.)* ⟨**II 8Z**⟩
rater qc [ʀate] etw. verpassen **II 4**
une **réaction** [ynʀeaksjɔ̃] eine Reaktion **II 4, 10**
réagir [ʀeaʒiʀ] reagieren ⟨**II 8Z**⟩
un **réalisateur** [ɛ̃ʀealizatœʀ] ein (Film)-Regisseur **I 6E**
une **recette** [ynʀəsɛt] ein Rezept *(Küche)* **II 5E**
recevoir qc [ʀəsəvwaʀ] etw. empfangen **II 2**

reconnaître qc [ʀəkɔnɛtʀ] etw. wieder erkennen **II 3A**
une **récréation** *(fam.: la récré)* [ynʀekʀeasjõ] eine Pause **II 4**
refaire qc [ʀəfɛʀ] etw. erneuern/neu machen/noch einmal machen **II 3A**
réfléchir [ʀefleʃiʀ] nachdenken/überlegen **II 4**
réfléchir à qc [ʀefleʃiʀ] über etw. nachdenken **II 5**
regarder qc [ʀəgaʀde] etw. sehen/ansehen/betrachten **I 2E**
une **région** [ynʀeʒjõ] eine Region **II 1**
une **règle** [ynʀɛgl] eine Regel ⟨**I 6A**, 10⟩
remercier qn [ʀəmɛʀsje] sich bei jdn. bedanken ⟨**I 9A**⟩; ⟨**II 9**⟩
un **renard** [ɛ̃ʀənaʀ] ein Fuchs ⟨**II 9**, 10⟩
une **rencontre** [ynʀɑ̃kõtʀ] eine Begegnung/ein Treffen **I 8E**
rencontrer qn [ʀɑ̃kõtʀe] jdn. treffen/jdm. begegnen **I 8E**
un **rendez-vous** [ɛ̃ʀɑ̃devu] eine Verabredung/ein Termin **I 4**, 3
avoir rendez-vous [avwaʀʀɑ̃devu] eine Verabredung/einen Termin haben **I 4**, 3
rentrer [ʀɑ̃tʀe] heimgehen/heimkommen **II 1**, 2
une **réparation** [ynʀepaʀasjõ] eine Reparatur **II 3A**
un **repas** [ɛ̃ʀəpa] ein Essen/eine Mahlzeit **I 7**
Vous pouvez **répéter,** s'il vous plaît? [vupuveʀepete] Können Sie bitte wiederholen? **I 8**, 14
répéter qc [ʀepete] etw. wiederholen **II 5**, 2
répondre à qn [ʀepõdʀ] jdm. antworten **I 8**
une **réponse** [ynʀepõs] eine Antwort **I 2**, 8
un **reportage** [ɛ̃ʀəpɔʀtaʒ] eine Reportage **II 2**, 5
réserver qc [ʀesɛʀve] etw. reservieren ⟨**II 7Z**⟩; ⟨**II 9**⟩
respecter qc [ʀɛspɛkte] etw. achten **I 2**
un **restaurant** [ɛ̃ʀɛstɔʀɑ̃] ein Restaurant **I 5E**
un **reste** [ɛ̃ʀɛst] ein Rest **II 2**
rester [ʀɛste] bleiben **I 3A**
un **résultat** [ɛ̃ʀeʒylta] ein Ergebnis ⟨**II 4Z**⟩
un **résumé** [ɛ̃ʀezyme] eine Zusammenfassung ⟨**I 9A**, 1⟩; **II 1**
un **retard** [ɛ̃ʀətaʀ] eine Verspätung **II 2**
être en retard [ɛtʀɑ̃ʀətaʀ] verspätet sein **II 2**
retrouver qc [ʀətʀuve] etw. wieder finden **II 2**
réussir à faire qc [ʀeysiʀ] gelingen etw. zu tun/etw. fertig bringen **II 4**
un **rêve** [ɛ̃ʀɛv] ein Traum **I 6B**, 8
faire un rêve [fɛʀɛ̃ʀɛv] träumen **I 6B**, 8
revenir [ʀəvəniʀ] zurückkommen **II 1**
rêver de qc [ʀɛve] von etw. träumen **I 3A**
Au **revoir!** [ɔʀvwaʀ] Auf Wiedersehen! **I 1**
revoir qn [ʀəvwaʀ] jdn. wieder sehen **II 3A**
De **rien.** [dəʀjɛ̃] Bitte!/Gern geschehen. ⟨**I 9A**⟩; **II 7E**
rigoler *(fam.)* [ʀigɔle] lachen *(ugs.)* **I 8**
une **rime** [ynʀim] ein Reim **I 1**, 6
rire [ʀiʀ] lachen **II 4**
la **rive droite** [laʀivdʀwat] das rechte Flussufer **I 5E**
la rive gauche [laʀivgoʃ] das linke Flussufer **I 5E**
une **robe** [ynʀɔb] ein Kleid **I 7**
un **rocher** [ɛ̃ʀɔʃe] ein Fels ⟨**I 9E**⟩
un **roi** [ɛ̃ʀwa] ein König **II 5**, 11
un **rôle** [ɛ̃ʀol] eine Rolle **I 6B**, 6
le **roller** [ləʀɔlœʀ] das Rollschuhlaufen/das Rollerskaten **I 4E**
en roller [ɑ̃ʀɔlœʀ] auf Rollschuhen **I 4**, 12
un **Romain**/une **Romaine** [ɛ̃ʀɔmɛ̃/ynʀɔmɛn] ein Römer/eine Römerin ⟨**II 9**, 8⟩
romain/romaine [ʀɔmɛ̃/ʀɔmɛn] römisch ⟨**II 9**, 8⟩
un **roman** [ɛ̃ʀɔmɑ̃] ein Roman **II 4**, 13
le **romanche** [ləʀɔmɑ̃ʃ] das Rätoromanische *(Sprache in der Schweiz)* ⟨**II 9E**⟩
romanche [ʀɔmɑ̃ʃ] rätoromanisch ⟨**II 9E**⟩
rose [ʀoz] rosa **II 2**
rouge [ʀuʒ] rot **I 7**, 4
une **route** [ynʀut] eine (Land)Straße ⟨**II 2Z**⟩
une **rue** [ynʀy] eine Straße **I 1**
dans la rue [dɑ̃laʀy] auf der Straße **I 5**
le **rugby** [ləʀygbi] das Rugby *(Ballspiel)* **II 3E**

S

un **sac à dos** [ɛ̃sakado] ein Rucksack **II 1E**
une **salade** [ynsalad] ein Salat **II 5E**
un **saladier** [ɛ̃saladje] eine Salatschüssel **II 5**
sale [sal] schmutzig **I 2**
une **salle** [ynsal] ein Saal **II 2**
une salle de classe [ynsaldəklas] ein Klassenzimmer **I 2**, 4
une salle de bains [ynsaldəbɛ̃] ein Badezimmer **I 3E**
une salle à manger [ynsalamɑ̃ʒe] ein Esszimmer **I 3E**
une salle de permanence [ynsaldəpɛʀmanɑ̃s] Aufenthaltsraum **II 4**
saluer qn [salɥe] jdn. grüßen/begrüßen **II 3E**
Salut! *(fam.)* [saly] Hallo!/Grüß' dich! *(ugs.)* **I 1E**; **I 1**
Salutations cordiales. [salytasjõkɔʀdjal] Mit herzlichen Grüßen *(Grußformel)* **II 4**, 11
samedi *(m.)* [samdi] Samstag/am Samstag **I 5E**
un **sandwich** [ɛ̃sɑ̃dwitʃ] ein Sandwich **II 2**, 7
sans [sɑ̃] ohne **I 4**
sans faire qc [sɑ̃fɛʀ] ohne etw. zu tun **II 7B**
la **santé** [la sɑ̃te] die Gesundheit **II 5**
A ta santé! [atasɑ̃te] Auf dein Wohl!/Prost! **II 5**
sauf [sof] außer **II 4**
savoir [savwaʀ] wissen **I 6B**
savoir faire qc [savwaʀfɛʀ] etw. tun können *(wissen, wie es geht)* **I 6B**
une **scène** [ynsɛn] eine Szene **I 1**, 3; eine Bühne **II 6**
sur scène [syʀsɛn] auf der Bühne ⟨**II 8E**⟩
une **science** [ynsiɑ̃s] eine Wissenschaft **II 4**
une **seconde** [ynsəgõd] eine Sekunde ⟨**II 9**⟩
Au **secours!** [oskuʀ] Hilfe! **I 5**
un **secret** [ɛ̃səkʀɛ] ein Geheimnis ⟨**II 9Z**⟩
un **séjour** [ɛ̃seʒuʀ] ein Aufenthalt ⟨**II 8B**⟩
le **sel** [ləsɛl] das Salz **II 5E**
une **semaine** [ynsəmɛn] eine Woche **I 8**
un **sentiment** [ɛ̃sɑ̃timɑ̃] ein Gefühl **II 3A**, 8

se sentir [səsɑ̃tiʀ] sich fühlen ⟨**II 1Z**⟩
septembre *(m.)* [sɛptɑ̃bʀ] September **I 7**, 6
Est-ce que vous **seriez** d'accord? [səʀje] Wären Sie einverstanden? ⟨**II 8B**, 2⟩
seul/seule [sœl] allein ⟨**II 1Z**⟩; **II 6E**
si [si] doch **I 4**
si [si] ob **I 8**; wenn **II 7B**
un **siècle** [ɛ̃sjɛkl] ein Jahrhundert ⟨**II 8A**⟩
une **signature** [ynsiɲatyʀ] eine Unterschrift ⟨**I 9A**, 7⟩
signer qc [siɲe] etw. unterschreiben **II 1**
le **silence** [ləsilɑ̃s] die Ruhe/Stille **I 1**
s'il te plaît [siltəplɛ] bitte *(wenn man jdn. duzt)* **I 6B**, 6
s'il vous plaît [silvuplɛ] bitte *(wenn man mehrere Personen anspricht oder jdn. siezt)* **I 5**
une **situation** [ynsitɥasjɔ̃] eine Situation **I 2**, 7
un **ski** [ɛ̃ski] ein Ski **II 1**
une station de ski [ynstasjɔ̃dəski] ein Skiort ⟨**II 9E**⟩
un **SMS** [ɛ̃ɛsɛmɛs] eine SMS **II 5**, 2
une **sœur** [ynsœʀ] eine Schwester **I 3A**, 4
la **soif** [laswaf] der Durst **II 5**
avoir soif [avwaʀswaf] Durst haben **II 5**
un **soir** [ɛ̃swaʀ] ein Abend **I 3A**
le soir [ləswaʀ] abends **I 3A**
ce soir [səswaʀ] heute Abend ⟨**I 9A**, 2⟩
le **soleil** [ləsɔlɛj] die Sonne ⟨**I 9A**⟩; **II 1**
il y a du soleil [iljadysɔlɛj] es ist sonnig ⟨**I 9A**⟩; **II 1**
une **solution** [ynsɔlysjɔ̃] eine Lösung **I 3A**
un **sondage** [ɛ̃sɔ̃daʒ] eine Umfrage ⟨**II 4Z**⟩
sonner [sɔne] klingeln **I 3B**
une **sortie** [ynsɔʀti] ein Ausgang **II 3A**
sortir (de qc) [sɔʀtiʀ] (aus etw.) hinausgehen/-fahren; ausgehen ⟨**I 9A**⟩; **II 1**
A tes **souhaits!** [ateswɛ] Gesundheit! **II 5**, 6
un **souk** [ɛ̃suk] ein Souk *(ein arabischer Markt)* ⟨**I 9A**⟩
sourd/sourde [suʀ/suʀd] taub **II 2**, 4
une **souris** [ynsuʀi] eine Maus **II 4**
sous [su] unter **I 2**
un **sous-marin** [ɛ̃sumaʀɛ̃] ein Unterseeboot/U-Boot **II 1E**
un **souvenir** [ɛ̃suvniʀ] eine Erinnerung/ein Andenken **I 8**, 5
souvent [suvɑ̃] oft **I 4**
spécial/spéciale [spesjal] speziell/Spezial-/Sonder- ⟨**II 2Z**⟩
le **sport** [ləspɔʀ] der Sport **I 4E**
faire du sport [fɛʀdyspɔʀ] Sport treiben **I 4E**
en sport [ɑ̃spɔʀ] in Sport *(Sport als Schulfach)* **I 4**
un **sportif**/une **sportive** [ɛ̃spɔʀtif/ynspɔʀtiv] ein Sportler/eine Sportlerin ⟨**I 9A**⟩
sportif/sportive [spɔʀtif/spɔʀtiv] sportlich **I 7**
un **square** [ɛ̃skwaʀ] eine (kleine) Grünanlage **I 2**
un **stade** [ɛ̃stad] ein (Sport)Stadion **II 3E**
une **star** [ynstaʀ] ein Star **I 6A**
une **station** [ynstasjɔ̃] eine Station/eine Haltestelle **I 5**
une station de ski [ynstasjɔ̃dəski] ein Skiort ⟨**II 9E**⟩
une **statue** [ynstaty] eine Statue ⟨**II 9E**⟩
une **stratégie** [ynstʀateʒi] eine Strategie *(eine Technik, die man anwendet, um ein Ziel zu erreichen)* **I 1**, 5
un **studio** [ɛ̃stydjo] ein (Aufnahme)Studio **I 6A**
le **sucre** [ləsykʀ] der Zucker/das Zuckerstück **II 5E**
le **sud** [ləsyd] der Süden **II 7E**
au sud de [osyddə] südlich von **II 7E**
un **Suisse**/une **Suisse** [sɥis] ein Schweizer/eine Schweizerin ⟨**II 9E**⟩
suisse [sɥis] schweizerisch ⟨**II 9E**⟩
la **suite** [lasɥit] die Fortsetzung **I 5**, 15
suivant/suivante [sɥivɑ̃/sɥivɑ̃t] folgender/folgende/folgendes **II 4**, 8
super *(inv.)* [sypɛʀ] super/toll **I 2**
un **supermarché** [ɛ̃sypɛʀmaʀʃe] ein Supermarkt **II 6**
sûr/sûre [syʀ/syʀ] sicher **II 3A**
sur [syʀ] über/auf **I 2E**
sûrement [syʀmɑ̃] sicher/sicherlich *(Adv.)* **II 4**, 9
surprendre qn [syʀpʀɑ̃dʀ] jdn. überraschen ⟨**II 8Z**⟩
une **surprise** [ynsyʀpʀiz] eine Überraschung **II 3A**
surtout [syʀtu] vor allem **I 4**
SVT [ɛsvete] Biologie/Naturkunde **II 4**
sympa [sɛ̃pa] nett *(ugs.)* **I 1**

T

une **table** [yntabl] ein Tisch **I 7**
à table [atabl] bei/am Tisch **I 7**
un **tableau**/des **tableaux** [ɛ̃tablo] eine Tafel, eine Tabelle/Tafeln, Tabellen **I 6A**, 8
une **tante** [yntɑ̃t] eine Tante **I 7**
tant mieux [tɑ̃mjø] umso besser **II 3B**
tard [taʀ] spät **II 2**, 6
une **tarte aux pommes** [yntaʀtopɔm] ein Apfelkuchen **II 5**, 7
un **taxi** [ɛ̃taksi] ein Taxi **I 5**
la **techno** [latɛkno] der Techno *(Musikstil)* ⟨**II 8A**, 3⟩
un **téléphone** [ɛ̃telefɔn] ein Telefon **I 3B**
téléphoner [telefɔne] telefonieren **I 3A**
téléphoner à qn [telefɔne] mit jdm. telefonieren/jdn. anrufen **I 6A**
la **télévision** *(fam.: la télé)* [la televizjɔ̃] das Fernsehen **I 3A**
la **température** [latɑ̃peʀatyʀ] eine Temperatur **II 1**, 9
une **tempête** [yntɑ̃pɛt] ein Sturm ⟨**I 9B**⟩
le **temps** [lətɑ̃] die Zeit **I 7**; das Wetter ⟨**I 9A**, 7⟩; **II 1**
de temps en temps [dətɑ̃zɑ̃tɑ̃] von Zeit zu Zeit/manchmal ⟨**II 8A**, 5⟩
tout le temps [tultɑ̃] die ganze Zeit ⟨**II 8A**, 2⟩
Tenez! [təne] Na sowas! *(wenn man jdn. siezt)* ⟨**II 9**, 9⟩
le **tennis** [lətenis] das Tennis **II 6**, 4
terminer qc [tɛʀmine] etw. beenden ⟨**I 9B**⟩
un **terrain de camping** [ɛ̃tɛʀɛ̃dəkɑ̃piŋ] ein Campingplatz **II 7E**
la **terre** [latɛʀ] die Erde **II 4**
un **test** [ɛ̃tɛst] ein Test **II 6**, 10
une **tête** [yntɛt] ein Kopf **II 2**
un **texte** [ɛ̃tɛkst] ein Text **I 1**
le **TGV** [ləteʒeve] der TGV *(französischer Hochgeschwindigkeitszug)* **I 7**
le **théâtre** [ləteatʀ] das Theater **I 4E**
Tiens. [tjɛ̃] Sieh mal da!/Na sowas! **I 1**
timide [timid] schüchtern ⟨**II 8B**⟩
un **titre** [ɛ̃titʀ] ein Titel **I 8**, 1
toi [twa] du *(betont)* **I 1E**
une **tomate** [yntɔmat] eine Tomate **II 5E**
tomber [tɔ̃be] fallen **II 2**
tomber malade [tɔ̃bemalad] krank werden ⟨**II 8A**⟩
un **tonnerre** [ɛ̃tɔnɛʀ] ein Donner **II 7B**

tôt [to] früh *(Adv.)* ⟨**II 9,** 7⟩
toujours [tuʒuʀ] immer **I 6E; II 4,** 12
une **tour** [yntuʀ] ein Turm **I 5E**
un **tour** [ɛ̃tuʀ] eine Tour/ein Rundgang **II 3A**
C'est mon **tour.** [sɛmõtuʀ] Ich bin dran./Ich bin an der Reihe. **I 7**
un/une **touriste** [ɛ̃/ynturist] ein Tourist/eine Touristin **I 5**
tourner [tuʀne] abbiegen/drehen **I 5**
tourner qc [tuʀne] etw. drehen **I 6A**
tout, tous/toute, toutes [tu/tut] ganz, alle + *Nomen* ⟨**I 9B**⟩
tout, toute *(als Begleiter)* [tu/tut] ganz *(+ Nomen)* **II 4**
tous, toutes *(als Begleiter)* [tu/tut] alle *(+ Nomen)* **II 4**
tout [tu] alles **I 8E**
tout à coup [tutaku] plötzlich **I 4**
tout à l'heure [tutalœʀ] vorhin/eben; gleich/nachher **II 3A**
tout de suite [tudsɥit] sofort **I 7**
tout droit [tudʀwa] geradeaus **I 5**
tout le monde [tulmõd] alle/jeder/alle Welt ⟨**I 9B**⟩; **II 4**
une **trace** [yntʀas] eine Spur **II 7A**
une **traduction** [yntʀadyksjõ] eine Übersetzung **I 8,** 3
un **train** [ɛ̃tʀɛ̃] ein Zug **I 7**
être en train de faire qc [ɛtʀãtʀɛ̃dəfɛʀ] gerade etw. tun **II 4**
un **travail**/des **travaux** [ɛ̃tʀavaj] eine Arbeit/Arbeiten **I 6B,** 9
travailler [tʀavaje] arbeiten **I 4,** 12
travailler sur qc [tʀavaillesyʀ] etw. erarbeiten, an etw. arbeiten **II 5,** 13
traverser qc [tʀavɛʀse] etw. überqueren **I 5**
un **tremblement de terre** [ɛ̃tʀãmbləmãdətɛʀ] ein Erdbeben ⟨**II 8B**⟩
trembler [tʀãble] zittern ⟨**II 9Z**⟩
très [tʀɛ] sehr **I 6A**
tricher [tʀiʃe] mogeln; *(hier)* abschreiben ⟨**II 4Z**⟩
un **trimestre** [ɛ̃tʀimɛstʀ] ein Trimester **II 3B**
triste [tʀist] traurig ⟨**II 1Z**⟩; **II 2;**
trop [tʀo] zu viel **I 7**
un **trou** [ɛ̃tʀu] ein Loch **II 7B**
trouver qc [tʀuve] etw. finden **I 2E**
se **trouver** [sətʀuve] sich befinden **II 7B**
un **t-shirt** [ɛ̃tiʃœʀt] ein T-Shirt ⟨**I 9A**⟩; ⟨**II 8B,** 9⟩
tuer qn [tɥe] jdn. töten/umbringen ⟨**II 9**⟩

U

unique [ynik] einzig *(hier)* einzeln ⟨**II 8B,** 5⟩

V

les **vacances** *(f.) (pl.)* [levakãs] die Ferien/der Urlaub ⟨**I 9E**⟩; **II 1**
partir en vacances [paʀtiʀãvakãs] in die Ferien/in den Urlaub fahren ⟨**I 9A**⟩
en vacances [ãvakãs] in den Ferien **II 5**
une **vache** [ynvaʃ] eine Kuh **I 7E**
La vache! *(fam.)* [lavaʃ] Donnerwetter! *(ugs.)* ⟨**I 9,** 9⟩
une **vague** [ynvag] eine Welle ⟨**I 9E**⟩
un **vélo** [ɛ̃velo] ein Fahrrad ⟨**I 9A**⟩; **II 1,** 2
vendredi *(m.)* [vãdʀədi] Freitag **I 7**
vendre qc [vãdʀ] etw. verkaufen **I 8**
venir [vəniʀ] kommen ⟨**I 9B**⟩; **II 1**
venir chercher qn [vəniʀʃɛʀʃe] jdn. abholen kommen ⟨**I 9B**⟩
venir de faire qc [vəniʀdəfɛʀ] gerade etw. getan haben **II 4**
venir voir qn [vəniʀvwaʀ] jdn. besuchen (kommen) ⟨**II 9**⟩
le **vent** [ləvã] der Wind ⟨**I 9B**⟩; **II 7A**
le **ventre** [ləvãtʀ] der Bauch ⟨**I 9A**⟩; **II 7B,** 4
avoir mal au ventre [avwaʀmalovãtʀ] Bauchweh haben ⟨**I 9A**⟩
un **verbe** [ɛ̃vɛʀb] ein Verb **I 2E**
un **verre** [ɛ̃vɛʀ] ein Glas **I 7**
vert/verte [vɛʀ/vɛʀt] grün **I 7,** 4
un **vestiaire** [ɛ̃vɛstjɛʀ] eine Garderobe **II 1E**
un **vêtement** [ɛ̃vɛtmã] ein Kleidungsstück ⟨**I 9A**⟩; **II 7A**
vide [vid] leer **I 2**
une **vidéo** [ynvideo] ein Video **I 4E**
la **vie** [lavi] das Leben ⟨**I 6A,** 2⟩; **I 7,** 10
vietnamien/vietnamienne [vjɛtnamjɛ̃/vjɛtnamjɛn] vietnamesisch ⟨**II 1Z**⟩
un **Vietnamien**/une **Vietnamienne** [unvjɛtnamjɛ̃/ynvjɛtnamjɛn] ein Vietnamese/eine Vietnamesin ⟨**II 1Z**⟩
vieux/vieil/vieille [vjø/vjɛj] alt **II 3B**
un **village** [ɛ̃vilaʒ] ein Dorf **I 7**
une **ville** [ynvil] eine Stadt **I 8**
en ville [ãvil] in der Stadt/in die Stadt ⟨**I 9E**⟩; **II 2,** 2
le **vin** [ləvɛ̃] der Wein **II 5**
une **visite** [ynvizit] ein Besuch **II 2**
visiter qc [vizite] etw. besichtigen **I 3A**
vite *(Adv.)* [vit] schnell **I 2**
Un peu moins vite, s'il vous plaît. [ɛ̃pømwɛ̃vit] Ein bisschen langsamer, bitte. **I 8,** 14
Vive … ! [viv] Es lebe … ! ⟨**I 9A,** 6⟩
vivre [vivʀ] leben ⟨**II 1Z**⟩; **II 3E**
le **vocabulaire** [ləvɔkabylɛʀ] der Wortschatz **I 2,** 12
voici [vwasi] hier ist **I 1**
voilà [vwala] da ist; *(hier)* Na also./Jetzt haben wir's. *(ugs.)* **I 4**
le voilà [ləvwala] da ist er **I 5**
Voilà pour aujourd'hui. [vwalapuʀoʒuʀdɥi] Das ist alles für heute. **I 8E**
voir qc [vwaʀ] etw. sehen ⟨**I 9B**⟩; **II 1**
vous verrez [vuvɛʀe] ihr werdet sehen/Sie werden sehen ⟨**II 9**⟩
un **voisin**/une **voisine** [ɛ̃vwazɛ̃/ynvwazin] ein Nachbar/eine Nachbarin **I 3A**
une **voiture** [ynvwatyʀ] ein Auto **I 1**
en voiture [ãvwatyʀ] mit dem Auto **I 7**
un **vol** [ɛ̃vɔl] ein Flug **II 3A,** 3
voler qc [vɔle] etw. stehlen **I 5**
un **voleur** [ɛ̃vɔlœʀ] ein Dieb **I 5**
Au voleur! [ovɔlœʀ] Haltet den Dieb! **I 5**
voter [vɔte] wählen/seine Stimme abgeben ⟨**II 4Z**⟩
vouloir qc [vulwaʀ] etw. wollen **I 6B**
vouloir faire qc [vulwaʀfɛʀ] etw. tun wollen **I 6B**
je voudrais [ʒəvudʀɛ] ich möchte gerne **I 6B,** 7
un **voyage** [ɛ̃vwajaʒ] eine Reise ⟨**II 9E**⟩
vrai [vʀɛ] wahr/richtig **I 2,** 1

W

les **W.-C.** *(m., pl.)* [levese] die Toilette/das WC **I 3E**
un **week-end** [ɛ̃wikɛnd] ein Wochenende **I 7**

Y

y [i] dort/dorthin **II 7B**

Z

en zigzag [ãzigzag] im Zickzack ⟨**II 9E**⟩
Zut! *(fam.)* [zyt] Mist! *(ugs.)* **I 2**

Prénoms masculins

Adrien [adʀijɛ̃] **I 5E**
Alain [alɛ̃] **II 1,** 5
Bruno [bʀyno] **I 7**
Christian [kʀistjɑ̃] **I 1**
Christophe [kʀistɔf] **I 7,** 12
Fabien [fabjɛ̃] **II 3E**
Franck [fʀɑ̃k] **II 3B,** 7
Grégory [gʀegɔʀi] **II 6E**
Jacques [ʒak] **I 8E**
Jérémie [ʒeʀemi] **II 4**
Julien [ʒyljɛ̃] **I 1,** 2
Kevin [kɛvin] **⟨II 8B,** 7⟩
Laurent [lɔʀɑ̃] **⟨II 8B⟩**
Lee [li] **⟨II 1Z⟩**
Loïc [loik] **⟨I 9A,** 11⟩
Luc [lyk] **I 7,** 12
Marc [maʀk] **I 7**
Marco [maʀko] **II 4E**
Nicolas [nikɔla] **II 3E**
Pascal [paskal] **⟨II 8A,** 5⟩
Patrick [patʀik] **I 2,** 10
Philippe [filip] **I 7,** 12
Pierre [pjɛʀ] **I 4,** 8
Roberto [ʀɔbɛʀto] **II 1,** 2
Socrate [sɔkʀat] **⟨II 8B,** 8⟩
Théo [teo] **I 1E**
Thomas [toma] **I 1E**
Valentin [valɑ̃tɛ̃] **I 3E**
Victor [viktɔʀ] **I 1E**
Wahid [waid] **⟨II 8A,** 3⟩
Yan [jan] **⟨I 9A⟩**

Prénoms féminins

Adeline [adlin] **II 4**
Amandine [amɑ̃din] **I 1E**
Amélie [ameli] **I 1,** 2
Anne [an] **I 7,** 12
Annie [ani] **II 7E**
Caroline [kaʀɔlin] **I 1,** 2
Cécile [sesil] **II 2**
Chloé [kloe] **II 3B,** 7
Christelle [kʀistɛl] **II 3B,** 2
Edith [edit] **I 6B,** 9
Emilie [emili] **I 7,** 12
Emma [ɛma] **I 1E**
Fatimatou [fatimatu] **⟨II 1Z⟩**
Geneviève [ʒənvjɛv] **⟨II 9⟩**
Isabelle [izabɛl] **I 7**
Julia [ʒylja] **I 4,** 8
Laura [lɔʀa] **⟨II 9E⟩**
Léa [lea] **I 7**
Lili [lili] **I 7**
Lisa [liza] **I 7,** 12
Louise [lwiz] **I 7,** 12
Magalie [magali] **⟨II 1Z⟩II 5**
Malika [malika] **I 1E**
Manon [manɔ̃] **I 3E**
Marie [maʀi] **II 3B,** 7
Marise [maʀiz] **I 7,** 12
Mathilde [matild] **I 7**
Nathalie [natali] **I 8E**
Samira [samiʀa] **II 3A**
Sonia [sɔnja] **II 3B,** 2
Sylvie [silvi] **II 1,** 5
Zoé [zoe] **I 7**

Noms de famille

Atangana [atɑ̃gana] **⟨II 1Z⟩**
Bajot [baʒo] **I 6B,** 4
Bertaud [bɛʀto] **I 1**
Boulay [bulɛ] **I 4**
Carbonne [kaʀbɔn] **I 3E**
Cestor [sɛstɔʀ] **⟨II 8A,** 5⟩
Chapuis [ʃapɥi] **II 4E**
Dufour [dyfuʀ] **I 2,** 2
Gentilli [ʒɑ̃tiji] **II 3A**
Guazzatti [gwadzati] **⟨II 9⟩**
Kermorgant [kɛʀmɔʀgɑ̃] **⟨I 9A⟩**
Leclerc [ləklɛʀ] **I 3A**
Marcou [maʀku] **II 7E**
Martin [maʀtɛ̃] **II 4**
Messadi [mɛsadi] **I 6B,** 4
Nguyen [ngɥijen] **⟨II 1Z⟩**
Pajon [paʒɔ̃] **I 4,** 12
Philibert [filibɛʀ] **⟨II 8E⟩**
Rollin [ʀolɛ̃] **I 2**
Salomon [salomɔ̃] **I 2**
Sarré [saʀe] **I 6E**

Noms de villes

Argelès-Gazost [aʀʒəlɛsgazɔst] *(Ferienort in den Pyrenäen)* **II 7E**
Arras [aʀas] *(Stadt in Nordfrankreich)* **I 7**
Bâle [bal] Basel *(Stadt in der Schweiz)* **⟨II 9E⟩**
Berlin [bɛʀlɛ̃] *(Hauptstadt Deutschlands)* **I 1**
Berne [bɛʀn] Bern *(Hauptstadt der Schweiz)* **⟨II 9E⟩**
Biarritz [bjaʀits] *(frz. Stadt am Atlantik, im Baskenland)* **⟨II 9⟩**
Blagnac [blaɲak] *(Vorort von Toulouse)* **II 3E**
Bordeaux [bɔʀdo] *(Stadt in Südwestfrankreich)* **⟨II 2Z⟩**
Brest [bʀɛst] *(Stadt in der Bretagne)* **⟨I 9A,** 2⟩
Bruxelles [bʀysɛl/bʀyksɛl] Brüssel **I 8E**
Carcassonne [kaʀkasɔn] *(Stadt in Südwestfrankreich)* **II 3A,** 10
Dakar [dakaʀ] Dakar **II 4E**
Fontainebleau [fɔ̃tɛnblo] **I 4**
Genève [ʒənɛv] Genf **I 5E**
Hambourg [ɑ̃buʀ] Hamburg **II 3A,** 3
Isbergues [isbɛʀg] *(Stadt in Nordfrankreich)* **I 7**
Locarno [lɔkaʀno] Locarno *(Stadt in der Schweiz)* **⟨II 9E⟩**
Lourdes [luʀd] Lourdes *(Stadt in den Pyrenäen, Wallfahrtsort)* **II 7B**
Lucerne [lysɛʀn] Luzern *(Stadt in der Schweiz)* **⟨II 9E⟩**
Lyon [ljɔ̃] *(frz. Großstadt)* **⟨II 8B⟩**
Marrakech [maʀakɛʃ] Marrakesch *(Stadt in Marokko)* **⟨I 9A⟩**
Montauban [mɔ̃tobɑ̃] *(Stadt in der Region Midi-Pyrénées)* **II 7E**
Montreux [mɔ̃tʀø] *(Stadt in der Schweiz)* **⟨II 9E⟩**
Montrouge [mɔ̃ʀuʒ] *(Name eines Vororts von Paris)* **I 3A**
Paris [paʀi] *(Hauptstadt Frankreichs)* **I 1**
Penvénan [pɛnvenan] *(Ort in der Bretagne)* **⟨I 9A⟩**
Port-Blanc [pɔʀblɑ̃] *(Ferienort in der Bretagne)* **⟨I 9A⟩**
Ratisbonne [ʀatisbɔn] Regensburg **⟨II 9B,** 3⟩
Rombly [ʀɔ̃bli] *(Ortschaft in Nordfrankreich)* **I 7**
Saint-Cyprien [sɛ̃sipʀiɛ̃] *(Ferienort an der frz. Mittelmeerküste)* **II 3B,** 6
Saint-Moritz [sɛ̃mɔʀits] Sankt Moritz *(Skiort in der Schweiz)* **⟨II 9E⟩**
Toulouse [tuluz] Toulouse *(Stadt in Südwestfrankreich)* **⟨I 9B,** 2⟩; **II 1**
Tréguier [tʀegje] *(Ort in der Bretagne)* **⟨I 9B⟩**
Trestel [tʀɛstɛl] *(Ort in der Bretagne)* **⟨I 9B⟩**
Zurich [zyʀik] Zürich *(Stadt in der Schweiz)* **⟨II 9,** 2⟩

Noms géographiques

l'**Afrique** *(f.)* [lafʀik] Afrika **⟨II 1Z⟩; II 4**
l'**Algérie** *(f.)* [lalʒeʀi] Algerien **⟨II 8B⟩**
l'**Allemagne** *(f.)* [lalmaɲ] Deutschland **I 8**
l'Argonaute [laʀgɔnot] die Argonaut *(frz. U-Boot)* **II 1E**
l'**Atlantique** *(m.)* [latlɑ̃tik] der Atlantik **II 3A, 3**
la **Belgique** [labɛlʒik] Belgien **I 8**
la **Bourgogne** [labuʀgɔɲ] das Burgund *(Region in Frankreich)* **⟨II 9, 8⟩**
la **Bretagne** [labʀətaɲ] die Bretagne **⟨I 9B⟩**
l'**Espagne** *(f.)* [lɛspaɲ] Spanien **II 7B, 6**
l'**Europe** *(f.)* [løʀɔp] Europa **⟨II 2Z⟩; ⟨II 9⟩**
la **France** [lafʀɑ̃s] Frankreich **I 8E**
la **Garonne** [lagaʀɔn] die Garonne *(Fluss, der durch Toulouse fließt)* **II 2**
la **Gaule** [lagol] Gallien **⟨II 9, 8⟩**
les **Hautes-Pyrénées** [leotpiʀene] die Hautes-Pyrenées *(Département/Verwaltungsbezirk in Südfrankreich)* **⟨II 7Z⟩**
l'Italie *(f.)* [litali] Italien **II 1**
Luxembourg [lykzɑ̃buʀ] Luxemburg **⟨II 9⟩**
la **Martinique** [lamaʀtinik] Martinique **II 4**
Midi-Pyrénées [midipiʀene] Midi-Pyrénées *(Region in Südfrankreich)* **II 7E**
les **Pyrénées** *(f.)* [lepiʀene] die Pyrenäen *(Gebirge zwischen Frankreich und Spanien)* **II 3A**
la Seine [lasɛn] die Seine *(Fluss, der durch Paris fließt)* **I 5E**
le **Sénégal** [ləsenegal] der Senegal **II 4E**
la **Suisse** [lasɥis] die Schweiz **II 7E**

Noms divers

Aérospatiale [aeʀɔspasjal] *(europ. Unternehmen der Luft- und Raumfahrttechnik)* **II 3A, 2**
Airbus [ɛʀbys] *(europäischer Flugzeughersteller)* **II 1**
Alésia [alezja] *(gallische Festung in Burgund)* **⟨II 9, 8⟩**
l'**Arc de triomphe** *(m.)* [laʀkdətʀijɔ̃f] der Arc de triomphe *(Triumpfbogen in Paris)* **I 5E**
l'**Arche de la Défense** *(f.)* [laʀʃdəladefɑ̃s] die Arche de la Défense *(modernes Bürogebäude im Stadtteil La Défense)* **I 5E**
Astérix [asteʀiks] *(frz. Comic-Figur)* **⟨II 6, 7⟩**
Atlantis [atlɑ̃tis] *(hier) (Filmtitel)* **II 1E**
Aventure Parc [avɑ̃tyʀpaʀk] *(Naturpark in den Pyrenäen)* **⟨II 7Z⟩**
Barbès Rochechouart [baʀbɛsʀɔʃəʃwaʀ] *(Name einer Metrostation)* **⟨II 1Z⟩**
Belleville [bɛlvil] *(Name eines Pariser Stadtteils)* **⟨II 1Z⟩**
le **boulevard St-Michel** [ləbulvaʀsɛ̃miʃɛl] der Boulevard St-Michel *(Name eines Boulevards in Paris)* **II 1, 2**
le **canal du Midi** [ləkanaldymidi] der Canal du Midi **II 2**
le **canton des Grisons** [ləkɑ̃tɔ̃degʀizɔ̃] Graubünden *(Kanton in der Schweiz)* **⟨II 9E⟩**
le **Capitole** [kapitɔl] das Kapitol *(Name des Rathauses von Toulouse)* **II 2**
Casino [kazino] *(frz. Supermarkt-Kette)* **II 2, 6**
le **Centre Georges Pompidou** [ləsɑ̃tʀʒɔʀʒpɔ̃pidu] das Centre Pompidou *(Kunst- und Kulturzentrum in Paris)* **I 5, 12**
Charles de Gaulle-Etoile [ʃaʀldəgoletwal] *(Name einer Metrostation)* **I 5**
Collège Anne Frank [kɔlɛʒanfʀɑ̃k] *(Name einer Schule in Paris)* **I 4**
le commissaire Maigret [ləkɔmisɛʀmɛgʀe] Kommissar Maigret *(Romanfigur von G. Simenon)* **⟨II 4, 3⟩**
Le comte de Monte-Cristo [ləkɔ̃tdəmɔ̃tkʀisto] *(Roman von A. Dumas)* **⟨II 4, 9⟩**
la Défense [ladefɑ̃s] *(moderner Stadtteil von Paris mit zahlreichen Hochhäusern)* **I 5E**
La Dépêche du Midi [ladepɛʃdymidi] *(frz. Tageszeitung)* **II 6, 9**
Filou [filu] *(Name einer Katze)* **I 6A**
Firifi [fiʀifi] *(Name einer Maus)* **⟨II 9Z⟩**
le Forum des Halles [ləfoʀɔmdeal] das Forum des Halles *(Einkaufszentrum in Paris)* **I 5E**
France-Inter [fʀɑ̃sɛ̃tɛʀ] *(frz. Rundfunksender)* **⟨II 8A, 5⟩**
France Télécom [fʀɑ̃stelekɔm] *(frz. Telekommunikationsunternehmen)* **II 6, 9**
la **gare du Nord** [lagaʀdynɔʀ] die Gare du Nord *(Nordbahnhof)* **I 7**
la **gare Saint-Lazare** [lagaʀsɛ̃lazaʀ] die Gare Saint-Lazare *(Name eines Bahnhofs in Paris)* **⟨II 1Z⟩**
la **Géode** [laʒeɔd] die Géode *(großes Kino)* **II 1E**
Guyenne [gɥijɛn] *(hier)* Name einer Bushaltestelle **II 3A, 2**
Hercule Poirot [ɛʀkylpwaʀo] *(Romanfigur von Agatha Christie)* **⟨II 4, 3⟩**
Indiana Parc [indjanapaʀk] *(Naturpark in den Pyrenäen)* **⟨II 7Z⟩**
l'**Institut du Monde Arabe** [lɛ̃stitydymɔ̃daʀab] *(Museum zur arabischen Kultur)* **II 1, 7**
le **jardin du Luxembourg** [ləʒaʀdɛ̃dylyksɑ̃buʀ] der Jardin du Luxembourg *(Park in Paris)* **II 1, 2**
le **Lac Majeur** [ləlakmaʒœʀ] der Lago Maggiore *(See an der schweiz.-ital. Grenze)* **⟨II 9E⟩**
la Villette [lavilɛt] *(Stadtviertel im Nordwesten von Paris)* **II 1E**
Le Petit Prince [ləptipʀɛ̃s] **⟨II 4, 9⟩**
Louis XIV [lwikatɔʀz] Ludwig XIV *(König von Frankreich von 1643 bis 1715)* **⟨II 6, 7⟩**
le **Louvre** [ləluvʀ] der Louvre *(Museum in Paris)* **I 5E**
la **Marseillaise** [lamaʀsɛjɛz] die Marseillaise *(Name der frz. Nationalhymne)* **⟨I 9B⟩**
Matou [matu] *(hier: Name einer Katzenfuttermarke)* **I 6B**
Météo France [meteofʀɑ̃s] *(frz. Wetterdienst)* **II 6, 9**
Montmartre *(m.)* [mɔ̃maʀtʀ] *(Stadtviertel in Paris)* **II 1, 7**
Montozarbres [mɔ̃tozaʀbʀ] *(Naturpark in den Pyrenäen)* **⟨II 7Z⟩**
Morzine [mɔʀzin] *(Ort in den französischen Alpen)* **⟨I 9E⟩**
le **Musée d'Orsay** [ləmyzedɔʀsɛ] das Musée d'Orsay *(Museum in Paris)* **II 1, 7**
Noël *(m.)* [nɔɛl] Weihnachten **II 1**
Notre Dame [nɔtʀədam] *(Kathedrale im Zentrum von Paris)* **I 5, 12**
les Nouvelles Galeries [lenuvɛlgalʀi]

(Kaufhaus in Toulouse) **II 2,** 2
Odyssud *(f.)* [ɔdisyd] *(Name einer Mediathek in Toulouse)* **II 3A**
Okapi [ɔkapi] *(hier)* Name einer Zeitschrift ⟨**II 8B,** 7⟩
le **Parc de la Villette** [lɔpaʀkdɔlavilɛt] der Parc de La Villette *(Parkanlage)* **II 1E**
Le petit Nicolas [lɔpɔtinikɔla] ⟨**II 4,** 9⟩
la **place de Clichy** [laplasdɔkliʃi] *(Name eines Platzes in Paris)* ⟨**II 1Z**⟩
la **place de la Bastille** [laplasdlabastij] *(Name eines Platzes in Paris)* **I 2**
place des Terreaux [plasdetɛʀo] *(Name eines Platzes in Lyon)* ⟨**II 8Z**⟩
la **place d'Italie** [laplasditali] *(Name eines Platzes in Paris)* ⟨**II 1Z**⟩
la **place Madou** [laplasmadu] *(Name eines Platzes in Brüssel)* **I 8E**
la **place Pigalle** [laplaspigal] *(Name eines Platzes in Paris)* **I 5,** 9
la **pyramide du Louvre** [lapiʀamidyluvʀ] *Pyramide aus Glas, die im Hof des Louvre steht* **I 5E**
Pyrénées Hô [piʀeneo] *(Naturpark in den Pyrenäen)* ⟨**II 7Z**⟩
Rex [ʀɛks] *(Name eines Kinos)* **II 3B**
Rivoli [ʀivɔli] *(Name einer Metrostation)* **I 5**
Roncevaux [ʀɔ̃svo] *(Ort in den span. Pyrenäen)* ⟨**II 9**⟩
la **rue Charles Baudelaire** [laʀyʃaʀlbodlɛʀ] **I 2**
la **rue de Charonne** [laʀydɔʃaʀɔn] **I 6B,** 4
la **rue Descartes** [laʀydekaʀt] **I 6B,** 4
la **rue des Corbières** [laʀydekɔʀbjɛʀ] **II 4**
la **rue du Chemin vert** [laʀydyʃəmɛ̃vɛʀ] **I 6B,** 4
la **rue du Faubourg Saint Antoine** [laʀydyfobuʀsɛ̃tɑ̃twan] **I 2**
la **rue Richard Lenoir** [laʀyʀiʃaʀlɔnwaʀ] **I 3E**
la **rue St-Rome** [laʀysɛ̃ʀɔm] *(Einkaufsstraße in Toulouse)* **II 3B**
la **rue Trousseau** [laʀytʀuso] **I 1**
la **salle Nougaro** [lasalnugaʀo] *(Konzertsaal in Toulouse)* **II 2**
les **Sarrasins** [lesaʀasɛ̃] die Sarazenen *(mittelalterl. Name für die Araber)* ⟨**II 9**⟩
Sergent-Blandan [sɛʀʒɑ̃blɑ̃dɑ̃] *(hier) Name einer Schule* ⟨**II 8Z**⟩
le **square Trousseau** [lɔskwaʀtʀuso] *(Name einer Grünanlage in Paris)* **I 2**
St-Michel [sɛ̃miʃɛl] *(Name einer Metrostation in Paris)* **I 5,** 12
le **Tour de France** [lɔtuʀdɔfʀɑ̃s] die Tour de France *(berühmtes Radrennen durch Frankreich)* ⟨**I 9A**⟩
la **tour Eiffel** [latuʀɛfɛl] der Eiffelturm **I 5E**
Les trois mousquétaires *(Roman von A. Dumas)* [letʀwamusketɛʀ] ⟨**II 4,** 9⟩
Vertige de l'Adour [vɛʀtiʒdɔladuʀ] *(Naturpark in den Pyrenäen)* ⟨**II 7Z**⟩
le **wolof** [vɔlɔf] das Wolof *(westafrikanische Sprache)* **II 4,** 11
Zazie dans le métro [zazidɑ̃lmetʀo] *(Roman von R. Queneau)* ⟨**II 4,** 9⟩
Zebda [zɛbda] *(Musikgruppe)* **II 2**
Zen Zila [zɛnzila] *(Musikgruppe)* ⟨**II 8A**⟩

Noms de personnes connues

Agatha Christie [agatakʀisti] *(engl. Schriftstellerin, 1890–1976)* **II 4,** 3
Audrey Tautou [odʀetotu] *(frz. Schauspielerin)* **II 3B**
Azouz Begag [azuzbɔgag] *(frz. Schriftsteller, geb. 1957)* ⟨**II 8B**⟩
Carla Bruni [kaʀlabʀyni] *(frz. Sängerin, geb. 1968)* **II 6,** 10
Charlemagne [ʃaʀlɔmaɲ] Karl der Große *(742–814, Begründer des abendländischen Kaisertums)* ⟨**II 9**⟩
Cheb Mami [kɛbmami] *(frz.-algerischer Raï-Sänger)* ⟨**II 1Z**⟩
Edith Piaf [editpjaf] *(frz. Sängerin, 1915–1963)* **II 6,** 10
Georges Simenon [ʒɔʀʒsimɔnõ] *(belg. Schriftsteller, 1903–1983)* **II 4,** 3
Gérard Depardieu [ʒeʀaʀdɔpaʀdjø] *(frz. Schauspieler, geb. 1948)* **I 5,** 14
Gustave Eiffel [gystavɛfɛl] *(frz. Ingenieur, 1832-1923)* ⟨**II 6,** 7⟩
Henri Guillaumet [ɑ̃ʀigijome] *(frz. Pilot) (1902-1940)* **II 3A**
Henri IV [ɑ̃ʀikatʀ] Heinrich IV *(1553-1610; König von Frankreich)* **II 5,** 11
Jacques Brel [ʒakbʀɛl] *(belg. Sänger 1929–1978; hier: Name einer Jugendherberge)* **I 8E**
Jean de la Fontaine [ʒɑ̃dɔlafõtɛn] *(frz. Dichter, 1621-1695)* ⟨**II 9,** 10⟩
Jésus-Christ [ʒezykʀi] Jesus Christus ⟨**II 9,** 8⟩
Johnny Hallyday [dʒɔnialidɛ] *(frz. Sänger, geb. 1943)* **II 6,** 10
Jules César [ʒylsezaʀ] Julius Cäsar *(röm. Feldherr und Politiker; 101–44 v.Chr.)* ⟨**II 9,** 8⟩
Khaled [kalɛd] *(frz. Sänger arabischer Herkunft, geb. 1960)* ⟨**I 9B,** 2⟩; **II 6,** 10
René Magritte [ʀɔnemagʀit] *(belg. Maler 1898–1967)* **I 8,** 5
Jean Mermoz [ʒɑ̃mɛʀmoz] *(frz. Pilot, 1901–1936)* **II 3E**
Mylène Farmer [milɛnfaʀmɛʀ] *(frz. Sängerin, geb. 1961)* **II 6,** 10
Napoléon [napɔleõ] Napoleon Bonaparte *(frz. Kaiser von 1804 bis 1815)* ⟨**II 6,** 7⟩
Rachid Taha [ʀaʃidtaa] *(Sänger)* ⟨**II 8B**⟩
Renaud [ʀɔno] *(frz. Sänger, geb. 1952)* ⟨**II 8E**⟩
Roch Voisine [ʀɔkvwazin] *(kanad. Sänger, geb. 1963)* ⟨**II 8A**⟩
Rodolphe Toepffer [ʀɔdɔlftœpfɛʀ] *(schweiz. Schriftsteller und Zeichner, 1799–1846)* ⟨**II 9E**⟩
Roland [ʀɔlɑ̃] *(Neffe Karls des Großen)* ⟨**II 9**⟩
Saint-Exupéry [sɛ̃tɛgzypeʀi] *(frz. Pilot und Schriftsteller, 1900-1944)* **II 3A,** 3
Léopold Sédar Senghor [leɔpɔlsedaʀsɛ̃gɔʀ] *(1906-2001; senegalesischer Politiker und Dichter)* **II 4,** 11
Louis XIV [lwikatɔʀz] Ludwig XIV *(1638–1715; König von Frankreich)* ⟨**II 6,** 7⟩
Serge Gainsbourg [sɛʀʒgɛ̃sbuʀ] *(frz. Sänger, 1928-1991)* **II 6,** 10
Toulouse-Lautrec [tuluzlɔtʀɛk] *(frz. Maler, 1864-1901)* **II 7E**
Vercingétorix [vɛʀsɛ̃ʒetɔʀiks] *(Anführer der Gallier im Kampf gegen Cäsar)* ⟨**II 9,** 8⟩
Zazie [zazi] *(frz. Sängerin, geb. 1964)* **II 6,** 10
Zinedine Zidane [zinedinzidan] *(frz. Fußballspieler, geb. 1972)* **II 6,** 7

– Die deutsch-französische Wortliste führt die wichtigsten Lernwörter aus *Découvertes* Band 1 und Band 2 auf. Der Wortschatz aus den *Album*-Teilen sowie aus den Lektionen ⟨I,9⟩; ⟨II,8⟩ und ⟨II,9⟩ wird hier nicht aufgeführt.

A

abbiegen tourner **I 5**
ein Abend un soir **I 3A**
abends le soir **I 3A**
heute Abend ce soir **II 3B**
ein Abenteuer une aventure **II 7E**
aber mais **I 1**
abfahren partir **II 1**
die Abfahrt/der Aufbruch le départ **I 8**
etw. abschreiben copier qc **II 6,** 6
etw. achten respecter qc **I 2**
eine Adresse une adresse **I 3A**
ein Akzent/Tonfall un accent **II 2**
ein Album *(hier)* **eine CD** un album **II 3B**
alle *(+ Nomen)* tous, toutes **II 4**
alle/jeder/alle Welt tout le monde **II 4**
allein seul/seule **II 6E**
alles tout **I 8E**
als comme **I 6E**
der Erste/die Erste *(hier)* **als Erster/als Erste** le premier/la première **II 2E**
alt vieux/vieil/vieille **II 3B**
das Alter l'âge *(m.)* **I 4**
eine Ampel un feu/des feux **II 7A,** 6
ein Andenken un souvenir **I 8,** 5
ein anderer/eine andere un/une autre **I 6B**
etw. anderes autre chose **II 4,** 6
anders différent/différente **I 7,** 15
etw. anfangen commencer qc **I 8**
eine Angelegenheit une affaire **I 8**
die Angst la peur **I 4**
jdn. anhalten arrêter qn **I 5**
(an)kommen arriver **I 4**
etw. ankündigen annoncer qc **II 5**
jdn. anrempeln bousculer qn **I 5**
ein Anruf un coup de téléphone **I 8E**
jdn. anrufen téléphoner à qn **I 6A**
jdn. (an)rufen appeler qn **II 5**
etw. ansehen regarder qc **I 2E**
eine Antwort une réponse **I 2,** 8
jdm. antworten répondre à qn **I 8**
eine Anzeige/Annonce une annonce **I 3E**
jdm. etw. anzeigen/jdm. eine Angabe machen indiquer qc à qn **II 4,** 5
etw. anziehen mettre qc **II 1**
ein Apfel une pomme **II 5**
ein Apfelkuchen une tarte aux pommes **II 5,** 7
ein Apparat un appareil **I 8E**
April avril *(m.)* **I 7,** 6
eine Arbeit un travail/des travaux **I 6B,** 9
arbeiten travailler **I 4,** 12
ein Argument un argument **II 1,** 1
arm pauvre **II 3B**
ein Arm un bras **II 7B,** 4
ein Artikel un article **II 4,** 12
ein Arzt/eine Ärztin un médecin **I 6E**
auch aussi **I 2E**
auch nicht ne ... pas non plus **II 1**
auf/über sur **I 2E**
auf Deutsch en allemand **I 1**
Aufenthaltsraum une salle de permanence **II 4**
eine (Haus)Aufgabe un devoir **I 7,** 15
etw. aufheben ramasser qc **I 2**
aufhören (etw. zu tun) arrêter (de faire qc) **II 1,** 5
ein Auflauf un gratin **II 4**
aufpassen faire attention **I 5**
aufräumen ranger **II 5E**
jdn. aufregen énerver qn **II 2**
aufstehen *(hier)* **(Wind) aufkommen** se lever **II 7B**
etw. aufstellen, installieren installer qc **II 6**
August août *(m.)* **I 7,** 6
ein Ausgang une sortie **II 3A**
ausgehen sortir **II 1**
außer sauf **II 4**
außerdem en plus **I 4**
aussteigen descendre **II 2E**
auswendig par cœur **I 6B**
ein Auto une voiture **I 1**
eine Autowerkstatt un garage **II 3A**

B

eine Bäckerei une boulangerie **II 5**
ein Badezimmer une salle de bains **I 3E**
ein Bahnhof une gare **I 7**
bis bald à bientôt **I 8E**
ein Ball un ballon **II 3B**
eine Banane une banane **II 5E**
eine (Sitz)Bank un banc **I 2**
ein Bär un ours **II 7E**
ein Bart une barbe **II 6**
der Bauch un ventre **II 7B,** 4
etw. bauen construire qc **II 7B**
ein Baum un arbre **I 2**
etw. beenden finir qc **II 4**
sich befinden se trouver **II 7B**
eine Befreiung une libération **II 4,** 11
jdm. begegnen rencontrer qn **I 8E**
eine Begegnung/ein Treffen une rencontre **I 8E**
jdn. begleiten accompagner qn **I 8E**
bei chez **I 5E**
jdm. Beifall klatschen applaudir qn **II 4**
ein Bein une jambe **II 7B**
zum Beispiel par exemple **II 3B**
bereit/fertig prêt/prête **II 2**
ein Berg une montagne **II 1**
ein Beruf un métier **I 6E**
etw. beschreiben décrire qc **II 7A,** 5
etw. besichtigen visiter qc **I 3A**
ein Besuch une visite **II 2**
etw. betrachten regarder qc **I 2E**
ein Bett un lit **I 3A**
sich bewegen bouger **I 6A**
etw. bezahlen payer qc **I 8**
eine Bibliothek une bibliothèque **I 6B,** 7
ein Bild une image **I 5,** 15
ein Bildschirm un écran **II 6**
etw. (fest)binden attacher qc **I 4**
bis jusque ⟨**II 6**⟩
von ... bis de ... à **I 5E**
Bitte!/Gern geschehen. De rien. **II 7E**
bitten demander à qn de faire qc **II 4,** 6
ein Blatt une feuille **II 7B**
blau bleu/bleue **I 7**
bleiben rester **I 3A**
ein Bleistift un crayon **I 2**
ein Blitz un éclair **II 7B**
ein Boot un bateau **II 2**
jd. braucht etw. il faut qc à qn **II 5**
man braucht etw. il faut qc **II 5**
etw. brauchen avoir besoin de qc **II 7A**
(kastanien)braun marron *(inv.)* **I 7,** 4
ein Brief une lettre **I 8E**
ein Brieffreund/eine Brieffreundin un correspondant/une correspondante *(fam. un/une corres)* **II 2,** 10
etw. bringen apporter qc **II 6E**
etw. bringt's nicht *(ugs.)* qc est nul/nulle *(fam.)* **II 2**

das Brot le pain **II 5**
eine Brücke un pont **II 7B**
ein Bruder un frère **I 3A,** 4
ein Buch un livre **I 5**
eine Buchhandlung une librairie **I 5**
eine Bühne une scène **II 6**
ein Bus un bus **I 5**
die Butter le beurre **II 5E**

C

ein Café un café **II 1,** 2
ein Campingplatz un terrain de camping **II 7E**
eine CD/CDs un CD/des CD **I 4,** 11
ein Comic(-Heft) une BD/des BD *(= une bande dessinée)* **I 5**
ein Computer un ordinateur **I 3A**
ein Cousin/eine Cousine un cousin/une cousine **I 5E**

D

da/weil comme **II 5**
daneben/nebenan à côté **II 3A**
Danke. Merci. **I 1**
dann puis **I 4**
  dann/danach ensuite **II 5**
das ça **I 2**
dass *(Konjunktion)* que **I 8**
der/die/dasselbe le/la même **II 4,** 2
ein Datum une date **I 8,** 12
den Tisch decken mettre la table **II 1**
sich etw.(aus)denken imaginer qc **II 1,** 1
  an jdn. denken penser à qn **II 3B**
denn car **I 7,** 7
auf Deutsch en allemand **I 1**
Dezember décembre *(m.)* **I 7,** 6
ein Dichter/eine Dichterin un poète **II 6,** 2
dick gros/grosse **II 4**
ein Dieb un voleur **I 5**
Dienstag mardi *(m.)* **I 7,** 6
diese(r), dieses *(Demonstrativbegleiter)* ce, cet, cette, ces **II 3B**
ein Direktor/eine Direktorin un directeur/une directrice **II 3A,** 3
diskutieren discuter **I 3A**
doch si **I 4**
ein Doktor/Arzt un docteur **II 7B,** 4
ein Donner un tonnerre **II 7B**
Donnerstag jeudi *(m.)* **I 7**
ein Dorf un village **I 7**
dort/da là **I 2**
  dort(hin)/da(hin) là-bas **II 1**
dort/dorthin y **II 7B**
etw. drehen tourner qc **I 6A**
du *(betont)* toi **I 1E**
dumm bête **I 7**
eine Dummheit une bêtise **II 4**
Durst haben avoir soif **II 5**

E

ein Ehemann un mari **I 3B**
ein Ei un œuf/des œufs **II 5E**
eifersüchtig (auf jdn.) jaloux/jalouse (de qn) **II 7B**
ein Eigentümer/eine Eigentümerin un/une propriétaire **I 3A**
ein Eingang une entrée **I 1E**
einkaufen faire les courses **II 5E**
jdn. einladen inviter qn **I 6B,** 4
einmal une fois **I 4,** 11
einordnen classer qc **II 1,** 6
etw. einsammeln ramasser qc **I 2**
einsteigen monter **I 5**
eintreten entrer **I 2**
einverstanden/o.k. d'accord **I 2E**
ein Eis une glace **II 5,** 1
die Eltern les parents *(m.)* **I 3A**
etw. empfangen recevoir qc **II 2**
das Ende/der Schluss la fin **II 1,** 7
am Ende, schließlich à la fin **II 1,** 7
endlich enfin **I 5**
etw. entdecken découvrir qc **II 7B**
eine Entdeckung une découverte **II 1E**
eine Ente un canard **II 5**
sich entfernen s'éloigner **II 7B**
Entschuldigung. Pardon. **I 4,** 12
die Erde la terre **II 4**
jdm. etw. erklären expliquer qc à qn **I 8**
etw. erneuern refaire qc **II 3A**
der erste/die erste le premier, la première **I 7,** 6
jdn. erwischen attraper qn **I 5**
etw. erzählen raconter qc **I 3A**
etw. essen manger qc **I 6A**
ein Essen un repas **I 7**
ein Esszimmer une salle à manger **I 3E**
etwas quelque chose **I 5**

F

ein Faden un fil **II 7B**
jdn. fahren; jdn. führen conduire qn **II 7B**
ein Fahrer/eine Fahrerin un conducteur/une conductrice **II 3A**
eine Fahrkarte un billet **I 7**
ein Fahrplan un horaire **I 7,** 8
ein Fahrrad un vélo **II 1,** 2
fallen tomber **II 2**
eine Familie une famille **I 3A**
jdn. (ein)fangen attraper qn **I 5**
eine Farbe une couleur **I 7,** 13
  die Farbe *(zum Anmalen)* la peinture **II 3A**
Februar février *(m.)* **I 7,** 6
fehlen manquer **II 5**
ein Fehler une faute **I 7,** 17
die Ferien/der Urlaub les vacances *(f.) (pl.)* **II 1**
das Fernsehen la télévision *(fam.: la télé)* **I 3A**
fertig/bereit prêt/prête **II 2**
etw. (fest)binden attacher qc **I 4**
ein Fest une fête **I 4,** 11
jdn. festnehmen arrêter qn **I 5**
ein Feuer un feu/des feux **II 7A,** 6
eine Figur/eine Persönlichkeit un personnage **II 4,** 3
ein Film (Kino) un film **I 5,** 13
  ein Film (Foto) une pellicule **I 8**
etw. finden trouver qc **I 2E**
ein Fisch un poisson **II 1E**
eine Flasche une bouteille **I 2**
eine Flöte une flûte **I 3B**
ein Flug un vol **II 3A,** 3
ein Flugzeug un avion **II 1**
folgender/folgende/folgendes suivant/suivante **II 4,** 8
eine Form une forme **I 3A,** 3
die Fortsetzung la suite **I 5,** 15
ein Foto une photo **I 2E**
  ein Foto von etw. machen prendre une photo de qc **I 8**
ein Fotoapparat un appareil photo **I 8**
eine Frage une question **I 1,** 1
jdn. etwas fragen demander qc à qn **I 6A**
  jdn. fragen, ob demander à qn si **I 8**
französisch français/française **I 7E**
  das Französische le français **II 2,** 7
eine Frau une femme **I 3B**
Freistunde (beaufsichtigt) la permanence **II 4**
Freitag vendredi *(m.)* **I 7**
sich freuen etwas zu tun être content/contente de faire qc **I 8E**
ein Freund *(ugs.)* un copain *(fam.)* **I 3E**
  ein Freund/eine Freundin un ami/une amie **I 5**
eine Frucht un fruit **II 5**
der Frühling le printemps **I 7**
ein Frühstück un petit-déjeuner **II 4**
jdn. fahren; *(hier)* **jdn. führen** conduire qn **II 7B**

ein Führer/eine Führerin un/une guide II 7A
funktionieren marcher II 2
für pour I 2E
ein Fuß un pied II 7B

G

ganz/alle *(+ Nomen)* tout, toute II 4
eine Garage un garage II 3A
eine Garderobe un vestiaire II 1E
ein Garten un jardin II 1
eine Gaststätte une brasserie II 5, 7
jdm. etw. geben donner qc à qn I 6A
geboren werden être né(e) II 5
gebrochen cassé/cassée II 7B
ein Geburtstag un anniversaire I 7E
ein Gedicht un poème II 2, 4
gefährlich dangereux/dangereuse II 4
jdm. gefallen plaire à qn II 3A
ein Gefühl un sentiment II 3A, 9
gegen contre I 3A, 3
ein Gegenstand un objet II 4, 11
das Gegenteil (von) le contraire (de) I 8, 14
gegenüber (von) en face (de) ⟨II 8A⟩
gehen/fahren aller I 5E
gelb jaune I 7, 4
Geld l'argent *(m.)* II 6, 6
ein Geldbeutel un porte-monnaie/des porte-monnaie I 5
gelingen etw. zu tun réussir à faire qc II 4
ein Gemüse un légume II 5
die Geographie/die Erdkunde la géographie *(fam.: la géo)* II 4
gerade etw. getan haben venir de faire qc II 4
geradeaus tout droit I 5
gerade etw. tun être en train de faire qc II 4
gerecht juste II 4, 7
etw. gerne tun aimer faire qc I 6B
ein Geschäft/Laden un magasin I 2
geschehen/sich ereignen se passer II 7B
  etw. geschieht/passiert jdm. qc arrive à qn II 7A
ein Geschenk un cadeau/des cadeaux I 7
eine Geschichte une histoire I 3B
gestern hier II 1E
die Gesundheit la santé II 5
Gesundheit! A tes souhaits! II 5, 6
ein Getränk une boisson II 5
etw. gewinnen gagner qc II 6
ein Gewitter un orage II 7B
der Gips le plâtre II 7B
eine Gitarre une guitare I 3A
ein Glas un verre I 7
etw. glauben croire qc II 6
gleich/nachher tout à l'heure II 3A
das Glück/die Chance la chance I 5E
ein Grad un degré II 1
ein Gramm un gramme II 5, 3
grau gris/grise I 7, 4
eine Grippe une grippe II 7B, 4
groß grand/grande I 7E
Großeltern des grands-parents *(m.)* I 7
eine Großmutter une grand-mère I 7
ein Großvater un grand-père II 5
grün vert/verte I 7, 4
eine Gruppe un groupe I 4
jdn. grüßen/begrüßen saluer qn II 3E
gut bon/bonne I 7
gut bien I 2, 3

H

haben avoir I 4
ein Hahn un coq I 7E
ein Halt/eine Haltestelle un arrêt II 3A
  der Halt/die Rast la halte II 7A
ein Händler un marchand/une marchande II 5
hart dur/dure II 4, 7
ein Hauptgericht un plat principal II 5
eine Hauptstadt une capitale II 1
ein Haus une maison I 3E
ein Heft un cahier I 2, 3
heimgehen/heimkommen rentrer II 1, 2
heiß, warm chaud/chaude II 1
jdm. helfen aider qn I 6A
ein Hemd une chemise I 7
der Herbst l'automne *(m.)* I 7, 6
hereinkommen entrer I 2
etw. hervorheben mettre qc en relief II 7A, 4
heute aujourd'hui I 4
  heute morgen ce matin II 3B
  heute Abend ce soir II 3B
hier ici I 2
Hilfe! Au secours! I 5
hinausgehen (aus) sortir (de qc) II 1
hinter derrière I 2
hinuntergehen/aussteigen descendre II 2E
etw. hinzufügen ajouter qc II 5
ein Hof une cour I 2
etw. holen aller chercher qc I 6B
etw. hören entendre qc I 8
eine Hose un pantalon I 7
ein Hotel un hôtel I 5, 12
hübsch joli/jolie I 7
ein Huhn/eine Henne une poule I 7E
ein Hund un chien I 1
Hunger haben avoir faim *(f.)* I 8

I

eine Idee une idée I 3A
immer toujours I 6E
in, nach *(räumlich)* à I 1
  in dans I 2E
  in Frankreich en France II 1
  in(nerhalb von) fünf Stunden en cinq heures II 2
interessant intéressant/intéressante II 4, 9
jdn. interessieren intéresser qn II 2
Internet *(n.)* Internet *(m.)* I 3B
  im Internet sur Internet I 3B
ein Interview une interview I 3A, 4
ein Italiener/eine Italienerin un Italien/une Italienne II 3A
italienisch italien/italienne II 1, 8

J

die Jagd la chasse II 4, 9
ein Jahr un an I 4; I 8
Januar janvier *(m.)* I 7, 6
jeder/jede/jedes + *Nomen* chaque II 4
jemand quelqu'un II 4, 6
jetzt maintenant I 2
ein Journalist/eine Jounalistin un/une journaliste II 7B, 6
eine Jugendherberge une auberge de jeunesse I 8E
ein Jugendlicher/eine Jugendliche un/une jeune II 3A, 10
Juli juillet *(m.)* I 7, 6
jung jeune II 3A, 10
ein Junge un garçon I 1
Juni juin *(m.)* I 7, 6

K

der Kaffee le café II 1, 2
ein Kalender un calendrier I 8
kalt froid/froide II 1
ein Kanal un canal II 2
eine Kantine une cantine I 5E
eine Karte une carte I 6A, 2
eine Kartoffel une pomme de terre II 5
ein Karton un carton I 2
der Käse le fromage II 5
eine Kasse une caisse I 5
eine Katze un chat I 1

etw. kaufen acheter qc **I 8**
die Kehle la gorge **II 7B**, 4
kein/keine *(bei Mengen)* ne ... pas de **I 7**
ein Keller une cave **II 2**
etw. kennen connaître qc **II 3A**
eine Kerze une bougie **II 5**
ein Kind un enfant **I 3A**, 3
ein Kino un cinéma **I 5E**
eine Klasse une classe **I 1**, 3
ein Klassenzimmer une salle de classe **I 2**, 4
ein Klavier un piano **I 4E**
etw. (an)kleben coller qc **I 2**
ein Kleid une robe **I 7**
ein Kleidungsstück un vêtement **II 7A**
klein petit/petite **I 7E**
klettern grimper **I 4**
das Klettern l'escalade *(f.)* **I 4E**
klingeln sonner **I 3B**
ein Koch un cuisinier **I 5E**
komisch/merkwürdig bizarre **I 1**
kommen venir **II 1**
(an)kommen arriver **I 4**
(mit jdn.) **kommunizieren** communiquer *(avec qn)* **II 6E**
ein König un roi **II 5**, 11
können pouvoir **I 6B**
  etw. tun können *(wissen, wie es geht)* savoir faire qc **I 6B**
ein Konzert un concert **II 2**
ein Kopf une tête **II 2**
etw. kopieren copier qc **II 6**, 6
Das kostet Ça fait ... **I 7**, 8
kostenlos/gratis gratuit/gratuite **II 3A**
köstlich délicieux/délicieuse **II 5**
krank malade **II 4E**
  krank werden tomber malade **⟨II 8A⟩**
ein Krankenhaus un hôpital **II 7B**
ein Krankenwagen une ambulance **II 7B**
eine Kreuzung un carrefour **II 7A**, 6
eine Krücke une béquille **II 7B**
eine Küche une cuisine **I 3E**
ein Kuchen/Kuchen un gâteau/des gâteaux **I 7**
eine Kugel une boule **I 7**
eine Kuh une vache **I 7E**
ein Kuss *(ugs.)* une bise *(fam.)* **I 8**
jdn. küssen/umarmen embrasser qn **II 1E**

L

lachen *(ugs.)* rigoler *(fam.)* **I 8**
  lachen rire **II 4**
ein Laden/Geschäft un magasin **I 2**
das Land la campagne **I 7E**
  ein Land un pays **II 4E**
lang long/longue **I 7**
Ein bisschen langsamer, bitte. Un peu moins vite, s'il vous plaît. **I 8**, 14
ein Lastwagen un camion **II 2**, 12
laufen/rennen courir **II 2**
leben vivre **II 3E**
das Leben la vie **I 7**, 10
leer vide **I 2**
etw. legen mettre qc **II 1**
ein Lehrer/eine Lehrerin un professeur **I 1**
leicht facile **I 4**
es tut jdm. leid qn est désolé(e). **II 2**
eine Leinwand un écran **II 6**
etw. lesen lire qc **I 7**
letzter/letzte/letztes dernier/dernière **II 2**, 3
die Leute les gens *(m., pl.)* **II 1**, 7
lieb/teuer cher/chère **I 8E**
die Liebe l'amour *(m.)* **II 3B**
  Liebe auf den ersten Blick le coup de foudre **II 3A**
etw. lieben/mögen aimer qc **I 2**
Liebling chéri *(m.)*/(chérie) *(f.)* **II 1E**
Lieblings- préféré/préférée **II 6**, 3
ein Lied une chanson **I 7**
eine (Verkehrs)Linie une ligne **I 5**
(nach) links à gauche **I 5**
eine Liste une liste **I 2**, 12
ein Loch un trou **II 7B**
eine Lösung une solution **I 3A**
Lust haben avoir envie **I 4**
lustig drôle **I 8**

M

etw. machen faire qc **I 4E**
ein Mädchen une fille **I 1**
eine Mahlzeit un repas **I 7**
Mai mai *(m.)* **I 7**
ein Mal un fois **I 4**, 11
ein Mann un homme **I 5**
eine Mannschaft/ein Team une équipe **II 3E**
etw. markieren marquer qc **I 2**
ein Markt un marché **II 5**
März mars *(m.)* **I 7**, 6
eine Maschine une machine **I 6A**, 5
das Material/die Ausrüstung le matériel **II 4**, 8
Mathe *(ugs.)* les maths *(f.pl.) (fam.)* **II 4**
eine Mauer un mur **I 4**
eine Maus une souris **II 4**
ein Mechaniker/eine Mechanikerin un mécanicien/une mécanicienne **II 1**
das Meer la mer **II 7E**
das Mehl la farine **II 5E**
eine Meinung un avis **II 6**
eine (Menschen)Menge une foule **II 6**
ein Meter un mètre **II 6**, 8
die Milch le lait **II 5E**
das Mineralwasser l' eau minérale *(f.)* **II 5**
mit avec **I 1**
jdn. etw. mitbringen apporter qc à qn **II 6E**
Mittag midi *(m.)* **I 5E**
eine Mitteilung un message **II 6**
Mitternacht minuit **I 5E**
Mittwoch mercredi *(m.)* **I 4**
ein Mobiltelefon un portable **I 5**
ich möchte gerne je voudrais **I 6B**, 7
die Mode la mode **II 3A**
etw. mögen/lieben aimer qc **I 2**
  etw. sehr gern mögen adorer qc **II 1**
ein Monat un mois **I 3A**
Montag lundi *(m.)* **I 7**, 6
morgen demain **I 6A**
ein Morgen un matin **II 1E**
morgens le matin **II 1E**
müde fatigué/fatiguée **II 6**
ein Mülleimer une poubelle **I 2**
ein Museum un musée **II 1**
die Musik la musique **I 3A**
ein Musiker/eine Musikerin un musicien/une musicienne **II 6**
etw. tun müssen devoir faire qc **II 2**
eine Mutter une mère **I 6A**, 5

N

nach après **I 5**
etw. nachahmen imiter qc **II 3A**
ein Nachbar/eine Nachbarin un voisin/une voisine **I 3A**
nachdenken/überlegen réfléchir **II 4**
ein Nachmittag un après-midi **I 4**
eine Nachricht/Neuigkeit une nouvelle **II 2**
  eine Nachricht/eine Mitteilung un message **II 6**
nächster/nächste/nächstes prochain/prochaine **II 7B**, 2
eine Nacht une nuit **II 4**
ein Nachtisch un dessert **II 4**

nahe bei /neben etw. près de qc **I 8E**
ein Name un nom **I 7,** 14
die Natur la nature **I 2**
neben à côté de **II 3A**
nebenan/daneben à côté **II 3A**
etw. nehmen prendre qc **I 7**
nett sympa *(fam.)* **I 1**
neu nouveau/nouvel/nouvelle **II 3B**
  etw. neu machen refaire qc **II 3A**
nicht ne ... pas **I 4**
  auch nicht ne ... pas non plus **II 1**
  noch nicht ne ... pas encore **II 1**
  überhaupt nicht ne ... pas du tout **II 1**
  nicht mehr ne ... plus **I 6A**
  nichts ne ... rien **I 6A**
  nie/niemals ne ... jamais **I 6A**
niedlich/süß mignon/mignonne **II 3B**
niemand ne ... personne **II 5**
noch encore **I 4,** 11
eine Note une note **I 8**
Notizen machen prendre des notes **II 2,** 2
November novembre *(m.)* **I 7,** 6
eine Nudel une nouille **II 4**
eine Nummer un numéro **I 6B,** 4
nur ne ... que **II 2**

O

ob si **I 8**
(weiter) oben ci-dessus **II 2,** 9
  oben/nach oben en haut **I 4**
oder ou **I 4**
etw. öffnen ouvrir qc **I 7**
oft souvent **I 4**
ohne sans **I 4**
  ohne etw. zu tun sans faire qc **II 7B**
Oktober octobre *(m.)* **I 7,** 6
Oma *(ugs.)* mamie *(f.) (fam.)* **I 7**
ein Onkel un oncle **I 7**
Opa *(ugs.)* papi *(m.) (fam.)* **I 7**
eine Orange une orange **I 5E**
orange orange *(inv.)* **I 7,** 4
etw. organisieren organiser qc **I 8E**
ein Ort/eine Stelle un endroit **II 4,** 13

P

ein Paket un paquet **II 2**
eine Panik une panique **II 7B**
ein Papier un papier **I 2**
ein Paradies un paradis **I 2**
ein Park un parc **II 1E**
etw. passiert/geschieht jdm. qc arrive à qn **II 7A**
eine Pause une récréation **II 4**
eine Person une personne **II 3E**
ein Pfannkuchen une crêpe **II 2E**
der Pfeffer le poivre **II 5E**
ein Pilot/eine Pilotin un/une pilote **II 3A,** 3
ein Plakat/Poster une affiche **I 2**
Plan *(hier)* **Stadtplan** un plan **I 5**
ein Platz une place **I 2**
plötzlich tout à coup **I 4**
die Polizei la police **I 4,** 12
ein Polizist un policier **I 4,** 12
Pommes frites des frites *(f., pl.)* **I 8**
ein Porträt/Abbild un portrait **I 7,** 15
die Post la Poste **II 2**
praktisch pratique **II 3B,** 2
ein Preis un prix **II 6**
etw. probieren/kosten goûter **II 5**
ein Problem un problème **I 3A**
  kein Problem pas de problème **I 6B**
ein Programm un programme **II 3B**
ein Projekt/ein Vorhaben un projet **I 8E**
ein Punkt un point **II 7A,** 6

R

ein Radiergummi une gomme **I 2**
am Rande von etw. au bord de qc **II 2**
die Rast/der Halt la halte **II 7A**
ein Rathaus un hôtel de ville **I 5,** 12
ein Rätsel une devinette **II 3A,** 5
eine Reaktion une réaction **II 4,** 10
(nach) rechts à droite **I 5**
ein Referat un exposé **II 4**
ein Regal une étagère **I 2**
der Regen la pluie **II 7A**
ein Regenschirm un parapluie **II 1,** 10
eine Region une région **II 1**
ein (Film)Regisseur un réalisateur **I 6E**
regnen pleuvoir **II 1**
Ich bin an der **Reihe.** C'est mon tour. **I 7;** C'est à moi. **I 8,** 8
eine Reihenfolge un ordre **I 3A,** 4
ein Reim une rime **I 1,** 6
rennen/laufen courir **II 2**
eine Reparatur une réparation **II 3A**
eine Reportage un reportage **II 2,** 5
etw. respektieren respecter qc **I 2**
ein Rest un reste **II 2**
ein Restaurant un restaurant **I 5E**
ein Rezept *(Küche)* une recette **II 5E;** *(vom Arzt)* une ordonnance **II 7B,** 4
richtig/korrekt correct **I 8**
  die richtige Form la bonne forme **I 3A,** 3
  die richtige Reihenfolge le bon ordre **I 4,** 1
eine Rolle un rôle **I 6B,** 6
das Rollerskaten le roller **I 4E**
ein Roman un roman **II 4,** 13
rosa rose **II 2**
rot rouge **I 7,** 4
der Rücken le dos **II 1E**
ein Rucksack un sac à dos **II 1E**
jdn. (an)rufen appeler qn **II 5**
die Ruhe/Stille le silence **I 1**
ein Rundgang/eine Tour un tour **II 3A**

S

ein Saal une salle **II 2**
eine Sache une chose **I 7**
ein Saft un jus **II 5**
jdm. etw. sagen dire qc à qn **I 8**
ein Salat une salade **II 5E**
das Salz le sel **II 5E**
Samstag samedi *(m.)* **I 5E**
ein Sandwich un sandwich **II 2,** 7
ein Sänger/eine Sängerin un chanteur/une chanteuse **II 2**
ein Satz une phrase **I 2,** 10
ein Schauspieler/eine Schauspielerin un acteur/une actrice **I 5,** 14
jdm. etw. schicken envoyer qc à qn **II 2**
ein Schiff un bateau **II 2**
schlafen dormir **II 1**
die Schlagsahne la crème chantilly **II 5E**
schlecht mauvais/mauvaise **I 7**
  das ist nicht schlecht Ce n'est pas mal. **I 4**
schließlich enfin **I 5**
Das ist nicht schlimm. Ce n'est pas grave. **I 4**
der Schluss la fin **II 1,** 7
ein Schlüsselwort un mot-clé **I 7,** 10
ein Schmerz une douleur **II 7B**
  Schmerzen haben avoir mal **II 3B**
schmollen/sauer sein *(ugs.)* faire la tête *(fam.)* **II 2**
schmutzig sale **I 2**
etw. schneiden couper qc **I 6B**
  schneiden couper qc **II 6**
schnell *(Adv.)* vite **I 2**
eine Schnur un fil **II 7B**
die Schokolade le chocolat **II 5E**
schön beau/bel/belle **II 3B**
  es ist schönes Wetter il fait beau **II 1**
schon déjà **I 3B**
etw. schreiben écrire qc **I 7**
ein Schreibwarengeschäft une papeterie **I 2**
schreien crier **I 4**

Das ist seine/ihre **Schuld.** C'est de sa faute. II 7B
eine **Schule** une école I 4E
ein **Schüler/eine Schülerin** un élève/une élève I 4
schwarz noir/noire I 7
eine **Schwester** une sœur I 3A, 4
schwierig difficile II 5
ein **Schwimmbad** une piscine II 2
das **Schwimmen** la natation I 4E
etw. **sehen** regarder qc I 2E; voir qc II 1
sehr très I 6A
etw. **sehr gern tun** adorer faire qc II 4, 12
ein **Seil** une corde I 4
sein être I 3A
sein(e)/ ihr(e) son, sa, ses I 3B
seit depuis I 8, 2
eine **Seite** une page I 2, 12
September septembre *(m.)* I 7, 6
sicher sûr/sûre II 3A
sicherlich/Na klar! bien sûr II 3B
sicher/sicherlich *(Adv.)* sûrement II 4, 9
singen chanter I 7
eine **Situation** une situation I 2, 7
ein **Ski** un ski II 1
so/auf diese Weise comme ça II 1E
sofort tout de suite I 7
sogar même II 1E
ein **Sohn** un fils II 6, 11
der **Sommer** l'été *(m.)* I 7, 6
die **Sonne** le soleil II 1
  es ist sonnig il y a du soleil II 1
Sonntag dimanche *(m.)* I 6E
spanisch espagnol/espagnole I 7E
spät tard II 2, 6
spazieren gehen se promener II 7B
ein **Spiel** un jeu I 1, 4
  ein Spiel/ein Wettkampf ein Wettkampf/ein Spiel II 3E
spielen jouer I 3A
eine **Spinne** une araignée II 4
der **Sport** le sport I 4E
  Sport treiben faire du sport I 4E
sportlich sportif/sportive I 7
eine **Sprache** une langue I 8
mit jdm./zu jdm. sprechen parler à qn I 6A
  über etw. sprechen parler de qc II 3B
ein **Sprichwort** un proverbe II 4, 9
eine **Spur** une trace II 7A
ein **(Sport)Stadion** un stade II 3E
eine **Stadt** une ville I 8
  in der Stadt/in die Stadt en ville II 2, 2
ein **Stadtplan** un plan I 5
ein **Stadtviertel** un quartier I 2E
ein **Star** une star I 6A
etw. **stehlen** voler qc I 5
steigen monter I 5
etw. **stellen** mettre qc II 1
ein **Stern** une étoile II 1E
die **Stille** le silence I 1
die **Stimmung/innere Verfassung** le moral II 2
  eine Stimmung/Atmosphäre une ambiance II 6, 3
ein **Stockwerk/eine Etage** un étage I 3E
eine **Straße** une rue I 1
eine **Strecke; ein Durchgang** un parcours II 7B
sich streiten (mit jdm.) se disputer (avec qn) II 7B
ein **Studio** un studio I 6A
eine **Stunde** une heure I 5
ein **Stundenplan** un horaire I 7, 8
ein **Sturzhelm** un casque I 4
etw. **suchen** chercher qc I 2E
der **Süden** le sud II 7E
  südlich von au sud de II 7E
ein **Supermarkt** un supermarché II 6
süß/niedlich mignon/mignonne II 3B
eine **Szene** une scène I 1, 3

T

eine **Tafel, eine Tabelle** un tableau/des tableaux I 6A, 8
ein **Tag** un jour I 3A
  ein Tag/ein Tagesablauf une journée I 5, 4
  am darauf folgenden Tag le lendemain I 8
ein **Tagebuch** un journal/des journaux I 7
eine **Tante** une tante I 7
tanzen danser II 2E
das **Tanzen/der Tanz** la danse I 4
eine **Tätigkeit** une activité I 4E
taub sourd/sourde II 2, 4
ein **Telefon** un téléphone I 3B
mit jdm. telefonieren téléphoner à qn I 6A
eine **Telefonnummer** un numéro de téléphone I 6B, 4
ein **Teller** une assiette I 3B
die **Temperatur** la température II 1, 9
teuer/lieb cher/chère I 8E
das **Theater** le théâtre I 4E
ein **Thema** un sujet II 4, 13
ein **Tier** un animal/des animaux I 4, 8
ein **Tisch** une table I 7
ein **Titel** un titre I 8, 1
die **Toilette/das WC** les W.-C. *(m., pl.)* I 3E
eine **Tour/ein Rundgang** un tour II 3A
ein **Tourist/eine Touristin** un/une touriste I 5
etw. **tragen** porter qc I 7
ein **Traum** un rêve I 6B, 8
von etw. träumen rêver de qc I 3A
traurig triste II 2
jdn. **treffen/jdm. begegnen** rencontrer qn I 8E
eine **Treppe** un escalier II 2
etw. **trinken** boire qc I 7
eine **Tür** une porte I 2
ein **Turm** une tour I 5E
eine **Turnhalle** un gymnase I 4

U

eine **U-Bahnstation** une station de métro I 5
überall partout II 3A
etw. **überqueren** traverser qc I 5
eine **Überraschung** une surprise II 3A
eine **Übersetzung** une traduction I 8, 3
ein **U-Boot** un sous-marin II 1E
übrigens à propos I 2E
ein (Fluss-)**Ufer** une rive I 5E
Wie viel **Uhr ist es?** Il est quelle heure? I 5, 11
jdn. **umarmen** embrasser qn II 1E
umso besser tant mieux II 3B
umsteigen changer de train I 7
umziehen déménager II 1
ein **Umzug/Wohnungswechsel** un déménagement II 2
ein **Unfall** un accident II 7B
unten/nach unten en bas I 4
unter sous I 2
unterbrechen couper qc II 6
im Unterricht en cours ⟨II 4⟩
eine **Unterrichtsstunde** un cours II 4
ein **Unterschied** une différence II 6, 10
etw. **unterschreiben** signer qc II 1
der **Urlaub** les vacances *(f.) (pl.)* II 1

V

ein **Vater** un père I 4
eine **Verabredung haben** avoir rendez-vous I 4, 3

etw. verabscheuen/überhaupt nicht mögen détester qc **II 4**; avoir horreur de qc **II 4**
mit jdm. in Verbindung treten contacter qn **II 7E**
etw. verbringen passer qc *(une journée)* **II 1**
etw. verdienen gagner qc **II 6**, 6
etw. vergessen oublier qc **I 6B**
sich vergnügen s'amuser **II 7B**
etw. verkaufen vendre qc **I 8**
ein Verkehrsstau un bouchon **I 5**
etw. verlassen quitter qc **I 2**
sich in jdn. verlieben avoir le coup de foudre pour qn/qc **II 3A**
verliebt amoureux/amoureuse **II 3A**
etw. verlieren perdre qc **II 2**
etw. vermeiden éviter qc **I 7**, 17
etw. verpassen rater qc **II 4**
verpasst/fehlgeschlagen manqué/manquée **II 6**
verrückt fou, folle **I 6B**
verspätet sein être en retard **II 2**
eine Verspätung un retard **II 2**
sich verstecken se cacher **II 7B**
etw. verstehen comprendre qc **I 8**
ein Vetter un cousin **I 5E**
viel/sehr beaucoup **I 7**
  viel(e) *(bei Mengen)* beaucoup de **I 7**
vielleicht peut-être **I 8**
ein Vogel un oiseau/des oiseaux **I 7E**
von/aus de **I 1**
vor *(zeitlich)*/**vorher** avant **II 2**
vor *(örtlich)* devant **I 2**
vor allem surtout **I 4**
vorbeigehen/-fahren/-kommen passer **II 3A**
etw. vorbereiten préparer qc **I 4**
vorhin/eben tout à l'heure **II 3A**
ein Vorname un prénom **I 1**
der Vorort la banlieue **I 3A**
Vorsicht! Attention! **I 4**
eine Vorspeise une entrée **II 5**
jdm. etw. vorstellen présenter qc à qn **II 4**
etw. vorziehen préférer qc **II 5**

W

etw. wählen/aussuchen choisir qc **II 4**
während *(Präp.)* pendant **I 6B**
  währenddessen *(Adv.)* pendant ce temps **II 5**
ein Wald une forêt **II 7A**
eine Wand un mur **I 4**
wann quand **I 5**
warm, heiß chaud/chaude **II 1**
auf jdn. warten attendre qn **I 8**
warum pourquoi **I 5E**
Was? Quoi? **I 3E**
  Was … ? Qu'est-ce que … ? **I 5**
Was ist das? Qu'est-ce que c'est? **I 2E**
Was gibt es? Qu'est-ce qu'il y a? **I 3A**, 6
das Wasser l'eau *(f.)* **I 7**
etw. wechseln changer de qc **II 1**
ein Weg un chemin **I 5**, 12
wegen pour **I 3A**
weggehen partir **II 1**
weil parce que **I 5E**
der Wein le vin **II 5**
weinen pleurer **II 7A**
weiß blanc/blanche **I 7**
weit *(Adv.)* loin **II 1**
weitermachen/fortfahren continuer **I 8**
welcher, welche, welches *(Fragebegleiter)* quel, quels, quelle, quelles **II 3B**
wenden/umdrehen faire demi-tour **II 7A**, 6
wenig peu **I 7**
  ein wenig un peu de **I 7**
Wer ist das? Qui est-ce? **I 1**
eine Werbung/ein Werbespot une publicité *(fam.: une pub)* **I 6A**
etw. tun **werden** aller faire qc **I 6E**
das Wetter le temps **II 1**
die Wettervorhersage la météo **II 1**, 9
ein Wettkampf/ein Spiel un match **II 3E**
wichtig important/importante **II 3B**
wie comment **I 1**
  wie *(beim Vergleich)* comme **I 8E**
Wie alt bist du? Tu as quel âge? **I 4**
wieder encore **I 4**, 11
etw. wieder erkennen reconnaître qc **II 3A**
etw. wieder finden retrouver qc **II 2**
etw. wiederholen répéter qc **II 5**, 2
jdn. wieder sehen revoir qn **II 3A**
wie viel combien (de) **I 8**
der Wind le vent **II 7A**
der Winter l'hiver *(m.)* **I 7**, 6
wissen savoir **I 6B**
eine Wissenschaft une science **II 4**
wo où **I 2**
Wo … ? Où est-ce que … ? **I 5**
eine Woche une semaine **I 8**
ein Wochenende un week-end **I 7**
wöchentlich/pro Woche par semaine **II 4**, 2
wohnen habiter **I 3E**
ein Wohnmobil un camping-car **II 1**
eine Wohnung un appartement **I 3E**
eine Wolke un nuage **II 1**, 9
ein Wort un mot **I 1**, 4
ein Wörterbuch un dictionnaire **II 7E**
etw. wünschen désirer qc **I 8**
die Wut la colère **I 3B**

Z

eine Zahl un nombre **II 2**, 11
etw. zählen compter qc **I 4**, 2
etw. zeichnen dessiner qc **I 2**
ein Zeichner un dessinateur **I 6E**
eine Zeichnung un dessin **I 2**
jdm. etw. zeigen montrer qc à qn **II 4E**
die Zeit le temps **I 7**
eine Zeitung/Zeitungen un journal/des journaux **I 7**
zerbrochen cassé/cassée **II 7B**
ein Zimmer une pièce **I 3E**
  ein (Schlaf)zimmer une chambre **I 3E**
der Zucker/das Zuckerstück le sucre **II 5E**
zuerst d'abord **I 3E**
zufrieden/glücklich content/contente **I 7**
ein Zug un train **I 7**
jdm. zuhören écouter qn **I 3B**
die Zukunft l'avenir *(m.)* **II 3B**
zurückkommen revenir **II 1**
zusammen ensemble **I 1**
eine Zusammenfassung un résumé **II 1**
zusätzlich en plus **I 4**
zu viel trop **I 7**
zwischen entre **II 3A**, 9

◆ **retourner à** = zurückkehren zu; **la case** = das Feld; **passer un tour** = eine Runde aussetzen; **avancer à** = vorrücken; **voir** = sehen; **la souris** = die Maus

- Spielt in Gruppen von 3–5 Spielern mit 1 Würfel und mit 3–5 Spielsteinen.
- Derjenige Mitspieler, der die höchste Augenzahl würfelt, beginnt!
- Würfelt nun der Reihe nach im Uhrzeigersinn; jeder Mitspieler zieht um die der gewürfelten Augenzahl entsprechende Anzahl von Feldern weiter und versucht, die gestellte Aufgabe richtig zu lösen, und/oder folgt den Hinweisen.
  Wichtig: Als korrekte Antworten gelten nur **vollständige Sätze und Formen**!
  Weniger als 0 Punkte können für eine Aufgabe nicht vergeben werden!
  Die erreichte Punktzahl wird auf einem Blatt notiert!
- Bestimmt einen Mitspieler eurer Gruppe zum Spielleiter und Schiedsrichter, der zugleich am Spiel teilnimmt. Er darf **als Einziger** das Lösungsblatt (S. 201) im Zweifelsfall zu Rate ziehen.
  → **Solltet ihr nicht sicher sein, ob eine Antwort richtig oder falsch ist bzw. wie viele Punkte zu vergeben sind, so bittet euren Lehrer/eure Lehrerin, euch bei der Entscheidung zu helfen.**
- Einige Felder sind mit Sonder-/Zusatzaufgaben versehen. Lest euch deshalb die Hinweise zu diesen Feldern gut durch. Dies sind = Joker für dich, = Joker für deine Mitspieler.
- Der **Erste**, der das Feld **Arrivée** erreicht hat (es muss mit der gewürfelten Augenzahl genau getroffen werden), erhält zusätzlich 15 Punkte und das Spiel ist beendet. **Gesamtsieger** ist allerdings der Spieler mit der höchsten Punktzahl!

Hinweise

1 Antwortet dein Nachbar richtig, so kann auch er **1 Punkt** dazugewinnen!

5 Sobald du einen Fehler machst, bekommst du **keinen Punkt** und dein linker Nachbar versucht, die Aufgabe fehlerfrei zu lösen, usw.; die Runde ist dann beendet, wenn ein Mitspieler fehlerfrei von 20–0 zählen konnte bzw. wenn jeder einmal an der Reihe war!

6 Wenn du sagen kannst, dass sein (!) Auto ein kleiner Peugeot ist, erhältst du **4 Punkte** zusätzlich!

8 Kannst du das Verb nicht richtig konjugieren, erhältst du Punktabzug und du setzt eine Runde aus! Für die zwei verbleibenden Verben sind dein linker und rechter Nachbar zuständig: Teile jedem ein Verb zu; kann er es richtig konjugieren, erhält er **3 Punkte** zusätzlich; macht er einen Fehler, bekommt er **keine Punkte** und auch er muss eine Runde aussetzen!

11 Wenn du sagen kannst, dass dich deine Mitspieler nicht so anschauen sollen, bekommst du **3 Punkte** zusätzlich!

12 Du bekommst zusätzlich **1 Punkt**, wenn du „montags" auf Französisch sagen kannst!

14 **1 Punkt** zusätzlich, wenn du noch weißt, wie alt Mamie Lili ist!

15 Wenn du sagen kannst, welches Verkehrsmittel du gerne magst, und dies auch erklären kannst, erhältst du **3 Punkte** zusätzlich!

17 Du erhältst **2 Punkte** zusätzlich, wenn du sagen kannst, dass du (erst) ein Jahr Französisch lernst!

18 Auf eine richtige Antwort bekommt jeder Mitspieler **2 Punkte** zusätzlich!
19 Wähle für die übrigen Verben je einen Mitspieler aus, der somit **3 Punkte** dazugewinnen kann. Macht er einen Fehler, so bekommt er **keinen Punkt** und sein linker Nachbar kann sich die Punkte holen!
21 Du setzt **eine Runde aus**, wenn du hier **0 Punkte** erzielst!
24 Wenn du das nicht kannst, geht die Aufgabe an deinen rechten Nachbarn weiter usw., und du setzt eine Runde aus!
25 Wenn dein Mitspieler den Dialog fehlerfrei mitgestalten kann, erhält auch er **10 Punkte** zusätzlich!
27 Deine Nummer ist nur gültig, wenn du sie in Hunderter- bzw. Zehner-Kombinationen weitergibst! Alle Mitspieler schreiben die Nummer auf! Wähle nun einen, der den Dolmetscher spielt! Stimmt die Nummer, erhält auch er **4 Punkte**!
32 Erhältst du bei dieser Aufgabe **0 Punkte**, gehe auf **Feld 27** zurück! Die verbleibenden Wörter buchstabieren deine Mitspieler, wobei dein linker Nachbar weitermacht; ein jeder kann sich somit **2 Punkte** dazuverdienen; kann er es nicht fehlerfrei, setzt er eine Runde aus!

Auto-évaluation

Vive le champion! Wenn du dieses Mal nicht Gesamtsieger geworden bist, so hast du vielleicht einfach nur nicht so viel Glück gehabt! Sicherlich hast du in den Ferien auch so manches wieder vergessen ...

200–181	Super!
180–151	Bien!
150–120	Ça va!
119–0	Tu es encore en vacances!

Bei welchen Aufgaben hattest du denn Schwierigkeiten?

- im Bereich der **Verbformen** (Unsicherheiten bei der Konjugation, ...)?
- mit der **Grammatik** (Satzstellung, Pronomen, Verneinung, ...)?
- mit dem **Wortschatz** (unbekannte Wörter, Geschlecht der Substantive, Unsicherheiten bei den Zahlen, ...)?
- bei der Versprachlichung von **Sachverhalten** (nach dem Weg fragen, die Uhrzeit nennen, ...)?
- mit den **Lauten,** der richtigen **Schreibweise** und mit der **Aussprache**?
- mit **landeskundlichen** Fragen?
- ...?

Erörtere die Schwierigkeiten zusammen mit deiner Klasse und deinem Lehrer/deiner Lehrerin. Erstellt gemeinsam einen Wiederholungsplan, um euch den neuen Start zu erleichtern. Verteilt unter euch die anfallenden Aufgaben.
Das Grammatische Beiheft, das Cahier d'activités und die Selbstkontrollaufgaben zu Découvertes 1 helfen euch dabei!

Amandine

Bien Roulée? (La forme interrogative)

Deux personnages:
une touriste et un individu.

Arrive la touriste visiblement égarée[1].
L'individu sort de la queue[2] *pour l'aider.*

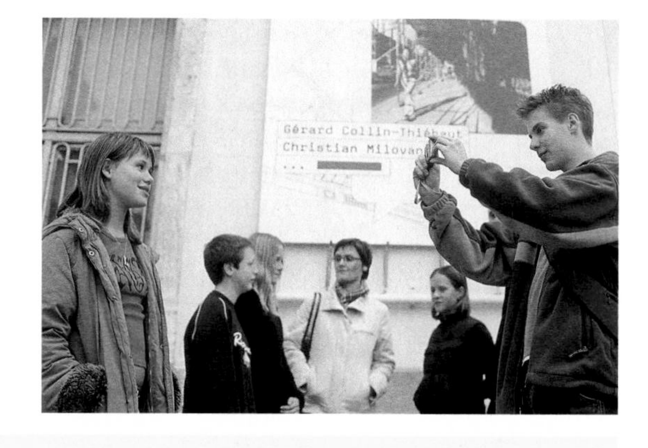

Individu: Puis-je vous aider?
Touriste, regardant[3] *Individu fixement*[4] *et répétant d'un air éperdu*[5]: Puis-je vous aider ... Puis-je vous aider ...
Individu: Oui, est-ce que je peux vous aider?
Touriste: Minute ! *(Elle sort un petit livre, le feuillette*[6] *puis lit.)* «Je peux vous aider.» Ah! Oui, oui, merci beaucoup.
Individu: De rien. Où voulez-vous aller?
Touriste: Je vais bien, merci. Et vous?
Individu: Ça va, merci ... Vous êtes toute seule? ... Vous attendez votre mari peut-être?
Touriste, cherche dans son guide: Mari? Où est-il? Où va-t-il? Que fait-il?
Individu: Je comprends, je comprends. De quel pays venez-vous?
Touriste, lisant dans son guide: «Aimez-vous les voyages?»
Individu, avec un rire forcé[7]: Ah, ah, très drôle! Comment s'appelle ce petit livre? *(Il lit le titre.)* «Apprenez le Français en trois jours». Incroyable[8]! Dites donc, vous avez un bel appareil photo ! Vous prenez des photos?
Touriste, ne comprenant pas: Hum?
Individu: Tenez! Une idée! Clic, clic! Moi, photo de vous, clic! D'accord?
Touriste, lui donnant l'appareil photo: De moi? Merveilleux[9], très gentil, pardon, excellent, merci ... Comment allez-vous?
Individu: Tournez-vous un peu ... Vers la droite ... Vers la gauche ... Regardez le ciel[10] ... Voilà ... Parfait ...

Tandis qu'[11] *elle regarde le ciel, il s'enfuit*[12] *en emportant*[13] *l'appareil.*

Touriste, réalisant tout à coup: Monsieur! Parti? Qu'est-ce que? Est-ce que? Pardon? Merci? Monsieur? Comment ... Comment allez-vous? Monsieur?

Résignée, elle s'éloigne, découragée[14], *en feuilletant son guide.*

Touriste: «Je me suis fait avoir[15]», équivalent[16] de: «Je me suis fait rouler», équivalent de: «Je me suis fait pigeonner», équivalent de ...

© Sylvaine Hinglais, *Saynètes et dialogues pour jouer la grammaire française*, éd. Retz, Paris, 2001, p. 18–19.

1. Quelle est la chute (die Pointe)?
2. Jouez le sketch.

---

1 égaré,-e [egaʀe] verwirrt – **2 une queue** [ynkø] ein Schwanz, *hier:* eine (Warte-) Schlange – **3 regardant** [ʀəgaʀdɑ̃] anschauend – **4 fixement** [fiksmɑ̃] starr – **5 éperdu,-e** [epɛʀdy] verzweifelt – **6 feuilleter qc** [fœjte] in etw. blättern – **7 forcé** [fɔʀse] gezwungen – **8 incroyable** [ɛ̃kʀwajabl] unglaublich – **9 merveilleux,-euse** [mɛʀvɛjø/mɛʀvɛjøz] wunderbar – **10 le ciel** [ləsjɛl] der Himmel – **11 tandis que** [tɑ̃dikə] *ici:* = *pendant que* – **12 s'enfuir** [sɑ̃fɥiʀ] *partir très vite* – **13 en emportant qc** [ɑ̃nɑ̃pɔʀtɑ̃] (Gérondif) *hier:* wobei *er* etw. weg-/mitnimmt – **14 découragé,-e** [dekuʀaʒe] entmutigt – **15 Je me suis fait avoir** [ʒəməsɥifɛavwaʀ] Ich habe mich reinlegen lassen/Man hat mich reingelegt – **16 un équivalent** [ɛ̃nekivalɑ̃] eine Entsprechung

Pour faire les exercices du livre

	Lektion	Übung	
A votre avis, …	II/1	1	Eurer Meinung nach, …
Accordez …	**I/7**	**2**	Gleicht … an.
Ajoutez …	**I/1**	**4**	Fügt … hinzu.
Après la première écoute, …	II/1	10	Nach dem ersten Hören, …
Avant la lecture, …	**I/4**	**Texte**	Vor dem Lesen
Avant la première écoute, …	II/5	8	Vor dem ersten Hören, …
Changez de rôle.	**I/5**	**12**	Tauscht die Rollen.
Cherchez l'intrus.	**I/1**	**6**	Sucht den Eindringling.
Choisissez …	**I/1**	**3**	Wählt … aus.
Classez … d'après …	II/1	6	Ordnet … nach …
Comparez …	**I/5**	**5**	Vergleicht …
Complétez.	**I/1**	**8**	Ergänzt.
Conjuguez les verbes.	**I/6A**	**3**	Konjugiert die Verben.
Continuez.	**I/3**	**Entrée**	Macht weiter.
Contrôlez votre prononciation.	**I/8**	**7**	Überprüft eure Aussprache.
Copiez le tableau dans votre cahier.	**I/3B**	**6**	Übertragt die Tabelle in euer Heft.
Corrigez.	**I/6B**	**2**	Verbessert.
d'après le modèle	II/2	4	nach dem Muster
Décris …	**I/5**	**12**	Beschreibe …
Décrivez …	**I/3A**	**5**	Beschreibt …
Discutez en classe.	II/1	6	Diskutiert in der Klasse.
Dites si …	II/1	10	Sagt, ob …
Ecoutez et répétez.	**I/4**	**2**	Hört zu und sprecht nach.
Ecoutez le texte.	**I/4**	**11**	Hört den Text.
Ecoutez les scènes.	II/1	6	Hört die Szenen.
Ecrivez les réponses dans votre cahier.	**I/2**	**12**	Schreibt die Antworten in euer Heft.
entre parenthèses (f.)	**I/4**	**12**	in Klammern
Expliquez …	II/1	Entrée	Erklärt …
Faites attention aux temps.	II/3	3	Passt auf die Verben auf.
Faites des dialogues.	**I/2**	**9**	Erstellt Dialoge.
Faites des phrases qui riment.	**I/2**	**10**	Bildet Sätze, die sich reimen.
Faites des phrases.	**I/4**	**1**	Bildet Sätze.
Faites l'interprète.	II/7B	4	Spielt den Dolmetscher.
Faites un dessin.	II/7A	5	Macht eine Zeichnung.
Faites un sondage.	II/4	Album	Führt eine Umfrage durch.
Faites un tableau.	II/1	6	Erstellt eine Tabelle.
Formez des groupes.	II/7	Album	Bildet Gruppen.
Formez des impératifs.	**I/5**	**10**	Bildet Imperative.
Imaginez …	II/2	Entrée	Stellt euch vor …
Indiquez …	II/4	5	Gebt … an.
Inventez …	**I/1**	**3**	Erfindet …
Jouez à …	II/4	Album	Spielt …
Jouez la scène en classe.	**I/3A**	**3**	Spielt die Szene in der Klasse.
les mots suivants	**I/9B**	**4**	die folgenden Wörter
Lisez encore une fois le texte.	II/1	Album	Lest den Text noch einmal.
Lisez le texte à haute voix.	**I/3B**	**6**	Lest den Text laut vor.
Lisez les annotations.	II/5	11	Lest die Annotationen.
Lisez les phrases.	**I/5**	**13**	Lest die Sätze.
Mettez … à la bonne forme.	**I/3A**	**3**	Setzt … in die richtige Form.
Mettez … dans le bon ordre.	II/2	8	Bringt … in die richtige Reihenfolge.

Mettez en relief …	II/7A	4	Hebt … hervor.
Notez ...	II/1	Album	Schreibt … auf.
On dit …	**I/1**	**3**	Man sagt …
Pensez à …	II/4	8	Denkt an …
Posez des questions et répondez.	**I/1**	**1**	Stellt Fragen und antwortet.
Prenez des notes.	**I/9B**	**5**	Macht Notizen.
Présentez ...	II/1	Album	Präsentiert …
Regardez les images.	II/1	7	Schaut euch die Bilder an.
Reliez les phrases.	II/3	6	Verbindet die Sätze.
Remplacez … par …	**I/4**	**2**	Ersetzt … durch …
Répétez.	**I/1**	**6**	Wiederholt./Sprecht nach.
Répondez aux questions.	**I/4**	**1**	Beantwortet die Fragen.
Répondez par …	**I/5**	**6**	Antwortet mit …
Résumez …	II/2	1	Fasst … zusammen.
Soulignez …	II/2	Entrée	Unterstreicht …
Structurez …	II/4	8	Strukturiert …
Tournez la page, s'il vous plaît.	II/9	Entrée	Bitte dreht die Seite um.
Traduisez …	**I/5**	**5**	Übersetzt …
Transformez les phrases.	II/6	5	Wandelt die Sätze um.
Travaillez à deux.	**I/4**	**6**	Arbeitet zu zweit.
Travaillez en groupes.	**I/9**	**Album**	Arbeitet in Gruppen.
Trouvez les phrases correctes.	**I/4**	**11**	Findet die richtigen Sätze.
Trouvez des mots qui vont ensemble.	**I/2**	**7**	Findet Wörter, die zusammenpassen.
Trouvez des titres …	**I/8**	**1**	Findet Titel …
Trouvez les mots qui riment.	**I/1**	**6**	Findet die Wörter, die sich reimen.
un centre d'intérêt	**I/3B**	**7**	ein Sachfeld
un filet à mots	**I/3B**	**7**	ein Vokabelnetz
une fonction	**I/9**	**Entrée**	eine Funktion
Utilisez …	**I/3B**	**3**	Benutzt …
Utilisez le maximum de ...	II/1	4	Benutzt so viel wie möglich …
Vous connaissez déjà …	**I/9**	**Entrée**	Ihr kennt schon …
Vrai ou faux?	**I/2**	**1**	Richtig oder falsch?

Les signes dans la phrase

	l'accent	der Akzent
é	**l'accent aigu** *(m.)*	
ê	**l'accent circonflexe** *(m.)*	
è	**l'accent grave** *(m.)*	
ï	**le tréma (Loïc)**	das Trema (zwei Punkte auf einem Vokal)
ç	**c-cédille** *(m.)*	die Cedille
'	**l'apostrophe** *(f.)*	der Apostroph
:	**les deux points**	der Doppelpunkt
« »	**les guillemets** *(m.)* [legijmɛ]	die Anführungszeichen
M	**la majuscule**	der Großbuchstabe
m	**la minuscule**	der Kleinbuchstabe
( )	**les parenthèses**	die Klammern
.	**le point**	der Punkt
!	**le point d'exclamation**	das Ausrufezeichen
?	**le point d'interrogation**	das Fragezeichen
,	**la virgule**	das Komma

Solutions

Plateau Rentrée, p. 8–9:
1. Bonjour, je m'appelle xy, j'habite à xx. Et toi, comment ça va? **2.** J'ai x ans, Thomas a 12 ans et l'anniversaire d'Emma, c'est le 1er janvier. **3.** une papeterie/une librairie/un magasin de photo. **4.** je prends, tu prends, il/elle prend, nous prenons, vous prenez, ils/elles prennent; je bois, tu bois, il/elle boit, nous buvons, vous buvez, ils/elles boivent; j'ouvre, tu ouvres, il/elle ouvre, nous ouvrons, vous ouvrez, ils/elles ouvrent; je lis, tu lis, il/elle lit, nous lisons, vous lisez, ils/elles lisent. **5.** vingt, dix-neuf, dix-huit, dix-sept, seize, quinze, quatorze, treize, douze, onze, dix, neuf, huit, sept, six, cinq, quatre, trois, deux, un. **6.** bleu, jaune, violet. **7.** frei. **8.** être, faire, avoir; je suis, tu es, il/elle est, nous sommes, vous êtes, ils/elles sont; je fais, tu fais, il/elle fait, nous faisons, vous faites, ils/elles font; j'ai, tu as, il/elle a, nous avons, vous avez, ils/elles ont. **9.** Lerne und wiederhole Vokabeln in kleinen Einheiten und kurzen Abständen!; Sprich die Wörter beim Lernen laut vor! Schreibe während des Lernens die Vokabeln und kontrolliere die Schreibung! Schreibe Wörter, die du immer wieder vergisst auf Karteikärtchen! Präge dir die Vokabeln in Gegensatzpaaren ein! Lerne die Wörter in Wortfamilien! Arbeite mit Sachfeldern! Hilf dir mit Eselsbrücken, Merkreimen, passenden Situationen, Illustrationen! **10.** Mme Sarré est médecin, Adrien Carbonne est cuisinier, M. Beckmann est réalisateur et François Davot est dessinateur. **11.** C'est super!/Je trouve ça super!/C'est génial! – Ce n'est pas bien!/ Je n'aime pas ça!/Bof! – Je suis d'accord! **12.** lundi, mardi, mercredi, jeudi, vendredi, samedi, dimanche. **13.** Est-ce que tu as envie d'aller au cinéma ce soir et qu'est-ce que tu vas faire/fais ce/le week-end? **14.** Les grands-parents de Victor habitent à Rombly et les Bajot vont chez papi et mamie le 10 mai parce que mamie Lili fête son anniversaire. **15.** La capitale de la France s'appelle Paris: Il y a l'Arche de la Défense, la pyramide du Louvre, l'Arc de Triomphe, la Tour Eiffel, le Forum des Halles, le Centre Pompidou, Notre-Dame, l'Hôtel de Ville, la Défense; le métro, le bus, le taxi, (le RER) **16.** Il y a quatre verres, un gâteau, une bouteille de champagne, un carton, deux livres, deux crayons. **17.** Je ne comprends pas (bien). Est-ce que vous pouvez/tu peux/Vous pouvez/Tu peux répéter, svp/stp? **18.** Qui fait/est/...? – Qu'est-ce que ...?/Que fait ...? – Où est ...?/Où est-ce que ...? – Quand est-ce que ...? – Pourquoi est-ce que ...? **19.** pouvoir/vouloir/ savoir: je peux, tu peux, il/elle/peut, nous pouvons, vous pouvez, ils/elles peuvent; je veux, tu veux, il/elle veut, nous voulons, vous voulez, ils/elles veulent; je sais, tu sais; il/elle sait, nous savons/vous savez, ils/ elles savent. **20.** D'abord, on tourne à droite. Puis, on va tout droit. Et après, on tourne à gauche. **21.** **-er** [-> regarder -> je regarde, tu regardes, il/elle regarde, nous regardons, vous regardez, ils/elles regardent]; **-dre** [-> attendre -> j'attends, tu attends, il/elle attend, nous attendons, vous attendez, ils/elles attendent (auch: répondre; aber nicht prendre!)]; **-ir** [-> dormir -> je dors, tu dors, il/elle dort, nous dormons, vous dormez, ils/elles dorment (auch: sortir/partir; aber nicht ouvrir!) **22.** Ma famille: père, mère, frère(s) /sœur(s), grands-parents, cousin(s)/cousine(s) (noms – âges) Animaux: chat(s), chien(s), oiseau(x) etc. (Noms – âges) **23.** Il est une heure et demie/une heure trente//cinq heures quarante-cinq/six heures moins le quart//douze heures/midi/minuit//sept heures quinze/sept heures et quart. **24.** frei **25.** **La personne qui vend:** – C'est à qui maintenant?/ Bonjour, vous désirez?/Voilà, et avec ça?/C'est tout?/ Voilà, et avec ça?/Ça fait 4 Euro 75!/Merci, monsieur/ madame! Au revoir! **La personne qui achète:** C'est à moi./Bonjour, monsieur/madame!/Je voudrais une bouteille de coca/un coca!/Je/Non, je voudrais encore des frites!/Merci, c'est tout! Ça fait combien?/ Et voilà .../Au revoir. **26.** J'aime faire/Je n'aime pas faire du/de la /de l'/J'aime/Je n'aime pas le/la/les ... **27.** C'est le ... **28.** Pardon, monsieur/madame, pour aller à la gare, svp? Où est la station de métro, svp? **29.** C'est mon ordinateur, ce sont mes BD, c'est mon portable, ce sont mes rollers, c'est ma guitare. **30.** Cher/Chère ... – Voilà pour aujourd'hui./A bientôt! – Je t'/vous embrasse/Bises/ Cordialement ... **31.** la salle à manger – la cuisine – la chambre – la salle de bains – les W.-C. – l'entrée – le salon. **32.** frei. **33.** cinquante, soixante, soixante-dix, quatre-vingts, quatre-vingt-dix, cent; A Bruxelles: soixante-dix = septante; quatre-vingt-dix = nonante!

Leçon 2, p. 29, ex. 11: a) 1.: **630**; 2.: **576**; 3.: **120**
b) cent quatre-vingts; quatre cents;
deux cent vingt-deux; huit cent cinquante-sept;
quatre-vingt-quatorze; mille
Leçon 4, p. 57, ex. 3: A = 2 = Hercule Poirot;
B = 1 = Commissaire Maigret
Leçon 6, p. 84, ex. 9: 1. une carte de téléphone
2. un SMS 3. une affiche 4. un plan 5. un journal
6. une page Internet1. France Telecom 2. Emma
3. la télévision 4. la ville de Toulouse 5. La Dépêche
du Midi 6. Météo France
Leçon 6, p. 85, ex. 10a: 1b; 2a; 3a; 4b; 5a; 6b
Leçon 8, p. 115, ex. 6a: a) 1a; 2a; 3a; 4b; 5a; 6b;
7a; 8a
Leçon 9, p. 123, ex. 2: 1: a, c, d; 2: b; 3: a, b, c;
4: b; 5: b; 6: b

Textes supplémentaires

Leçon 5, p. 69:

Génoise (französischer Biskuitkuchen)

Für 8 Personen
15 Min. (Vorbereitung) + 20 Min. (Backzeit)

Zutaten:
4 Eier
120 g (Kristall-)Zucker
120 g Mehl

Vorbereitung:
- Den Ofen auf 190 °C (Gasherd: Stufe 5 – 6) vorheizen.
- Die Backform einfetten und mit Mehl bestreuen.
- Die Eier und den Zucker in einer großen Schüssel verquirlen (Die Masse muss weiß und cremig sein).
- Das Mehl mit einem großen Löffel langsam hinzugeben und ein bisschen Salz hinzufügen.
- Den Teig in die Backform füllen.
- Die Backform 20 Min. in den Ofen stellen.
- Den Kuchen aus der Backform nehmen und abkühlen lassen.
- Sie können den Kuchen mit Marmelade oder Schokolade füllen.

Leçon 6, Album, p. 87:

Cyber

Les parents / ils n'ont pas l'temps / de nous parler
croûlant sous les sous / et les soucis
Tant pis / On se console / sur nos consoles
On s'connecte / sur la planète / Internet

Cyber/On est cyber/et si bien
Super/Toutes ces machines/dans nos mains
Cyber/On est fier de ne plus être/Humain

C'est dur / dur de grandir / devenir un homme
coincés / entre Sida et sitcoms
C'est mieux / mieux de s'aimer / sur minitel
là-dedans / t'as le ciel / en logiciel

Cyber …

Créatures / Au futur / Incertain
Cyber / Et si fier / De ne plus être / Humain.

Zazie (Isabelle De Truchis De Varennes) /
Pierre Jaconelli / Christophe Voisin, *«Made in Love»*

Leçon 8, Album, p. 118:

Salma ya Salama

Un homme des sables des plaines sans arbres
S'en va de son pays
Au-delà des dunes courir la fortune
Car le paradis pour lui ce n'est qu'un jardin sous la pluie

Salma ya salama je te salue ya salama
Salma ya salama je reviendrai bessalama

Mais l'homme des sables pour faire le voyage
N'a que l'espoir au cœur
Un jour il arrive il touche la rive
Il voit devant lui des fleurs la grande rivière du bonheur

Salma …

Un homme des sables des plaines sans arbres
S'en va de son pays
Au-delà des dunes courir la fortune
Le seul paradis pour lui, c'était un jardin sous la pluie

Salma …

Text: Pierre Delanoe / Jahine Salah, *«Si j'étais là»*

Salma ya Salama

Ein Mann aus der Sandwüste vom flachen Land ohne Bäume / geht weg aus seinem Land, / um jenseits der Dünen dem Glück entgegenzulaufen, / denn für ihn ist das Paradies nur ein Garten im Regen.

Salma ya salama, ich begrüße dich ya salama.
Salma ya salama, ich werde zurückkommen bessalama.

Aber der Mann aus der Sandwüste hat, um die Reise anzutreten, / nur die Hoffnung im Herzen. / Eines Tages kommt er an, er legt am Ufer an. / Er sieht vor ihm Blumen – den großen Fluss des Glücks.

Übersetzung: Friederike Maria Keck

Leçon 8, Album, p. 118:

El Ouricia

Il arrivait d'El Ouricia / Un coin perdu dans un beau coin de là-bas / Au soleil, il brûlait sa vie / En échange d'un ou deux épis / Allant de douars en douars / Avec derrière lui sa femme en binouar / Offrant ses bras au plus offrant / Le temps était colonisant.

A peine 30 ans et déjà las / Surtout d'être là / A semer, labourer, ensemencer / Il n'était bon qu'à ça / Voilà c'est décidé, il part / A peine le temps de dire au revoir / Dans son sac 2 pull-overs 1 vieux costard / Sétif Perrache 10 heures du soir.

Refrain:
Il arrivait d'El Ouricia un coin perdu à l'Est de là-bas. Je voudrais tant qu'on s'en souvienne. Du vieil homme au Chaâba.

Installé dans un vieux gourbi / à l'Est d'ici / Un métro place du pont le maraîcher s'improvisa maçon.
Et des années plus tard un bout de terrain, jardin babylonien.

Un bidonville d'après ce qu'on dit mais son Eden à lui. / Il était là mais c'était éphémère aujourd'hui ça lui laisse un goût amer. / Ses enfants ont grandi que sont devenus Ouladis. / Le monument construit à la gloire de ses pairs reste vide de sens. / Un repaire estival où plus personne ne fait escale.

Il arrivait d'El Ouricia un coin perdu à l'Est de là-bas. Je voudrais tant qu'on s'en souvienne. Du vieil homme au Chaâba.

Il dissimule son vague à l'âme surtout pas d'état d'âme. Le silence, le silence encore. Le silence dans ses yeux le silence. La vie, c'est simple pour ces gens-là: tu manges, tu dors, tu dis Besmelah.
Rhayne faouara chimino tanja, c'est loin tout ça.

Il arrivait d'El Ouricia un coin perdu à l'Est de là-bas. Je voudrais tant qu'on s'en souvienne. Du vieil homme au Chaâba.

Text + Musik: Wahid Chaib / Laurent Benitah Zenzila, *2 pull-overs 1 vieux costard* ℗ + © Universal Music Publ. SAS. / Evalouna, für D: Universal Music Publ. GmbH / MCA Music GmbH, Berlin 2003

Leçon 8, Album, p. 118:

El Ouricia

Er kam von El Ouricia, / einem abgelegenen Kaff in einer schönen Gegend von dort drüben / Unter der Sonne verbrannte er sein Leben / im Tausch gegen eine oder zwei Ähren / Von Dorf zu Dorf ziehend, / hinter ihm seine Frau, in einen Mantel gehüllt / Er bot seine Arme dem Meistbietenden an / Es war die Kolonialzeit.

Kaum 30 Jahre alt und schon müde / Besonders dort zu sein, / um einzusäen, zu pflügen, auszusäen / Er war nur dazu gut / Es ist soweit, es ist entschieden, er geht weg / Es ist kaum Zeit, um Lebewohl zu sagen / In seiner Tasche zwei Pullover, ein alter Anzug / Sétif (in Algerien) – (Bahnhof) Perrache (in Lyon), zehn Uhr am Abend.

Refrain: Er kam von El Ouricia, einem abgelegenen Kaff im Osten von dort drüben. Ich wünschte so sehr, dass man sich daran erinnert. An den alten Mann in der Barackensiedlung.

Untergekommen in einer alten Bruchbude, / im Osten von hier, / an einer Metrostation am Brückenplatz, wurde der Gemüsehändler plötzlich zum Maurer. Und Jahre später ein Stück Land, ein babylonischer Garten. Eine Barackensiedlung, wie man so sagt, aber für ihn sein Garten Eden. / Er war dort, aber nur vorübergehend; heutzutage lässt es bei ihm einen bitteren Nachgeschmack zurück. / Seine Kinder sind groß geworden; was ist nur aus meinen Kindern geworden? / Das Denkmal, erbaut zum Ruhme seiner Vorfahren, bleibt sinnentleert. / Ein Sommerschlupfwinkel, bei dem niemand mehr Halt macht.

Er kam von El Ouricia, …

Er verbirgt seine melancholische Stimmung; vor allem keine Gefühlsregungen. Stille, nochmals Stille. Stille, in seinen Augen Stille. Das Leben ist schlicht für diese Leute da: du isst, du schläfst, du sagst „In Gottes Namen". Rhayne faouara chimino tanja, am Brunnen von Sétif am heimischen Herd, all das ist weit weg.

Er kam von El Ouricia, …

Übersetzung: Friederike Maria Keck

Leçon 9, ex. 10, p. 128:

Le corbeau et le renard

Un jour, un grand corbeau
Sur un arbre tout haut
Veut manger un fromage
Qu'il a trouvé dans un village.
C'est là qu'arrive un renard
Qui, lui aussi, veut l'avoir.

Le renard donc dit à l'oiseau:
Hé, bonjour, vous êtes joli, vous êtes beau!
Savez-vous, cher monsieur, chanter aussi?
Pour moi, ce sera le paradis!
Et puis, je dirai à tout le monde, c'est vrai,
Que vous êtes le roi de la forêt!

Le corbeau veut le lui montrer
Et le fromage, il le laisse tomber!
Le renard le prend tout de suite et dit:
Merci pour le fromage, cher ami!
Trop tard, le corbeau a compris
Qu'il ne fallait pas toujours écouter les «amis».

D'après: Jean de la Fontaine

Plateau 3, ex. 3, p. 132:

Contact

Une météorite m'a percé le cœur
Vous, sur la terre, vous avez des docteurs
Contact
Contact
Il me faut une transfusion de mercure*
J'en ai tant perdu par cette blessure
Contact
Contact
Ôtez-moi ma combinaison spatiale
Retirez-moi cette poussière sidérale
Contact
Contact
Comprenez-moi, il me faut à tout prix
Rejoindre mon amour dans la galaxie
Contact
Contact
Contact
Contact ...

Kontakt

Ein Meteorit hat mir durchbohrt mein Herz(e)
Ihr dort, auf der Erde, ihr habt Ärzte
Kontakt
Kontakt
Ich brauch' eine Transfusion vom Blut des Merkur*
Ich hab' so viel davon verloren durch diese Blessur
Kontakt
Kontakt
Zieht mir meinen Weltraumanzug aus
Entfernt von mir diesen Sternenstaub
Kontakt
Kontakt
Versteht mich doch, ich muss – wie noch nie –
meine Liebe wiederfinden in der Galaxie
Kontakt
Kontakt
Kontakt
Kontakt ...

Übersetzung: Friederike Maria Keck

* **le mercure** das Quecksilber

M RER T

Paris

RATP

www.citefutee.com

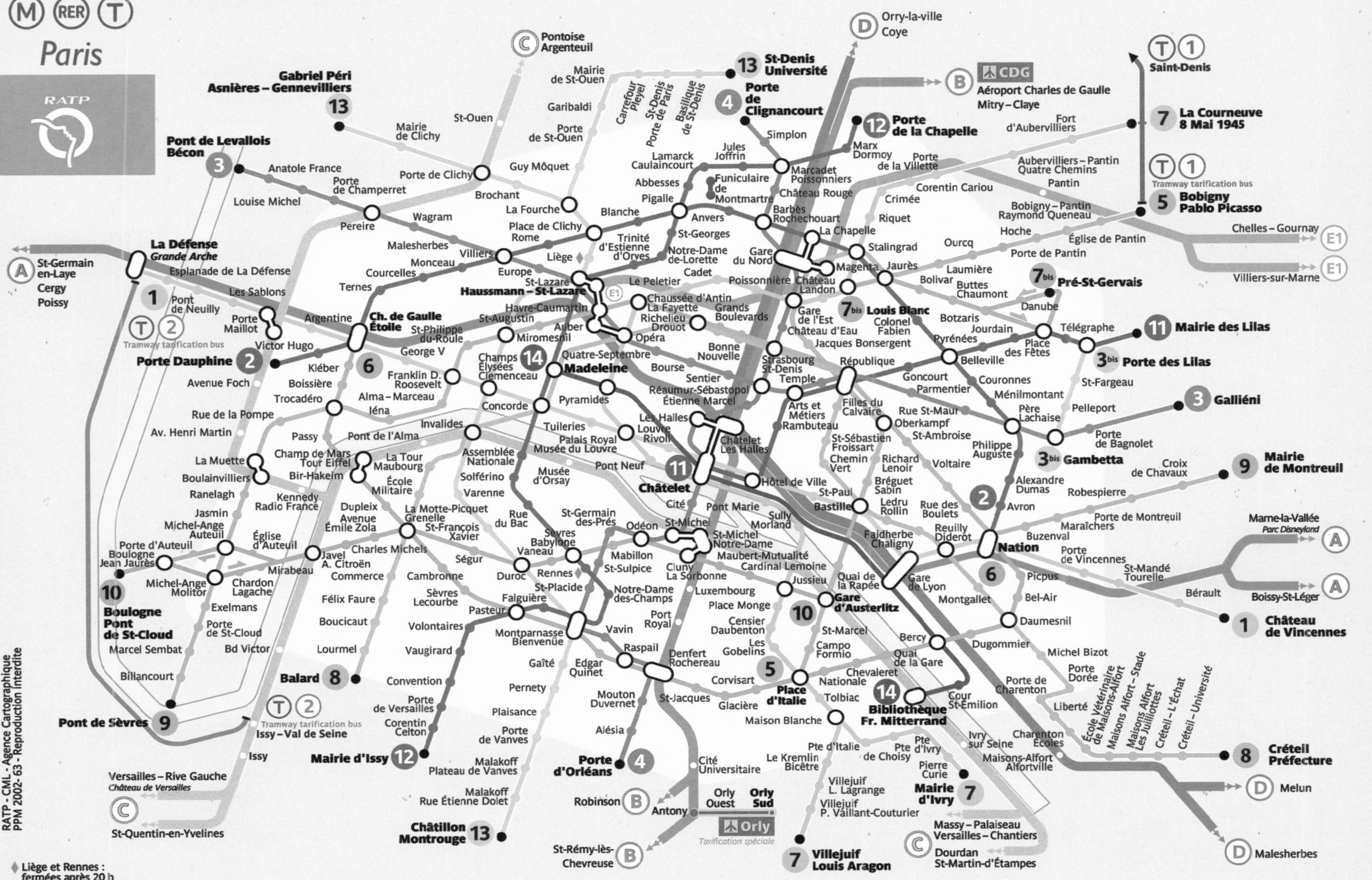

La Défense Grande Arche
Château de Vincennes
Porte Dauphine
Nation
Pont de Levallois Bécon
Gallieni
Porte de Clignancourt
Porte d'Orléans
Bobigny Pablo Picasso
Place d'Italie
Pont de Sèvres
Mairie de Montreuil
Boulogne Pont de St-Cloud
Gare d'Austerlitz
Mairie des Lilas
Châtelet
Porte de la Chapelle
Mairie d'Issy
St-Denis Université
Châtillon Montrouge
Gabriel Péri Asnières – Gennevilliers
Madeleine
Bibliothèque Fr. Mitterrand
La Courneuve 8 Mai 1945
Villejuif Louis Aragon
Mairie d'Ivry
Balard
Créteil Préfecture
Pré-St-Gervais
Louis Blanc
Porte des Lilas
Gambetta

St-Germain-en-Laye, Cergy, Poissy
Marne-la-Vallée Parc Disneyland
Boissy-St-Léger
Aéroport Charles de Gaulle, Mitry – Claye
Robinson
St-Rémy-lès-Chevreuse
Orry-la-ville, Coye
Melun
Malesherbes
Pontoise, Argenteuil
Versailles – Rive Gauche Château de Versailles
St-Quentin-en-Yvelines
Massy – Palaiseau, Versailles – Chantiers
Dourdan, St-Martin-d'Étampes
Chelles – Gournay
Villiers-sur-Marne
Saint-Denis
Issy – Val de Seine
Orly Ouest, Orly Sud, Orly Tarification spéciale
Tramway tarification bus

♦ Liège et Rennes : fermées après 20 h et dimanches et fêtes.

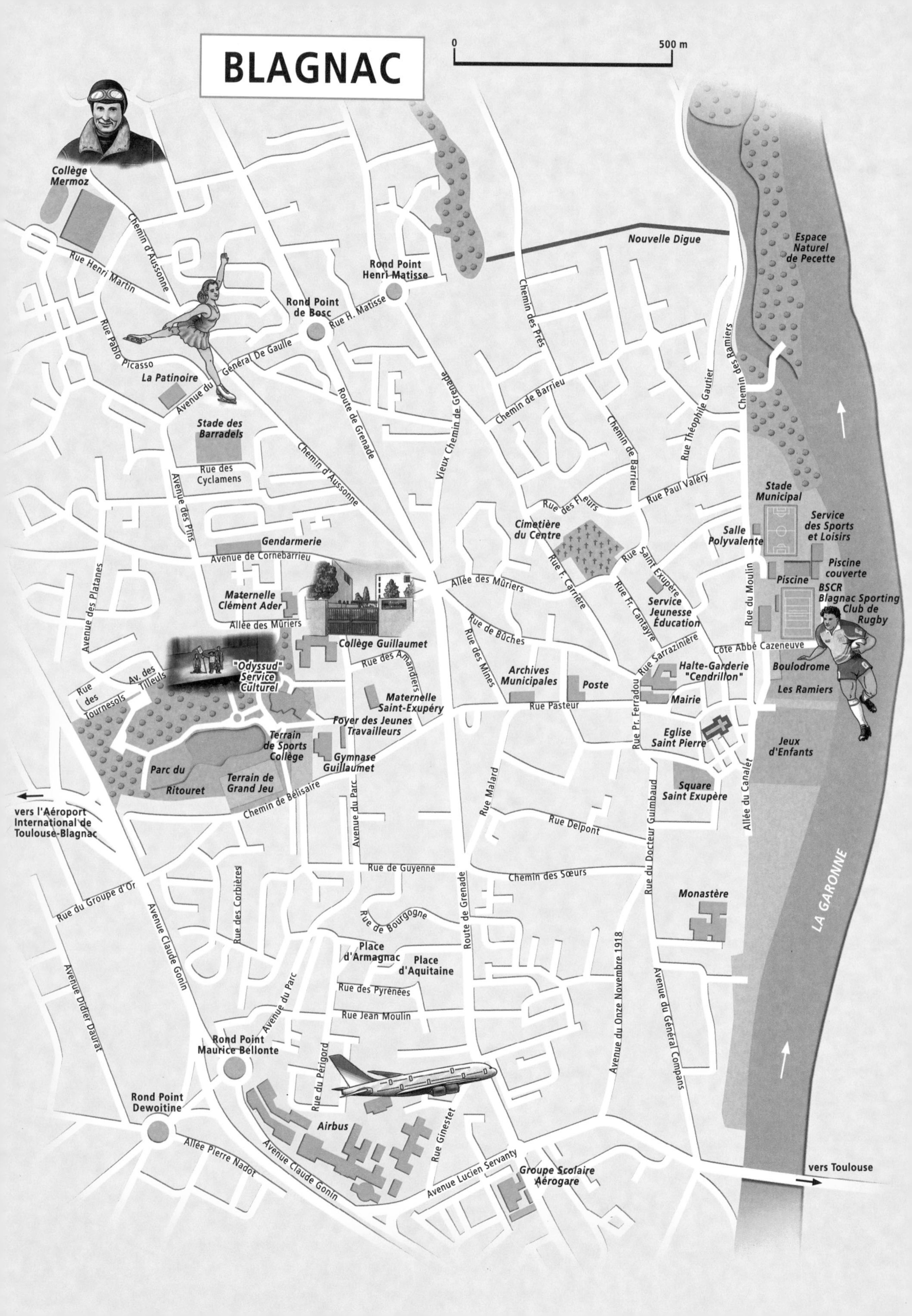

BLAGNAC
0
500 m
Collège Mermoz
Chemin d'Aussonne
Rue Henri Martin
Rue Pablo Picasso
La Patinoire
Avenue du Général De Gaulle
Rond Point de Bosc
Rue H. Matisse
Rond Point Henri Matisse
Nouvelle Digue
Espace Naturel de Pecette
Chemin des Prés
Chemin des Ramiers
Rue Théophile Gautier
Chemin de Barrieu
Route de Grenade
Vieux Chemin de Grenade
Stade des Barradels
Rue des Cyclamens
Avenue des Pins
Chemin d'Aussonne
Rue des Fleurs
Rue Paul Valéry
Stade Municipal
Salle Polyvalente
Service des Sports et Loisirs
Piscine couverte
Piscine
BSCR Blagnac Sporting Club de Rugby
Cimetière du Centre
Rue F. Carrière
Rue Saint Exupère
Rue Fr. Cantayre
Service Jeunesse Éducation
Rue du Moulin
Gendarmerie
Avenue de Cornebarrieu
Allée des Mûriers
Maternelle Clément Ader
Allée des Mûriers
Collège Guillaumet
Avenue des Platanes
Rue des Tournesols
Av. des Tilleuls
"Odyssud" Service Culturel
Rue des Amandiers
Rue de Bûches
Rue des Mines
Archives Municipales
Poste
Rue Sarrazinière
Côte Abbé Cazeneuve
Halte-Garderie "Cendrillon"
Boulodrome
Les Ramiers
Mairie
Rue Pasteur
Maternelle Saint-Exupéry
Foyer des Jeunes Travailleurs
Terrain de Sports Collège
Gymnase Guillaumet
Parc du Ritouret
Terrain de Grand Jeu
Chemin de Belisaire
Rue Pr. Ferradou
Eglise Saint Pierre
Jeux d'Enfants
Square Saint Exupère
Allée du Canalet
vers l'Aéroport International de Toulouse-Blagnac
Avenue du Parc
Rue Malard
Rue Delpont
Rue du Docteur Guimbaud
Rue de Guyenne
Chemin des Sœurs
Rue du Groupe d'Or
Rue des Corbières
Avenue Claude Gonin
Rue de Bourgogne
Route de Grenade
Monastère
LA GARONNE
Avenue Didier Daurat
Place d'Armagnac
Place d'Aquitaine
Rue des Pyrénées
Rue Jean Moulin
Avenue du Onze Novembre 1918
Avenue du Général Compans
Rond Point Maurice Bellonte
Avenue du Parc
Rue du Périgord
Rond Point Dewoitine
Airbus
Rue Ginestet
Allée Pierre Nadot
Avenue Claude Gonin
Avenue Lucien Servanty
Groupe Scolaire Aérogare
vers Toulouse